令和5年版

科学技術・イノベーション白書

地域から始まる科学技術・イノベーション

文部科学省

この文書は、科学技術・イノベーション基本法（平成7年法律第130号）第11条の規定に基づき、科学技術・イノベーション創出の振興に関して講じた施策について報告を行うものである。

表紙の作画　　マンガデザイナーズラボ株式会社

表紙、扉絵デザインはマンガデザイナーズラボ株式会社が原案作成、デザイン作画にあたりました。本白書の特集テーマである「地域から始まる科学技術・イノベーション」について、令和3年版の本白書でも描かれた仮想空間を用いながら、さらに各地域にイノベーションの創出が広がる様子を表現しました。また、多様な知が地域へ広がり、芽吹く様子を、令和4年版の本白書でも描かれたタンポポの種子が、広く地域に舞うことで表現しました。

科学技術・イノベーション白書に関する御意見・御感想をお寄せください。

連絡先
　文部科学省 科学技術・学術政策局 研究開発戦略課
　　〒100-8959　東京都千代田区霞が関3-2-2
　　電話番号：03-5253-4111（内線4012）　FAX：03-6734-4176　電子メール：kagihaku@mext.go.jp

刊行に寄せて

文部科学大臣

永岡桂子

　科学技術・イノベーションの発展は、私たちの暮らしを豊かにし、社会の進歩に貢献しています。科学技術立国の実現に向け、さらなる発展を目指す中では、地域の力を活かした取組が一層重要です。

　令和4年2月、政府は、地域の中核大学や特定分野の強みを持つ大学が、"特色ある強み"を十分に発揮し、社会変革を牽引する取組を強力に支援し、地域の変革や、その先にある我が国の産業競争力強化、グローバル課題の解決にも繋げるため、「地域中核・特色ある大学総合振興パッケージ」を決定しました。さらに、令和4年度第2次補正予算で計上された「地域中核・特色ある研究大学強化促進事業」などを含め、令和5年2月に本パッケージを改定するなど、地域におけるイノベーションを積極的に後押ししています。

　今回の特集では、これまでの政府の地域科学技術・イノベーション政策の変遷を振り返りながら、地域の魅力と独自性に注目し、そこから生まれる様々なイノベーションを発掘・育成する試みに光を当てました。地域で生まれた特色ある事例を紹介しながら、地域の多様な課題やニーズに合わせた科学技術・イノベーションのあり方を探求しています。

　令和5年は第6期科学技術・イノベーション基本計画期間の中間点である3年目にあたります。この白書が国民の皆様にとって、科学技術・イノベーションに関する施策の現在地について、理解を深めていただく一助となるとともに、様々な地域で科学技術・イノベーションを基軸として地方創生に取り組んでおられる関係者の方々にとって今後の取組の参考になることを願っています。

第1部　地域から始まる科学技術・イノベーション

第2部　科学技術・イノベーション創出の振興に関して講じた施策

図表目次

コラム目次

第1部
地域から始まる科学技術・イノベーション

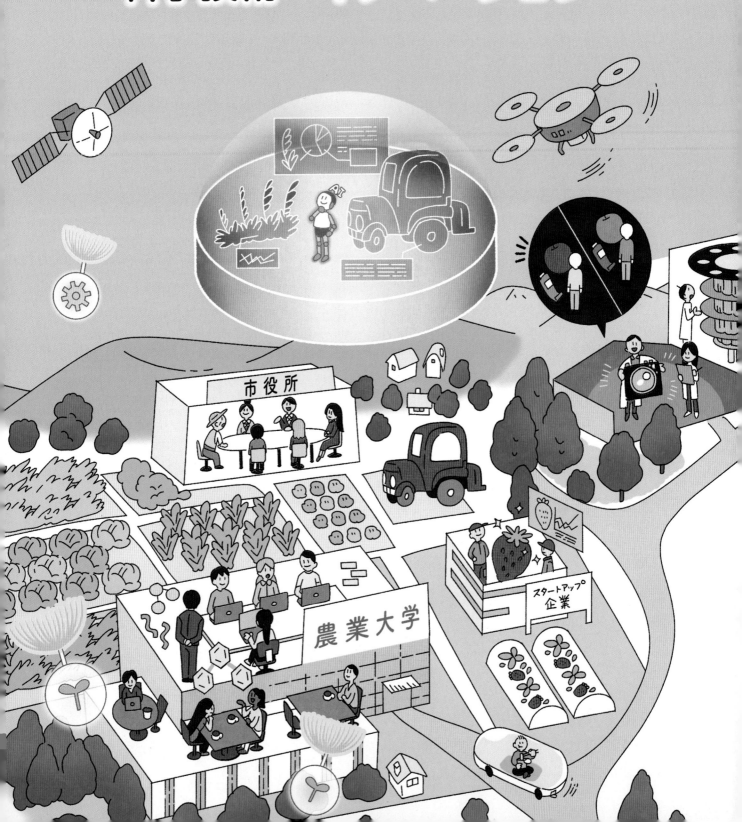

第1部　地域から始まる科学技術・イノベーション

　急速に少子高齢化が進む我が国の総人口は、平成23年以降減少していますが、欧米の比較的人口の多い国でも首都圏の人口比率は5〜15％程度（平成29年）である中、一都三県から成る東京圏の人口比率は約29％（令和3年）にも及び、東京圏へ人口が一極集中する傾向にあります。このため、地方においては、地域社会の担い手が減少しているだけでなく、地方経済の縮小など様々な社会的・経済的な課題が生じています。

　また、世界に目を向ければ、人口増加、エネルギー・資源・食料等の制約、環境問題などの継続的な課題への対応に加えて、新型コロナウイルス感染症拡大や安全保障をめぐる環境変化など新たな課題にも臨機応変に対応していくことが求められています。

　このような状況の下、政府は、感染症、地球温暖化、少子高齢化など、世界が直面する様々な社会的課題の解決に資する科学技術・イノベーションに重点投資することとしており、また、第6期科学技術・イノベーション基本計画では、Society 5.0の実現に向けて、少子高齢化、都市と地方の問題など我が国の社会課題の解決に向けた研究開発を推進するとともに、課題解決先進国として世界へ貢献し、一人ひとりの多様な幸せを向上させることを1つの目標としています。

　そのため、政府では科学技術分野の人材育成、世界最高水準の研究大学を形成するための大学ファンドや先端科学技術への大胆な投資、スタートアップへの徹底支援などを推進しています。また、東京圏への過度の一極集中、人口減少・少子高齢化などに起因する地域社会課題の解決、さらにはその課題解決等を通じた地域経済への貢献などの観点から、地方大学を核としたイノベーションの創出、地域発のイノベーションを創発するスタートアップ・エコシステムの確立、スマート農林水産業などに取り組んでいます。

　昨今の科学技術の急速な発展は、あらゆる場所、もの、ひとへの物理的・心理的距離を縮め、必要な情報へのアクセスを可能にし、政府の科学技術・イノベーション政策とも相まって、地方においても大小様々な研究開発の成果やスタートアップが生まれています。米国のシリコンバレーやドイツのアーヘン、ベルギーのフランダース、中国の深圳（しんせん）など、世界においても地域発の多様な拠点が形成されています。第1部では、地域に根差す大学、高等専門学校、地方公共団体、企業がその各々の強みを活かしつつ地域からイノベーションを起こし、地域社会への還元や雇用創出など地域の魅力を拡大させている事例を幾つか取り上げ、さらに、その成果を必要とする他地域や諸外国にも展開していく取組なども併せて紹介します。

〈第6期科学技術・イノベーション基本計画とは〉

　我が国では、科学技術・イノベーション基本法に基づき、科学技術・イノベーション基本計画（第1期から第5期までは科学技術基本計画）（以下「基本計画」という。）を5年ごとに策定しており、令和3年4月より、現在の第6期基本計画が開始されました。同計画では、Society 5.0の実現のため、多様性や卓越性を持った「知」を創出し続ける、世界最高水準の研究力を取り戻すことが規定されています。

〈Society 5.0とは〉

　我が国が目指すべき未来社会として、基本計画において提唱されたコンセプト。「サイバー空間（仮想空間）とフィジカル空間（現実空間）を高度に融合させたシステムにより、経済発展と社会的課題の解決を両立する人間中心の社会」であり、「直面する脅威や先の見えない不確実な状況に対し、持続可能性と強靭性を備え、国民の安全と安心を確保するとともに、一人ひとりが多様な幸せ（well-being）を実現できる社会」と定義されている。

日本が目指す未来社会「Society 5.0」の重要な3つのポイントを文部科学省の職員が説明しています。

動画でわかるSociety 5.0　令和3年版科学技術・イノベーション白書　〜職員解説編〜
URL: https://www.youtube.com/watch?v=ggS9VQLsMrQ

地域科学技術・イノベーション政策

科学技術・イノベーション基本計画に沿った地域科学技術・イノベーション施策の変遷

　平成7年に科学技術基本法が制定されるまで、我が国の産学連携への意識は概して小さく、連携を推進する政策もほとんど見られませんでした。同法に基づき策定された第1期基本計画（平成8～12年度）において地域の科学技術振興の必要性が示されたことなどを皮切りに、地域における産学官の共同研究体制の構築に向けて、地域拠点へのコーディネーター派遣、地域の研究開発セクターの結集等の事業が開始されました。第2期基本計画（平成13～17年度）において、地域の科学技術振興のための環境整備の必要性が示され、地域クラスター形成支援のための施策であるクラスター政策が開始されるとともに、コーディネーターの全国配置等が進められました。第3期基本計画（平成18～22年度）では、第2期基本計画で開始されたクラスター政策を更に発展させ、産学官連携の下で世界的な研究や人材育成を行う研究教育拠点を形成するための事業などが推進されるようになりました。

　第4期基本計画（平成23～27年度）では、平成23年3月に発生した東日本大震災による被災地域の復興・再生の早期実現のためにも、国として科学技術・イノベーションを活用する取組を優先的に推進する必要があるとの認識が持たれるとともに、地域の特色や伝統等の活用等の科学技術・イノベーションを積極的に活用した新たな取組の優先的推進による地域復興・再生や、地域がその強みや特性を活かした自立的な科学技術・イノベーション活動を展開できる仕組みの構築に向けて、関係省庁が連携しつつソフト面への重点支援を通じた地域イノベーション・エコシステムの形成が促進され

ました。また、平成25年度には、10年後の目指すべき社会像を見据えたビジョンを基に特定した研究開発課題に対する、産学連携によるチャレンジング・ハイリスクな研究開発を支援する「革新的イノベーション創出プログラム（COI STREAM[1]）」が開始され、地域の積極的なコミットメントが高い研究成果のみならず、その成果の社会実装を通じた地域の社会的課題の解決につながる事例が生まれつつあります。

　第5期基本計画（平成28～令和2年度）では、平成26年にまち・ひと・しごと創生法が制定され、地方創生の推進に向けた機運が高まる中、地方創生に資するイノベーションシステムの構築に向けた取組が次々と推進されました。コア技術を核に地域の成長・国富の増大に資する事業化プロジェクトを実施するとともに、地方公共団体と大学を中心とするチームで地域の「未来ビジョン」を設定し、そのビジョンからのバックキャストを通じて特定した社会的課題の解決のために科学技術・イノベーションを活用する取組の支援や、地域に集積する産・学・官・金（金融機関）のプレイヤーが共同して複合型イノベーション推進基盤（リサーチコンプレックス）を成長・発展させ、地方創生にも資することを目的としたプロジェクトなどを実施してきました。同期間中の平成28年11月に策定された「産学官連携による共同研究強化のためのガイドライン」に基づいて、地域に根差した産学官連携を実現するために、地方大学等においても必要な機能強化を進め、地域における専門知のハブとしての機能を備えることが期待されています。

1　　Center of Innovation Science and Technology based Radical Innovation and Entrepreneurship Program

現在の第6期基本計画（令和3～7年度）では、第5期までの施策の拡充などに加え、ICT等の新技術の発展に伴う社会のデジタル化の進展や、新型コロナウイルス感染症の拡大による社会変化の加速などを踏まえ、スマートシティの展開等を掲げています。都市や地域における課題解決を図り、地域の可能性を発揮しつつ、新たな価値を創出し続けることができる多様で持続可能な都市や地域が全国各地に生まれることで、人間としての活力が最大限発揮されるような持続的な生活基盤を有する社会の実現を目指しています。

このように、第1期から第6期にかけて、科学技術政策から科学技術・イノベーション政策へと変わり、地域科学技術・イノベーション施策のその対象も大学の学部・研究科単位から大学単位、大学を中心とした地方公共団体や企業も含む連合体、地方公共団体や地方公共団体同士の連合体といった形で、拡大の歴史をたどっています。特に、第5期以降は、地方創生への地域科学技術・イノベーションの貢献という観点からの施策が、その重要性を高めてきています。

第2節　政府内での様々な地域科学技術・イノベーションに関連した施策

ここでは、地域科学技術・イノベーションに関連した施策として、地方創生を主な目的とした、地方公共団体や公共団体間連携を対象とした施策について、幾つかの取組を紹介します。

地域における拠点整備に関連する取組は、国及びつくば市、国及び京都府・大阪府・奈良県における研究学園都市・文化学術研究都市の整備に遡ります。つくば市では昭和45年に制定された「筑波研究学園都市建設法」（昭和45年法律第73号）に基づき、筑波研究学園都市が、我が国における高水準の試験研究・教育の拠点形成と東京の過密緩和への寄与を目的として建設されており、現在29の国等の試験研究・教育機関のほか、民間の研究機関・企業等が立地しており、研究交流の促進や国際的研究交流機能の整備等の諸施策が推進されています。京都府・大阪府・奈良県では、昭和62年に制定された「関西文化学術研究都市建設促進法」（昭和62年法律第72号）に基づき、関西文化学術研究都市が、我が国及び世界の文化・学術・研究の発展並びに国民経済の発展に資することを目的として整備されており、現在150を超える研究施設等が立地し、多様な研究活動等が展開されています。

また、地方創生施策としては、「地方大学・地域産業創生交付金」（内閣府）において、秋

出県、富山県、石川県、岐阜県、島根県、広島県、徳島県、高知県、熊本県、函館市、神戸市、北九州市の12地域が採択されています。これは、地域の将来を担う若者が大幅に減少する中、地域の人材への投資を通じて地域の生産性の向上を目指すことが重要との観点から、首長のリーダーシップの下、産業創生・若者雇用創出を中心とした地方創生と、地方創生に積極的な役割を果たすための組織的な大学改革に一体的に取り組む地方公共団体を重点的に支援するものです。本交付金事業により「総花主義」、「平均点主義」、「自前主義」から脱却し、地域産業創生の駆動力となり特定分野に圧倒的な強みを持つ地方大学づくりを進め、地域における若者の修学・就業を促進し、東京一極集中の是正が目指されています。

さらに、第1節で紹介したスマートシティの展開に関して、政府では、「心ゆたかな暮らし」（Well-Being）と「持続可能な環境・社会・経済」（Sustainability）を実現していくデジタル田園都市国家構想を進めています。そして、デジタル田園都市国家構想が目指すのは、地域の豊かさをそのままに、都市と同じ又は違った利便性と魅力を備えた、魅力溢れる新たな地域づくりです。具体的には、「暮らし」や「産業」などの領域で、デジタルの力で新たなサービス

や共助のビジネスモデルを生み出しながら、デジタルの恩恵を地域の皆様に届けていくことを目指しています。

　加えて、令和4年4月に指定されたスーパーシティ型国家戦略特区（茨城県つくば市及び大阪府大阪市）とデジタル田園健康特区（石川県加賀市、長野県茅野市及び岡山県吉備中央町）は、「デジタル田園都市国家構想」の先導役として、大胆な規制改革を伴ったデータ連携や先端的サービスの実現を通じて地域課題の解決を図ることが期待されています。スーパーシティは、地域のデジタル化と規制改革を行うことにより、ＤＸを進め幅広い分野で未来社会の先行的な実現を目指すものであり、デジタル田園健康特区は、デジタル技術の活用によって、人口減少、少子高齢化など、特に地方部で問題となっている課題に焦点を当て、地域の課題解決の先駆的モデルを目指すものです。

　公共団体間で連携して推進する取組への支援としては、政府によるスタートアップ・エコシステム拠点の形成支援が挙げられます。本取組は、拠点都市のスタートアップに対して、グローバル市場への進出や海外投資家からの投資の呼び込みを促進するため「グローバルスタートアップ・アクセラレーションプログラム」を実施するなど、政府、政府関係機関、民間サポーターによる集中支援を実施することで、世界に伍するスタートアップ・エコシステム拠点の形成を推進することを目的とし、令和2年にグローバル拠点都市4拠点、推進拠点都市4拠点が選定されています[1]。

　第1節及び第2節で紹介したとおり、我が国では地域科学技術・イノベーションの推進のため、様々な支援対象に対して、様々な支援施策が連綿と実施されており、日本全国で多様な拠点の形成と多彩な成果が生まれています。続く第2章～第4章では、こういった取組のうち、幾つかの好事例について取り上げます。

1　各拠点都市の計画及び進捗
　https://www.8.cao.go.jp/cstp/openinnovation/ecosystem/kyotentoshi.html

第2章　地域の大規模な科学技術・イノベーション拠点

　我が国の科学技術・イノベーション拠点の中には、地域主導で、独自の産業・技術といった特色を活かして関連する産業界や人材を集積させて拠点を形成している場合があり、このような拠点では自らを軸にして地域活性化に大きく貢献しています。ここでは、主な事例を2つ紹介します。

第1節　オープンイノベーション都市かわさき

　川崎市では「川崎市総合計画」に掲げるまちづくりの基本目標である「力強い産業都市づくり」の実現に向けて、「かわさき産業振興プラン」に基づく産業振興施策を推進しています。同市は「かわさき新産業創造センター（KBIC）」等のインキュベーション施設を有するほか、市内に550以上の研究開発機関が集積しています。特に、川崎市殿町地区では、ライフサイエンス・環境分野における世界最高水準の研究開発から新産業を創出する「殿町国際戦略拠点キングスカイフロント」が形成され、多摩川スカイブリッジにより多摩川対岸の羽田空港と直結する好立地や、研究開発機関の集積を活かし、産業振興・イノベーションを推進する基盤が整えられてきました（第1-2-1図）。

　このキングスカイフロントには、アンダーワンルーフに産学官が集い、オープンイノベーションを加速させる拠点である「ナノ医療イノベーションセンター（iCONM）」があります。iCONMは、文部科学省のCOI STREAMに公益財団法人川崎市産業振興財団を中核機関として採択された「スマートライフケア社会への変革を先導するものづくりオープンイノベーション拠点（COINS）」の実働拠点です。COINSでは、「いつでもどこでも誰もが心身や経済的負担がなく、社会的負荷の大

■第1-2-1図／殿町国際戦略拠点キングスカイフロント

提供：川崎市消防局航空隊

■第1-2-2図／体内病院のイメージ

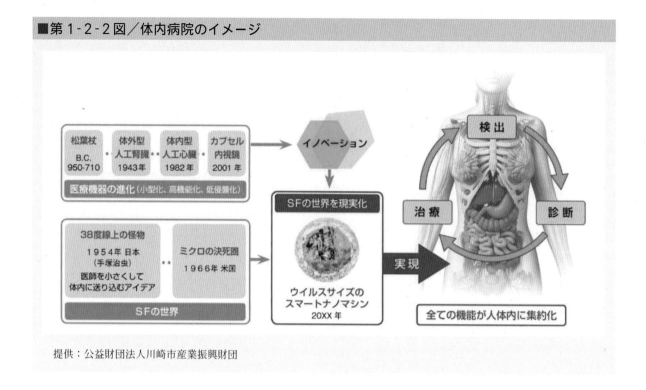

提供：公益財団法人川崎市産業振興財団

きい疾患から解放されることで自律的に健康になっていく社会」を掲げ、全ての医療機能が人体内に集約化される「体内病院」の構築を目指しています。具体的には、体内を24時間巡回し、病気の予兆を見つけ、治療を行い、体外に情報を直ちに知らせるスマートナノマシンの開発を行うというものです。この実現に向け、世界最先端のナノ医療を研究する大学や企業など30以上の機関が結集し、産学官の壁を越えた融合研究を進めました。社会実装の担い手として設立した10社のスタートアップを介して、ナノマシンによって体内に潜むがん幹細胞を叩くことによる難治がんの抜本治療や、微小チップによって在宅時でも健康状態のモニタリングを行う採血不要のポータブル予防診断等の実現可能性を検証しています（第1-2-2図）。

また、新川崎地区では、令和3年に日本初のゲート型商用量子コンピュータ（第1-2-3図）が「新川崎・創造のもり」に設置されたことを契機として、令和4年に、量子分野の最先端の研究に取り組む大学・企業等とともに推進するプロジェクトが文部科学省の「共創の場形成支援プログラム（COI-NEXT）」に採択されました。ゲート型とは、用途を特化しない汎用型の量子コンピュータの主流の方式です。ここでは、量子コンピュータを使いたい企業と大学が手を組んで共同研究を進める体制を、東京大学や慶應義塾大学が中心となって整えています。量子技術に関わるヒト・知識・情報が集い交わる産学官の共創拠点「量子イノベーションパーク」の実現により、我が国における量子コンピューティングのエコシステムの構築を目指しています。

さらに、量子分野の産業化を牽引（けんいん）する次世代の人材を川崎から輩出することを目的に、産学官が連携した量子技術分野の次世代人材育成（市内高校生を対象とした「量子ネイティブ人材育成プログラム」等）にも取り組んでいます。

このように、川崎市では産学官の垣根を越え、研究開発施設及び人材を集積させたオープンイノベーションの拠点形成が進展しています。

■第1-2-3図／日本初の「ゲート型商用量子コンピューティングシステム」

IBM Quantum System One 「Kawasaki」

提供：日本IBM株式会社

第2節　神戸医療産業都市

　神戸市は、平成7年1月17日に発生した阪神・淡路大震災で大きな被害を受けた神戸の経済を立て直すため、平成10年、震災復興事業として「神戸医療産業都市構想」に着手しました。

　雇用の確保と経済の活性化、先端医療技術の提供による市民福祉の向上、アジア諸国の医療水準の向上による国際貢献を目的として、産学官医の連携の下、神戸市にある人工島「ポートアイランド」に先端医療技術の研究開発拠点を整備し、21世紀の成長産業である医療関連産業の集積を図っています（第1-2-4図）。

　構想開始から20年以上が経過し、多くの先端医療の研究機関や高度専門病院群、企業・大学の集積が進み、進出企業・団体数が362社（令和5年3月時点）、雇用者数が1万2,400人（令和4年3月時点）と、日本最大級のバイオメディカルクラスターに成長しています（第1-2-5図）。

■第1-2-4図／神戸医療産業都市の俯瞰写真

資料：神戸医療産業都市HP

■第1-2-5図／神戸医療産業都市への進出企業・団体数と雇用者数の推移

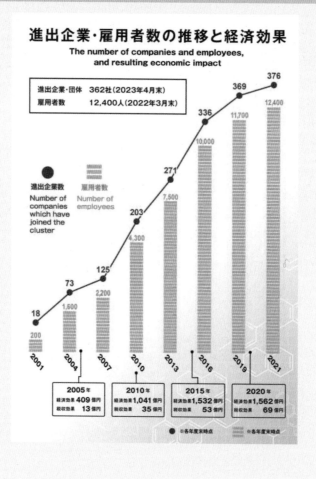

提供：神戸市

企業や団体が進出しやすい背景として、神戸医療産業都市におけるライフサイエンス分野のスタートアップに対する充実した支援があります。

具体的には、全国からスタートアップを発掘・育成するアクセラレーションプログラムである「メドテックグランプリＫＯＢＥ」を平成30年度より毎年開催し、デモデイの実施や事業会社等とマッチングを通じた事業化を支援しています。また、スタートアップの事業化を促進する補助金（神戸ライフサイエンスギャップファンド）、スタートアップのグローバル展開の支援を目的としたアクセラレータープログラム「Kansai Life Science Accelerator Program」など、幅広い支援メニューを設けています。

神戸医療産業都市の成果の１つとして、株式会社メディカロイドが開発した国産手術支援ロボット「hinotori（ヒノトリ）™サージカルロボットシステム」が挙げられます。この製品は、

■第1-2-6図／神戸医療産業都市での革新的成果[1]

提供：神戸市

1　図中のQRコードはこちら
世界初のiPS細胞の移植手術を実現
https://www.fbri-kobe.org/kbic/cases/cs009/

世界初の歯髄再生医療を実用化
https://www.fbri-kobe.org/kbic/cases/cs010/

hinotori™サージカルロボットシステムの開発支援
https://www.fbri-kobe.org/kbic/cases/cs001/

令和2年8月に内視鏡手術を支援するロボットとして泌尿器科領域で製造販売承認を取得しており、開発にも協力した神戸大学の神戸医療産業都市内に位置する医学部附属病院国際がん医療・研究センターにおいて、同年12月に1例目の手術が実施されました。それ以降も、使用症例を着実に増やしており、令和4年10月には消化器外科・婦人科への適応についても承認を得ました。現在、令和5年4月に神戸大学に設置された「大学院医学研究科医療創成工学専攻」を中心に、hinotoriを核とした先端医療機器の研究開発や医工融合人材の育成によって、オープンイノベーションを推進し、神戸医療産業都市における医療機器開発エコシステム形成を目指しており、産学官医連携の代表的な事例となっています。本件は神戸市が採択された「地方大学・地域産業創生交付金」(内閣府)の支援も受けています。

また、神戸医療産業都市が位置するポートアイランドには、理化学研究所が開発した世界最高水準のスーパーコンピュータ「富岳」が設置されており（第2部第2章 2 ❺参照）、新型コロナウイルス感染症対策に資する研究や、国民の安全・安心に資する研究など、幅広いシミュレーション支援が可能となっています。

このように、神戸市による活動拠点の提供や、補助金を通じたスタートアップの支援、医療機関との連携を希望する企業・研究機関・大学等からの相談を医療機関へとつなぐ窓口の設置などを通して、神戸医療産業都市では産学官医によるイノベーションを強力に推進しており、世界初のiPS細胞移植手術や世界初の歯髄再生医療、手術支援ロボットの開発をはじめとする革新的な成果が生み出されています。

震災復興事業をきっかけとして開始した神戸市の取組は、長い期間をかけて着実に発展し、今では高度な医療人材が集積し、こうした革新的な成果が生み出されるような独自のイノベーション拠点を形成することに成功しています（第1-2-6図）。

第1節のオープンイノベーション都市かわさきのような産業振興施策等により多くの研究開発機関が集積した拠点や、第2節の神戸医療産業都市のような震災をバネにした拠点の形成へ向けた取組は、いずれも地域主導の下、強力な産学官の連携によって結実させた事例と考えられます。科学技術・イノベーションにおいて、大学や研究機関に閉じることなく、アンダーワンルーフの下、企業や公共団体などのステークホルダーとも連携しつつ研究開発を進めることは、オープンイノベーションを実現する理想的な体系の1つといえます。

こうした地域の優位性を活かした地域主導の科学技術・イノベーションの拠点形成は今後も我が国の様々な場所で創出されていくことが期待されています。

第3章　地域の特性や大学の強みを活かした様々な科学技術・イノベーション

近年、地域の特性を活かした大学・産業、特定の分野において強みを持つ大学・産業が育ちつつあります。第3章では、地域の特性や大学の強みなどを活かして革新的な技術開発に成功し、地方公共団体や産業界などとも連携しつつ、その地域に貢献している事例を紹介します。

第1節　青森県・弘前市・弘前大学のwell-being地域社会共創拠点等

青森県は、厚生労働省「都道府県別生命表の概況」によれば、長きにわたり平均寿命が男女共に全国最下位（最短）であり、日本一の「短命県」の状況が継続しています。そして、青森県弘前市では、これまで、産学官金民一体の中で、青森県の最重要課題である「短命県の返上」を一大目標に健康づくりに取り組んできました。

弘前大学では、平成17年度より「岩木健康増進プロジェクト」（第1-3-1図）と名付けた地域健康増進活動を展開し、その一環として毎年1,000人規模の弘前市民を対象とした大規模合同健康調査を実施しています。令和4年までの17年間で、延べ2万人程度の健康情報（健康ビッグデータ）を蓄積しており、この約3,000項目からなるビッグデータは、個人のゲノムから生理・生化学、生活活動、社会環境に至るまでの広範囲の内容を包含する網羅的なデータ構造を形作っています。このようなデータ構造、項目数・対象人数の多さは世界的にも類例がないものです。

■第1-3-1図／ＣＯＩ弘前拠点の参画企業・大学間の戦略的データ共有・共同解析

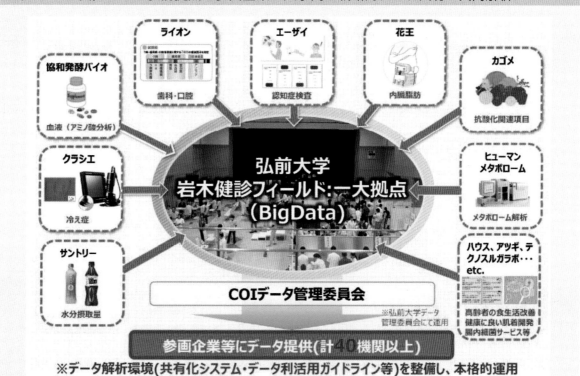

資料：弘前大学岩木健康増進プロジェクトHP

弘前大学は平成25年に、文部科学省のＣＯＩ ＳＴＲＥＡＭの全国拠点の1つに採択され、大規模住民健康調査を蓄積した「岩木健康ビッグデータ」を活用しつつ、産学官民連携体制を構築し、認知機能や水分量、内臓脂肪量や血中代謝物などの多種多様なデータから、認知症や生活習慣病など病気の予兆の発見方法や予防法を開発する研究とビジネス化に取り組んでいます。また、地域の市民の健康に対するリテラシーを向上させる様々な実践事例も展開しています（第1-3-2図）。地元の企業内における健康教育において、そうしたリテラシーの定着を図り、子供・学生・若者への健康力を向上させる取組も学校や地域の中で様々な形で行われています。このような取組を通じて、青森県の寿命に関するデータには様々な改善が見られており、特に平均寿命の延び幅においては、男性で3位、女性で25位という結果（平成22年～27年）となったとされています。

こうした地域の課題解決は、生産額の増加や雇用の創出、医療費の抑制など、経済的にも大きな社会的インパクトをもたらすと見られており、地方創生に大きく寄与するものであるといえます。また、得られた知見や技術は、海外における同様の課題を有する国々の状況を改善する可能性もあり、本ＣＯＩのモデルの世界多地域への展開も期待されるところです。

また、弘前大学では、鮭の鼻の軟骨に含まれる成分であるプロテオグリカンを抽出する技

■第1-3-2図／2ステップテストの様子

提供：弘前大学

術を開発し、同成分は「あおもりＰＧ」として健康美容分野の関連商品などに利用されています。本成分はとても抽出が難しいものでしたが、青森の郷土料理である「氷頭なます」にヒントを得て、食用酢酸とアルコールにより低価格で安全に抽出する技術開発に成功しました。本技術は産学官金の連携により、長期間にわたる支援や協力を得て達成されたものです。

青森県では、次世代を見据えた経済の更なる成長促進を目指し、令和3年3月に「青森ライフイノベーション戦略アクションプラン2021-2025」を策定しており、医療・健康・福祉といったライフ関連分野における産業振興に取り組んでいます。この戦略の重点分野の1つ「モノ・コト健康美容産業分野」では「あおもりＰＧ」のブランド化・販路拡大支援に取り組んでいます。

第2節　岩見沢市・北海道大学の産学地域共創プロジェクト

　北海道の中西部に位置し、行政面積の42%を農地が占める岩見沢市は、急速に進む人口減少と少子高齢化が喫緊の課題となっていることなどから、農業をはじめとする「経済活性化対策」を掲げています。同市では、平成5年頃より教育、医療や農業等の幅広い分野でICTに関する施策を展開し、市内での雇用を創出するなどの効果を上げています。

　中でも、岩見沢市や関連企業と連携した北海道大学が文部科学省のCOI STREAMとして採択された「食と健康の達人」拠点では、平成27年より、ICTを活用して、プレママ（初めて妊娠した人）や乳幼児からお年寄りまで、全ての世代が健康で豊かな生活を送ることができる新たな地域づくりに取り組んでいます。具体的には、市民からアプリや病院等を経由して得た妊産婦の便・血液、臍帯血、母乳、乳幼児の便等を試料（ビッグデータ）として、母から子への影響を網羅的に解析する画期的な母子コホート研究（母子健康調査）を行いました。その後、腸内環境基盤研究により見いだした健康ものさし「αディフェンシン」を指標として、母子の健康に係る因子・原因を特定し、日本初の在宅・遠隔妊産婦健診や個々人に最適な食の宅配サービスを実現したところ、低出生体重児が大幅に減少しました（平成27年10.4%→平成29年6.3%）。北海道大学、株式会社日立製作所の試算によると、低出生体重児の割合が日本全体で4%削減されると、医療費削減効果、20年間の消費行動への効果、労働経済効果の合計は年間2,000億円程度に達すると推定されるとともに、将来の少子化対策につながることが期待されています（第1-3-3図）。

　また、道内の一次産業従事者は減少するとともに高齢化しており、生産の維持や労働力不足の解消が喫緊の課題となっています。そこで、岩見沢市は、平成25年から農業分野でのICT利活用を展開し、市内を50mメッシュ単位で気象観測が可能なサービスを展開しているほか、内閣府や農林水産省等の事業の下、ドローンやロボットトラクタの活用等について実証事業を進めています（第1-3-4図）。特に、無人農機分野では目覚ましい成果を上げており、平成30年度から遠隔監視制御による農機の無人走行システムの実証実験を開始し、農業における課題解決や生活環境の向上などを目指す「スマート・アグリシティ」の実現に向けて、北海道大学やNTTグループ（日本電信電話株式会社、東日本電信電話株式会社、株式会社NTTドコモ）と産学官連携協定を締結し、農業農村地域において無人農機が走行できる

■第1-3-3図／乳幼児健診の様子

提供：岩見沢市

■第1-3-4図／ロボット農機（ロボットトラクタ）による実証試験（岩見沢市）

資料：内閣官房・内閣府総合サイト「地方創生」未来技術社会実装より

ための無線基地局の導入や農地間を移動できる機器の社会実装を見据えた実証実験を推進しました。令和2年度からスマート農業実証プロジェクトによる取組を開始し、令和3年度からは、①実際の農地を利用し、5G技術を活用した遠隔監視・制御による同一農地内での複数台のスマート農機の無人作業の実施、②複数個所に配置した異種類スマート農機の統合的な遠隔監視・制御の実施、③農地間の農道（公道）の無人自動走行、④障害物などの回避に必要な

遠隔操縦に関する実証等について取り組んでいます。実証実験の中では、完全無人作業とすることによって従来の有人作業と比較してトラクターの作業時間を40～50%程削減できることが示されるなど、その効果の大きさは国内外の注目を集めており、海外も含め様々な政策関係者が視察を実施しています。

このように、岩見沢市は農・食・健康施策を連動させながら「市民生活の質の向上」と「地域経済の活性化」に向けて取り組んでいます。

第3節　山形県における鶴岡サイエンスパークの取組

山形県鶴岡市に位置する鶴岡サイエンスパーク（第1-3-5図）は、平成13年に設立された慶應義塾大学先端生命科学研究所を中心に発展してきました。山形県・鶴岡市・慶應義塾大学から成る3者協定に基づき、山形県と鶴岡市による手厚い行政支援の下、同研究所によって「統合システムバイオロジー」（最先端のバイオテクノロジーを駆使し、メタボローム[1]などの生物データを網羅的に解析して得ら

れる大量のデータを、ITを用いて理解する新しい生命科学）の研究などが展開され、そこから生まれたスタートアップ企業によって新しい技術と製品が日々生み出されています。鶴岡サイエンスパークには、先端生命科学研究所の教員や学生、企業の研究者など600人ほどが所属しており、その家族を合わせると鶴岡市の人口の約1%（1,200人程度）が鶴岡サイエンスパークの関係者になっています。

■第1-3-5図／鶴岡サイエンスパーク全景

提供：鶴岡市

1　生物の細胞や組織内に存在するタンパク質や酵素が作り出す代謝物質の総称

■第１-３-６表／慶應義塾大学先端生命科学研究所関連スタートアップ一覧

設立年	スタートアップ企業名
平成15年	ヒューマン・メタボローム・テクノロジーズ株式会社
平成19年	Spiber株式会社
平成25年	株式会社MOLCURE
平成25年	株式会社サリバテック
平成26年	YAMAGATA DESIGN株式会社
平成27年	株式会社メタジェン
平成28年	株式会社メトセラ
令和３年	インセムズテクノロジーズ株式会社
令和３年	フェルメクテス株式会社

提供：鶴岡サイエンスパーク

　鶴岡サイエンスパークでは、平成19年に大学発スタートアップとして設立されたSpiber株式会社（微生物による発酵（ブリューイング）プロセスを用いた構造タンパク質素材「Brewed Protein™（ブリュード・プロテイン™）」を開発）をはじめとして、第１-３-６表のように、特色ある技術を活かした数多くのスタートアップ企業が、地方にありながらも次々と生まれています。中でもSpiber株式会社は、鶴岡市以外にもタイ王国に量産拠点となる工場を建設して稼働させたり、米国にも更に大規模な工場の立ち上げ準備を進めたりするなど、その構造タンパク質素材の普及による循環型社会の実現に向けた取組は、今や日本のみならず世界中からも注目を浴びています。

　また、慶應義塾大学先端生命科学研究所では、地元の高校生を、放課後に研究の手伝いをする「研究助手」としてアルバイト採用したり、自身のテーマを持って研究活動を行う「特別研究生」として受け入れたりと、地域と連携したユニークな教育事業が展開されています。こうした取組は10年以上も前に開始され、当時の高校生が慶應義塾大学総合政策学部・環境情報学部及び同大学院政策・メディア研究科（神奈川県藤沢市）などに進学し、卒業・修了後に再び鶴岡市へ戻って就職するといった事例も現在では見られ始めています。さらに、生命科学を学ぶ全国の高校生が鶴岡市へ一挙に集い研究発表を行うイベントとして「高校生バイオサミットin鶴岡」を開催し、地域の活性化にも貢献しています。鶴岡サイエンスパークで過ごす時間が、将来の研究者・技術者・経営者に対し、研究、起業、パートナーシップ形成など様々な面で鶴岡市への定住が選択肢になり得ることを示し、それによる相乗効果の発生が期待されています。

第４節　熊本県等における半導体産業強化のための大学・地域の連携

　数十億以上の電子部品のつながりを一枚の基板の上に実装した半導体集積回路は、2050年までに二酸化炭素の排出量を実質ゼロにすることを目指す「カーボンニュートラル2050」の実現や、今後の更なるデジタル社会への発展のために重要な基盤技術となります。半導体市場の長期的な拡大が見込まれる中、政府は、台湾セミコンダクター・マニュファクチャリング・カンパニー（ＴＳＭＣ）とソニー株式会社、株式会社デンソーが合弁で熊本県に設立したジャパン・アドバンスト・セミコンダクター・マニュファクチャリング株式会社への支援をはじめ、半導体産業基盤の強化に向けた取組を進めています。また、次世代半導体集積回路の国際競争も転換期を迎えており、今後はこれまでのように回路を小さく作り込んで集積度を

高めるといった二次元的な微細化技術とは全く異なる、新しい軸での研究開発が重要視されています。

こうした状況の中、熊本県の「半導体産業の強化及びユーザー産業を含めた新たな産業エコシステムの形成」プロジェクトが、産学官連携による地域の中核的な産業の創出・振興と、特定分野に強みを持つ大学づくりとを一体的に行う取組に対して国が支援する「地方大学・地域産業創生交付金」（内閣府）に採択され、熊本県が半導体産業の分野で強みを持つ前工程・半導体製造装置の開発（半導体の回路を形成するまでの工程）における産学での共同研究を強化しながら、複数のチップを積み重ねて集積回路の性能を高める三次元積層実装技術を用いた半導体の、国内初の量産化を目指しています。加えて、半導体ユーザー産業との連携により新産業が創出されるという新たなエコシステムの形成に取り組んでいます。

また政府は、我が国半導体産業基盤の強化のため、人材育成・確保に向けた取組も推進しています。産業界、教育機関、行政の個々の取組に加えて、産学官が連携しながら、地域単位での取組を進めるべく、令和4年3月には全国に先駆けて、ジャパン・アドバンスト・セミコン

ダクター・マニュファクチャリング株式会社、九州大学や熊本大学、熊本高等専門学校など76機関が参画する「九州半導体人材育成等コンソーシアム」が設立されました。これに続き、同年6月にはキオクシア岩手株式会社、東北大学、一関高等専門学校など71機関が参画する「東北半導体・エレクトロニクスデザイン研究会」、10月にはマイクロンメモリジャパン株式会社、広島大学、呉高等専門学校など95機関が参画する「中国地域半導体関連産業振興協議会」、令和5年3月にはキオクシア株式会社、名古屋大学、岐阜高等専門学校など25機関が参画する「中部地域半導体人材育成等連絡協議会」がこれまでに設立されています。さらに今後は関東・北海道地域でも設立予定であり、取組は全国各地に展開されています。

次世代半導体集積回路の創生に向けては、「次世代X-nics半導体創生拠点形成事業」を実施し、東京大学、東北大学、東京工業大学の3つの拠点を新規に立ち上げ、豊橋技術科学大学や広島大学など国内有数の試作ラインを持つ大学等とも連携し、新たな切り口による研究開発と将来の半導体産業を牽引（けんいん）する人材の育成を進めています（第1-3-7図）。

■第1-3-7図／半導体集積回路の製造過程

提供：東京工業大学

第５節　東北大学におけるリサーチコンプレックスの形成

令和６年度に次世代放射光施設ナノテラス（NanoTerasu）[1]が稼働予定です。ナノテラスは、量子科学技術研究開発機構と地域パートナー[2]における我が国初の官民地域パートナーシップにより整備が進められており、軟X線領域に強みを持ち、国内既存施設の約100倍の明るさの放射光を生成できるなど世界最高水準の施設です。その活用分野は多岐にわたっており、脱炭素社会の実現や感染症対策といった社会課題の解決にも貢献する施設として、物質科学や生命科学、農産物開発や科学捜査など様々な分野において学術研究から産業化開発までの利用が期待されています。ナノテラスを産学官の幅広い研究者等の利用に供するため、「特定先端大型研究施設の共用の促進に関する法律の一部を改正する法律案」を令和５年２月、国会に提出しました。その後、５月に全会一致で可決・成立し、ナノテラスは特定先端大型研究施設のうち特定放射光施設として法律上位置付けられることとなりました。

官民による放射光施設の整備は世界的にも挑戦的な取組であり、整備段階から民間企業・大学・研究機関の投資を呼び込んでいます。

あわせて、東北大学では、青葉山新キャンパスにおいて約４万m²の産学官金の共創の場、「サイエンスパーク」の整備を進めており、国内外の産学官の研究グループを積極的に誘致し、異分野融合により優れた研究成果の創出や社会課題の解決、そして新たな社会価値の創造を行う「創造のプラットフォーム」の構築を目指した取組が進められています。具体的には、東北大学が有する最先端の共用研究設備・機器の利用や国際放射光イノベーション・スマート研究センターやグリーンクロステック研究センター[3]との共同研究及び社会実装に向けた取組の実施、大学関係者との交流・連携の機会の提供など、ナノテラスを核とした社会共創が挙げられます。さらに、令和６年度には、企業が研究開発で使用できるレンタルラボを備えた施設「青葉山ユニバース（仮称）」が新設され、大学発スタートアップ企業や民間企業などがナノテラスで得られたデータや研究成果を用いて活躍することが期待されています（第１-３-８図）。

地方公共団体である仙台市は、ナノテラス周辺に研究開発拠点や関連企業が集積するリサーチコンプレックスの形成を目指して、研究開発企業や企業の立地・集積を促進する活動とともに、地元企業等を対象として既存放射光施設を活用した多種多様な研究開発の好事例の紹介等により、ナノテラスの産業利用可能性の認識を広めるための活動を実施しています。

■第１-３-８図／建設中のNanoTerasu（ナノテラス）と青葉山新キャンパス

提供：（一財）光科学イノベーションセンター（左）及び東北大学（右）

1　正式名称は３GeV高輝度放射光施設。NanoTerasuは愛称である。
2　（一財）光科学イノベーションセンターを代表機関とした、宮城県、仙台市、東北大学、（一社）東北経済連合会の５者
3　令和５年１月１日、グリーン未来創造機構の下に設置。グリーン分野関連企業との産学共創を通じ、ナノテラスなどの最先端施設により取得される各種ビッグデータの分析・利用に基づく研究の推進並びに当該研究の成果の社会実装に関する企画及び立案を行い、Society 5.0の実現に向けて取り組む研究組織

第6節　海外展開を視野に入れた様々な取組

（1）信州大学等によるアクア・イノベーション拠点の形成

　国際連合児童基金（UNICEF）などによると、現在、世界で管理された安全な飲料水を利用できない人々は22億人とされており、また、多くの地域で工業用水や農業用水などが不足しているといわれています。砂漠化の影響や開発途上国を中心とした人口増加、経済成長などで、水資源を取り巻く環境はますます悪化しています。河川水等の淡水資源に恵まれない地域では、海水から塩分を取り除くことで淡水をつくり、都市用水、工業用水として使用していますが、現在の淡水化設備は高い圧力をかける逆浸透膜技術が主流で、大量の電力を必要とします。造水コストは淡水1トン当たり約1ドルと算定されており、海水淡水化の国際会議では開発途上国でも利用できるようにこのコストを半減することが目標とされています。また、塩分を除去するための逆浸透膜に汚れが付着して目詰まりしやすい構造となっていることなども課題となっています。

　こういった問題解決に向けて一石を投じたのが、信州大学の遠藤守信特別栄誉教授が株式会社日立製作所、東レ株式会社、株式会社レゾナック・ホールディングス、理化学研究所、長野県などとの強固な産学官連携で開発したナノカーボンを利用した逆浸透膜です。信州大学はもともと特にナノカーボンや繊維技術に優位性を持っていましたが、これを発展させたナノカーボン技術を強みとして逆浸透膜を開発しました。新開発の逆浸透膜は膜表面に汚れが溜まりにくい構造となっているため、従来膜に比べて、装置の耐久性が向上して、運用コストを10〜15％低減できるとされています。この膜技術は、海水淡水化事業の持続可能性能力の向上を目指すサウジアラビア政府の目に留ま

り、令和5年3月、同国の海水淡水化公社（SWCC）と信州大学との間で技術協力に関して基本合意がなされ（MOU[1]の締結）、海水淡水化に関わる広範な分野の研究開発・教育事業での連携を強めています。さらに、この膜技術を横展開し、飲料水に課題を抱える諸国で有用な極超低圧駆動のRO膜浄水器として応用推進を図っているところです（NSFインターナショナルのANSI58の認証取得）。

　ナノカーボンの浄水装置の量産に向けて、信州大学では長野県との連携により、多くの地元企業の参画を促し、パーツの製造や全体の組み立て、新規応用開拓などを分担することで地域の産業の活性化に貢献し、この装置が"made in 信州"の製品として日本国内のみならず、水問題を抱える国や地域を中心に世界に飛躍していくことを目指しています。地元企業からは、工業用水処理や食品製造、さらに冷却効率の向上等を目的にナノカーボン逆浸透膜を用いた空調機の共同開発等の提案も多々寄せられ、先進膜技術が地場産業にも浸透しつつあります。

　こうしたナノカーボン膜技術を中心とする「アクア・イノベーション拠点」は、平成25年に文部科学省のCOI STREAMに採択されました。現在、水道水を直接飲める国は世界で約10か国しかないといわれていますが、この拠点では世界中の人々がいつでも安全・安心で十分な水を入手できる社会に向けて、海水、汚染した表層水などの水源から飲料水、さらには工業用水、農業用水、また島しょ国の生活用水の造水技術も提案しています。加えて、重要性の高まる半導体産業向けの超純水製造や、その排水から再び超純水を製造する膜技術を企業と共同開発し、世界に貢献する革新的な「造水・水循環システム」の構築を目指しています（第1-3-9図、第1-3-10図）。

1　Memorandum of Understanding

■第1-3-9図／ナノカーボン膜の構造や諸機能等

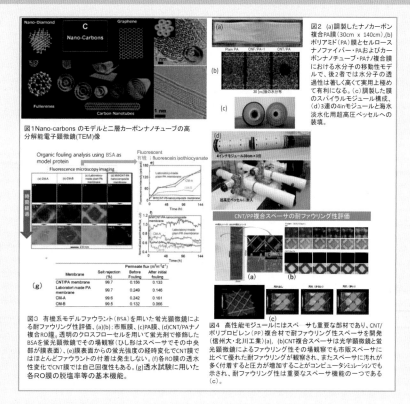

提供：アクア・イノベーション拠点

■第1-3-10図／「革新的な造水・水循環システム」の概念図

提供：アクア・イノベーション拠点

（2）名古屋大学発スタートアップによる
　　自動運転技術の開発

　株式会社ティアフォーは、名古屋大学で開発された世界発のオープンソースの自動運転OS「Autoware」[1]の開発を主導し、様々な組織・個人が自動運転技術の発展に貢献できるエコシステムの構築を目指しています。同社は平成27年12月に、当時名古屋大学准教授であった加藤真平氏（現在、同社代表取締役社長CEO兼CTO、東京大学特任准教授）らによって創業されました。現在は、自動運転の商用化に向け、システム・車両開発及びプラットフォーム事業を展開しています。「Autoware」の特徴は、交通量の多い市街地でも自分の位置や、車両や歩行者、車線、信号など周囲の環境を認識でき、3次元での位置推定や地図、経路生成などが可能なことです。世界各地で本ソフトウェアを使用した自動運転技術、自動運転車の開発が進められており、令和5年2月現在、20か国、500社以上で採用されています。

　同社では、「特定の車両や自動運転キットの構成に縛られない」という「Autoware」の特徴を活かして、様々な車両を開発してきました。たとえば、同社とヤマハ発動機株式会社との合弁会社である株式会社eve autonomyでは、市販のゴルフカーをベースとした自動物流搬送

車両「eve auto」を実用化しています。「eve auto」は、工場や倉庫など公道を除く幅広い環境において、自動運転時には最高時速10km/hで利用されています。また、近距離の旅客移動用として同社が開発した試験用EVバス「GSM8」（最高時速19km/h）は、日本の各地において公道での実証実験を続けています。近距離旅客移動（いわゆるラストワンマイル）は、ドライバー不足や地域交通維持といった社会課題解決に向けて自動運転が早期に実装されることが見込まれています。

　さらに、同社は、公益社団法人自動車技術会が主催する「自動運転AIチャレンジ」への協賛を通じて自動運転エンジニアの養成にも力を注ぐとともに、自動車教習所と連携しAIと自動運転技術を活用したAI教習システムを共同開発するなど、様々な角度から、自動運転に関わる社会の発展に目を向けた活動を行っています。今後も自動運転技術の発展に貢献するため、研究開発に力を注ぎ、より高度な自動運転車両やシステムの開発を進めていくことが同社に期待されています。

　愛知県では、県内の市町村等と自動運転システムに関係する企業・大学等が参画する「あいち自動運転推進コンソーシアム」が設置され、オール愛知による自動運転の社会実装を目指

提供：株式会社ティアフォー

1　　The Autoware Foundationの登録商標

した活動が行われています。

本コンソーシアムでは、名古屋大学をはじめとした4大学のほか、株式会社ティアフォーを含む関連企業が多数参画し、企業・大学等と市町村とのマッチング等により県内各所における自動運転の実証実験が行われています。

第7節　その他の様々な取組

そのほかにも様々な取組が各地に見られます。

沖縄科学技術大学院大学（OIST）では、世界最先端の研究のみならず、研究から生まれたアイデアを商業化に結び付け、将来の雇用の基盤となるようなイノベーション・エコシステムを沖縄で実現することを目指しており、国内外からスタートアップや海外起業家を呼び寄せ、学内のインキュベーション施設「イノベーションスクエア・インキュベーター」で事業化をサポートしています。インド人起業家により設立されたOIST発スタートアップEF Polymer株式会社は、食品を製造する際の廃棄物から吸水性の有機ポリマーを開発しました。同ポリマーは高い保水効果の一方、半年で土壌に溶け込むため土の栄養分となるのみならず、処分費用も不要となるなどコストの低減にもつながります。国内のみならずインドでも販売するとともに、干ばつに苦しむ地域への展開も図っています。このほか、OISTでは、海ブドウ、シークワーサーなどのゲノム解析により、生育が早く、病気に強い種の系統の特定などを行うとともに、肥満防止に役立つデンプンを含む米の開発など、地元に密着した研究開発も推進しています。

広島大学の統合移転を契機に誕生した広島県東広島市には外国大学の日本校も含めれば5つの大学が立地し、学術研究機能の集積や、産業・都市・生活基盤・高速交通網などの整備を進めてきました。しかし、集中投下してきた投資が一段落し、大学を核とした技術移転によるイノベーションの創出も必ずしも当初の構想どおりには進まず、人材の市外流出も課題と

なるなど、今一度、50年後・100年後を見据えた、新たなまちづくりが必要となっていました。そこで令和元年度、東広島市は広島大学と共に、地域（Town）と大学（Gown）双方の密接な連携により地域課題を解決する「Town＆Gown構想」を立ち上げました。これは、東広島市と広島大学が持続可能な未来のビジョンを共有し、市の行政資源と大学の教育・研究資源を融合しながら科学技術・イノベーションを活用することで地方創生を実現するとともに、持続的な地域の発展と大学の進化を目指すものです。具体的には、広島大学の学生・教職員を仮想市民、キャンパスを仮想市街地とみなして、大学とその周辺を実証・実装の場としたスマートシティを構築していくこととしています。例えば、企業が留学生や住民のための多言語コミュニケーション基盤の社会実装に向けた実験を行うことなどが予定されています。このような産学官連携の研究開発によって、住民・来訪者が住みやすい新たな社会像が見いだされていくことが期待されています。

地域から起こるイノベーションは、これらの取組に限られるわけではなく、全国津々浦々で様々な形の新たな動きが見られます。こうした地域が持つそれぞれの強みを産学官連携によって強力に推進していくことで大都市圏に依存しない、国内外に広く波及する技術開発のエコシステムの実現が可能になります。このような動きを加速させるためにも、大学、産業界、地方公共団体、政府が一体となって取り組んでいく必要があります。

第4章	地域に密着した全国の高等専門学校による科学技術・イノベーション

本章では、地域の課題解決に貢献するプレーヤーとして、高等専門学校とその取組を紹介します。高等専門学校は、その独自のカリキュラムやプロジェクトを通じて、地域産業の振興や人材育成に貢献するとともに、全国にネットワークを広げています。産学官連携による実践的教育は、次世代のスタートアップの創出にも効果を発揮しています。

第1節　高等専門学校（KOSEN）とは

高等専門学校（KOSEN）は実践的・創造的技術者を養成することを目的とした高等教育機関で、日本全国には国公私立合わせて58校あり、約6万人の学生が学んでいます。高等学校と同じく、中学校を卒業した生徒が入学することができ、入学後は5年一貫（商船学科は5年6か月）で、一般科目と専門科目をバランス良く配置した教育課程により、技術者に必要な豊かな教養と体系的な専門知識を身に付けることができます。学んだことを応用する能力を身に付けるために、理論だけではなく実験・実習に重点が置かれ、卒業研究を通して、創造性を持った技術者の育成を目指しています。さらに、「ロボットコンテスト」、「プログラミングコンテスト」、「デザインコンペティション」、「体育大会」など、学生が日頃学んだ成果を競う全国大会などを通じて技術力に磨きをかけています。近年は、学生が日頃培った「ものづくりの技術」と「ディープラーニング」を活用した作品を制作し、その作品によって生み出される「事業性」を企業評価額で競うコンテストである全国高等専門学校ディープラーニングコンテスト（DCON）が開催されています。DCONでは、本選出場チームに対する審査として、企業評価額及び投資額で作品の事業性の価値を数値化しており、令和2年、令和3年、令和4年の最優秀チームに対する企業評価額は、それぞれ5億円、6億円、10億円と増加傾向にあります。

また、このような成果を活用しつつ、産業界等との共同研究、受託研究、技術相談や地域住民対象の公開講座などを通じて、地域活性化や地域からのイノベーションに貢献しています。卒業生に対する産業界からの評価は非常に高く、就職希望者に対する就職率や求人倍率も高い水準となっています。就職希望者の就職率はほぼ100%、就職者の約5割が製造業に就職するなど、我が国の経済産業を支える人材を輩出しています。また、5年間の本科卒業後に、大学3年次へ編入学することも可能であり、2年間の高等専門学校の専攻科を修了すると大学改革支援・学位授与機構の審査を経て「学士」の学位を得ることができます。

海外でも「KOSEN」という言葉が認識され始め、国際社会から高い評価も受けています。その一例として、日本型高等専門学校の教育制度を本格的に導入したタイ王国初の高等専門学校（KOSEN−KMITL）が令和元年（2019年）5月に、2校目の高等専門学校（KOSEN KMUTT）が令和2年（2020年）6月にそれぞれ開校しています。日本の高等専門学校教員が派遣され、現地のタイ人教員への指導・研修を行うとともに、日本への学生受入れや教材作成などの支援も行っており、タイの産業を支える実践的で革新的な技術者の育成に貢献しています。加えて、国立高等専門学校機構は、モンゴル及びベトナムにおいて、現地の教育機関に対して管理運営のアドバイスや教育カリキュラム・教材の共同開発、教員研修等の支援を実施しています。

第2節　高専間ネットワークによる地域と連携した様々な取組

高等専門学校は、主に機械系学科、材料系学科、電気・電子系学科、情報系学科、化学・生物系学科、建設系学科、建築系学科、商船系学科などの工学分野で学科が構成されており、構成は学校ごとに異なりますが、それぞれの地域で強みや特色を活かした教育が行われています。全国の高専間ネットワークを活用した連携も進んでおり、例えば、令和3年にイプシロンロケット5号機により打ち上げられたKOSEN-1衛星は、高知工業高等専門学校を中心とした10の高等専門学校（高知工業高等専門学校、群馬工業高等専門学校、徳山工業高等専門学校、岐阜工業高等専門学校、香川高等専門学校、米子工業高等専門学校、新居浜工業高等専門学校、明石工業高等専門学校、鹿児島工業高等専門学校、苫小牧工業高等専門学校）の50人を超える学生が参加する高専間連携プロジェクトにより開発されたものです。

令和2年度から、国立高等専門学校機構では「高専発！『Society 5.0型未来技術人財』育成事業」を実施しており、マテリアル、エネルギー・環境、防災・減災・防疫など10分野のそれぞれで、51の国立高等専門学校が1法人の傘下にあるという組織特性を最大限に活かし、高等専門学校間で連携し、企業シーズを活用しつつ地域課題を解決する取組などを行っています。

近年、半導体はデジタル化、脱炭素化、経済安全保障を支えるキーテクノロジーで、各国とも先端半導体の生産拠点を確保するためしのぎを削っており、我が国でも、国内投資拡大に向けた支援の一環として、熊本に台湾の世界的半導体メーカーであるTSMCの工場が誘致されています。この誘致により10年間で4兆円を超える経済効果と7,000人を超える雇用を生むと試算されており、地方の活性化に大きく貢献することが期待されています。このような半導体を取り巻く大きな流れと歩調を合わせるように、令和4年3月、「九州半導体人材育成等コンソーシアム」が設立されました。国立高等専門学校機構は同コンソーシアムと連携し、九州・沖縄地区9高等専門学校を中心に、全国の学生が半導体に関する様々な知識・技術を習得できる体制構築に取り組んでいます。具体的には、熊本県の「熊本県半導体人材育成会議」に熊本高等専門学校、長崎県の「ながさき半導体ネットワーク」に佐世保工業高等専門学校、大分県の「大分県LSIクラスター形成推進会議」に大分工業高等専門学校がそれぞれ参画するなど、九州地域の公共団体、半導体関連企業・大学との連携を加速するとともに、全国でも「東北半導体・エレクトロニクスデザイン研究会」、「中部地域半導体人材育成等連絡協議会」、「中国地域半導体関連産業振興協議会」に国立高等専門学校機構が参画することで、オール高専における「半導体人材育成」を加速しています。高等専門学校の強みを活かした実践的人材のみならず、大学や企業等と連携した研究開発志向のトップ人材の輩出を目指すとともに、開発された教育プログラムは九州地域だけでなく、遠隔講義やオンデマンドにより全国展開が図られています。

第3節　高等専門学校からのイノベーション

新しい資本主義を実現する上で、日本の経済成長を促し、社会的な課題にアプローチして解決するためのスタートアップ育成は不可欠で、とりわけ、優れた技術力と柔軟なアイディアを有する若い人材に対して支援することが重要です。近年、学生が高等専門学校教育で培った「高い技術力」、「社会貢献へのモチベーション」、「自由な発想力」を活かして起業する事例が出てきていますが、我が国のスタートアップ人材育成を加速するため、スタートアップ人材

■第１-４-１図／画像ファイルからの点訳生成

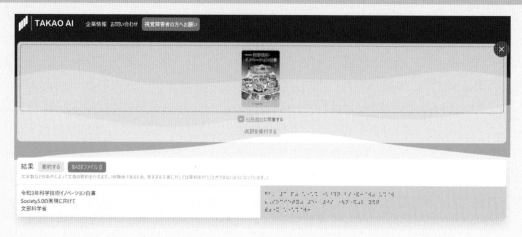

提供：TAKAO AI HP

の育成に優位性がある高等専門学校において、学生が自由にプロダクトを開発し、実践的な活動にチャレンジできる起業家工房といわれる教育環境を整備するなど戦略的な取組を支援しています。

このような取組を通じて、高等専門学校からは起業につながるアイディアが次々と生まれています。具体的には、東京工業高等専門学校の事例が挙げられます。令和２年に開催されたＤＣＯＮ2020本選に出場した東京工業高等専門学校のチームは、「:::doc（てんどっく）」という点字翻訳エンジンを提案し、最優秀賞・若手奨励賞を受賞しました。このシステムは、入力された画像データを独自開発のＡＩモデルで解析し、全自動で点字へと翻訳します。点字翻訳する必要のある文書を撮影した写真をアップロードするだけで、数秒後には結果が画面に表示されます。ディープラーニング等の手法を用いることで認識精度の向上や処理時間の高速化、要約文章の生成なども実現しています（第１-４-１図）。

さらに、この技術を基盤として、ＤＣＯＮの参加メンバーによって令和３年にＴＡＫＡＯ ＡＩ株式会社が創業されました。社会における様々な情報アクセスへの壁を解決することを

目的として、タブレットやスマートフォンで印刷物を撮影することで、全自動で点字ディスプレイに文書内容を出力するシステムを提供しています。また、ＴＡＫＡＯ ＡＩは、ＤＣＯＮ Start Up応援一億円基金委員会から、第一号としての出資を受けています。

他にも、幾つもの高専発スタートアップが生まれています。

現在、病院や高齢者施設における健康状態の確認は、定期的な巡回による目視で行われていますが、少子高齢化により、病院や高齢者施設で働く人材不足が起こると予想されており、さらに高齢者は2040年頃をピークに増加することが見込まれています。このような問題を解決するため、香川高等専門学校のメンバーは、呼吸センサーによりバイタルデータ（呼吸数、心拍数）を測定し健康状態を把握、室内画像からディープラーニングを用いてプライバシーに配慮し、入院患者や高齢者の状態を把握する「NanShon 健康状態見守りシステム」を発案しました。この提案は、令和４年のＤＣＯＮにおいて出場チーム中４位となり、文部科学大臣賞を受賞し、本提案が事業化した場合の企業評価額として７億5,000万円という評価を受けました（第１-４-２図）。

■第１-４-２図／呼吸センサーと見守りカメラシステム

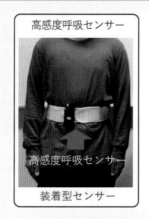
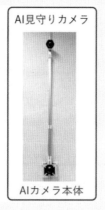
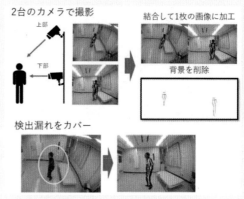

提供：香川高等専門学校

　また、長岡工業高等専門学校発スタートアップの株式会社IntegrAI（インテグライ）は、小型のカメラとＡＩを利用した「IntegrAIカメラ」を主力製品として令和２年７月に創設されました。起業のきっかけは、現在の代表取締役が学生とともに、ＤＣＯＮ２０１９に出場し、ＭＥＴＥＲＡＩ（メテライ）というＡＩを使ってＷＥＢカメラ映像からメータの針を読み取るシステムを開発し優勝したことです。ＭＥＴＥＲＡＩの技術が、現在のIntegrAIカメラの技術のもととなっています。同社は、東京大学大学院工学系研究科松尾研究室からスピンアウトした、日本で初めてのディープラーニングに特化したベンチャーキャピタルである株式会社Deep30からも出資を受けています。

　IntegrAIカメラは、これまで人が定期的に若しくは昼夜を問わず計器の数値を読み取りしなければならなかった作業を代替します。大学、研究所、企業などにもいまだ多くのアナログ機器がありますが、アナログ機器の様々な形の目盛りを撮影し、ＡＩを使ってデジタル化した上で監視することにより、工場などにおける機器の高精度での読取り、異常時のアラームなどその場に人がいなくても離れた場所で管理可能なＤＸ化を推進します。この製品は、コロナワクチンの冷凍庫の温度管理のためのシステムや、宇宙航空研究開発機構（ＪＡＸＡ）のＨ３ロケットの燃料保管庫の温度計・湿度計を読み取るシステム等様々な用途に使われています（第１-４-３図）。

■第１-４-３図／IntegrAIカメラを使った、冷凍庫の温度管理システム

資料：IntegrAI HP

■第1-4-4図／柔軟指およびQuickFactory

 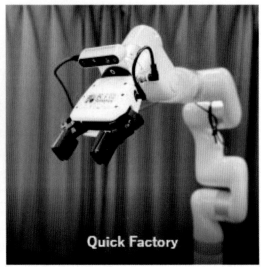

資料：KiQ Robotics HP

　北九州工業高等専門学校発スタートアップのKiQ Robotics（キックロボティクス）株式会社は樹脂でできた柔軟な指先の構造を再現することにより、これまで難しいとされていたロボットハンドの「ほどよい力」を実現しました。この「柔軟指」に作業前後の2枚の写真だけで作業を自動化できるソフトウェアを組み込んだロボットパッケージ「Quick Factory」の開発に成功するとともに、回収されたペットボトルなどから異物の含まれるものだけを取り除くAI技術も開発しています（第1-4-4図）。

　KiQ Roboticsの創設者の滝本隆さんは、設立当時北九州工業高等専門学校の准教授でしたが、その後、企業の経営に専念するとともに、新たに合同会社Next Technologyを立ち上げました。あるとき、地元企業の社長から、「家族から足が臭いと言われ、それを気持ちよく知らせてくれる装置があったらいいのにと思った」との話を聞き、それをきっかけににおいに反応して倒れこむ犬型ロボットを開発しまし

た。さらにストレスをキャッチするとアロマを噴出させる製品も開発するなど、ユニークな製品を次々と生み出しています。滝本さんは地方公共団体や地元企業が抱える課題をテクノロジーで解決するため、様々なネットワークを通じて困難に直面している人たちの声に耳を傾けています。

　このように、高等専門学校は地域に根差し、地域ニーズに沿った高度な人材を育て、その強みや豊富なアイデアを活かして地域の課題解決に取り組んでいます。また、政府としても、「高等専門学校スタートアップ教育環境整備事業」を令和4年度第2次補正予算に計上するなど、高専発スタートアップの創出も後押ししつつ、地域発のイノベーションに貢献しています。地域同士が地元の高等専門学校を軸にしたネットワークでつながり、相互の強みを活かしあって、高等専門学校は地域イノベーションに欠かせない存在となっています。

第5章　最後に

第1部では、第1章でこれまでの地域科学技術・イノベーション政策を概観し、第2章～第4章で、こういった取組のうち、幾つかの好事例について取り上げてきました。

ここまで紹介してきたとおり、四半世紀前に産声を上げた地域における科学技術振興は、地域拠点にコーディネーターを派遣してクラスターの形成支援を促すクラスター政策の開始に始まり、当該クラスター政策の発展、産学官連携による研究拠点の形成、地域がその強みや特性を活かした自立的な科学イノベーション活動を展開できる仕組み、さらには、それらが地方創生に資するイノベーション・エコシステムの構築といった様々な段階を経て、政府の地方創生への取組の強化とも相まって、着実に拡大しています。

さらに、Society 5.0の実現のためには、地域における科学技術・イノベーションの継続的創出こそが、自律的な地域における社会的課題の解決の要となって、ひいては地方創生の実現に貢献するものとなります。また、世界における産業構造が資本集約型から知識集約型へ急速に変化しつつある中で、地域の産業構造もまた、知識集約型の構造へと変革していかなければなりません。このような変革を成し遂げるには、価値創造の源泉となる科学技術・イノベーションの継続的創出が不可欠であり、この変革によってグローバルな価値創出を可能とする地域産業構造の再構築を図ることが求められています。

これまでも、例えば、新しい技術や製品の開発は地方独自の新産業や雇用を創出することに寄与し、農林水産業では生産性や品質の向上を図ることで地方の一次産業を支えています。医療・福祉分野でも、社会実装フェーズを経て、いち早い革新的な医療機器による診療や詳細なデータに基づく診断など良質な医療サービスを地域住民に還元しています。

こういった形で、地域の多様な拠点において、着実に成果が生まれてきているところですが、一方で、地域の社会的・経済的課題は、複雑で困難なものが多く、かつ絶えず変化しています。知の拠点である地方大学等、地域の強みや弱みなどの実情・実態を把握している地方公共団体、出口となる企業、それぞれの立場からのみで地域課題の解決やイノベーションを創出することは困難です。そのため、高い研究能力を持つ地方大学等、地方公共団体及び産業界が協働し、地域の産学官のステークホルダー及びその全てに関係する地域住民にとってより良い地域の在り方を検討し、目指すべき地域の未来像となる地域ビジョンを策定することが重要です。さらに、地域ビジョンからのバックキャストに基づく新たな価値創造につながる研究開発を、強化した産学連携機能の下で組織的に推進する必要があります。

政府では、上述の問題意識の下、地域の中核大学や特定分野において世界レベルにある大学などがその強みを発揮し、社会変革を牽引していくため、令和4年2月に、「大学自身の取組の強化」、「つなぐ仕組みの強化」、「地域社会における大学の活躍の促進」の3つの観点から、政府が総力を挙げて実力と意欲ある大学を支援する「地域中核・特色ある研究大学総合振興パッケージ」を取りまとめました。令和5年2月には、更なる支援の拡充に向けた「量的拡大」と、目指すべき大学像の明確化や各府省の事業間の連携強化など「質的拡充」を図るため、本パッケージの改定を行っています。また、令和4年11月には「スタートアップ育成5か年計画」を策定し、地方におけるスタートアップ創出の強化も図っていくこととしています。こういった取組を通じて、地域科学技術・イノベーションが更に振興されることが期待されます。

附属資料

地域の科学技術・イノベーションに関する指標

https://www.mext.go.jp/content/20230620-mxt_kouhou02-000029752_7.pdf

第2部
科学技術・イノベーション創出の振興に関して講じた施策

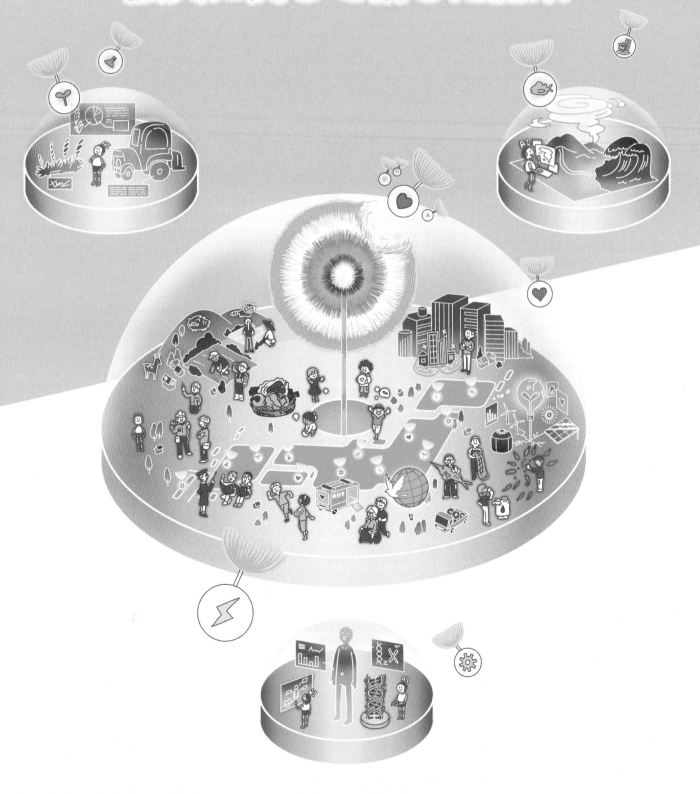

第２部では、令和４年度に科学技術・イノベーション創出の振興に関して講じられた施策について、第６期科学技術・イノベーション基本計画（令和３年３月26日閣議決定）に沿って記述する。

第１章　科学技術・イノベーション政策の展開

第１節　科学技術・イノベーション基本計画

我が国の科学技術・イノベーション行政は、「科学技術・イノベーション基本法」（平成７年法律第130号）に基づき、政府が５年ごとに策定する科学技術・イノベーション基本計画（以下「基本計画」という。）にのっとり、総合的かつ計画的に推進している。

これまで、第１期（平成８～12年度）、第２期（平成13～17年度）、第３期（平成18～22年度）、第４期（平成23～27年度）、第５期（平成28～令和２年度）の基本計画を策定し、これらに沿って政策を進めてきた（第１期から第５期までは科学技術基本計画）。

令和３年度から始まった第６期科学技術・イノベーション基本計画（令和３年度～７年度）（以下「第６期基本計画」という。）は令和２年６月の科学技術基本法の本格的な改正により、名称が「科学技術・イノベーション基本法」となってから初めての計画である。第６期基本計画の策定に向けた検討は、平成31年４月に内閣総理大臣から総合科学技術・イノベーション会議に対して第６期基本計画に向けた諮問（諮問第21号「科学技術基本計画について」）がなされて設置された基本計画専門調査会にて約２年間にわたり行われ、令和３年３月26日、第６期基本計画が閣議決定された。

第６期基本計画では、まず、第５期基本計画期間中に生じた社会の大きな変化として、先端技術（ＡＩ、量子等）を中核とした国家間の競争の先鋭化を起因とする世界秩序の再編、技術流出問題の顕在化とこれを防ぐ取組の強化、気候変動をはじめとするグローバル・アジェンダ

の現実化、情報社会（Society 4.0）の限界の露呈を挙げ、これらの変化が今般の新型コロナウイルス感染症の拡大により加速されていることを指摘している。そして、科学技術・イノベーション政策の振り返りとして、Society 5.0の前提となる情報通信技術の本来の力を活かし切れなかったことや、我が国の論文に関する国際的地位の低下、若手研究者を取り巻く厳しい環境、さらには、科学技術基本法の改正により、「人文・社会科学」の振興と「イノベーションの創出」を法の対象に加えたことを挙げている。

これらの背景の下、第６期基本計画では、第５期基本計画で提示したSociety 5.0を具体化し、「直面する脅威や先の見えない不確実な状況に対し、持続可能性と強靱性を備え、国民の安全と安心を確保するとともに、一人ひとりが多様な幸せ（well-being）を実現できる社会」とまとめ、その実現のための具体的な取組を以下のとおり掲げた。

①　国民の安全と安心を確保する持続可能で強靱な社会への変革

我が国の社会を再設計し、世界に先駆けた地球規模課題の解決や国民の安全・安心を確保することにより、国民一人ひとりが多様な幸せを得られる社会への変革を目指す。

このため、サイバー空間（仮想空間）とフィジカル空間（現実空間）がダイナミックな好循環を生み出す社会へと変革させ、いつでも、どこでも、誰でも、安心してデータやＡＩを活用できるようにする。そして、世界のカーボン

ニュートラルを牽引するとともに、自然災害や新型コロナウイルス感染症などのリスクを低減することなどにより強靱な社会を構築する。

また、スタートアップを次々と生み出し、多様な主体が連携して価値を共創する新たな産業基盤を構築するとともに、Society 5.0を先行的に実現する都市・地域（スマートシティ）を全国・世界に展開していく。

さらには、これらの取組を支えるとともに、新たな社会課題に対応するため、総合知を活用し、戦略的イノベーション創造プログラム（SIP[1]）第3期やムーンショット型研究開発制度等の社会課題解決のための研究開発や社会実装の推進、社会変革を支えるための科学技術外交の展開を進める。

②　知のフロンティアを開拓し価値創造の源泉となる研究力の強化

研究者の内在的な動機に基づく多様な研究活動と、自然科学や人文・社会科学の厚みのある「知」の蓄積は、知的・文化的価値以外にも新技術や社会課題解決に資するイノベーションの創出につながる。こうした「知」を育む研究力を強化するため、まず、博士後期課程学生や若手研究者の支援を強化する。また、人文・社会科学も含めた基礎研究・学術研究の振興や総合知の創出の推進等とともに、研究者が腰を据えて研究に専念しながら、多様な主体との知の交流を通じ、独創的な成果を創出する創発的な研究の推進を強化する。

そして、オープンサイエンスを含め、データ駆動型研究など、新たな研究システムの構築を進める。

我が国最大かつ最先端の「知」の基盤である大学について、個々の強みを伸ばして多様化し、研究力を高めるとともに、大学で学ぶ個人の多様な自己実現を後押しするよう大学改革を進

める。特に、世界最高水準の研究大学の実現に向けた10兆円規模の大学ファンドによる国際卓越研究大学への支援と、地域の中核大学や特定分野に強みを持つ研究大学に対して多様な機能を強化し、我が国の成長への駆動力へと転換させる「地域中核・特色ある研究大学総合振興パッケージ」による支援を両輪として推進し、我が国全体の研究力の底上げを図る。

③　一人ひとりの多様な幸せ（well-being）と課題への挑戦を実現する教育・人材育成

社会の再設計を進め、Society 5.0の社会で価値を創造するために、個人の幸せを追求し、試行錯誤しながら課題に立ち向かっていく能力・意欲を持った人材を輩出する教育・人材育成システムの実現を目指す。具体的には、初等中等教育段階におけるSTEAM[2]教育の推進や、「GIGA[3]スクール構想」に基づく取組をはじめとした教育分野のDXの推進、外部人材・資源の学びへの参画・活用等により、好奇心に基づいた学びを実現し探究力を強化する。また、大学等における多様なカリキュラム等の提供、リカレント教育を促進する環境・文化の醸成をはじめ、学び続ける姿勢を強化する環境の整備を行う。

また、これらの科学技術・イノベーション政策を推進すべく、第6期基本計画の期間中に、政府の研究開発投資の総額として約30兆円を確保するとともに、官民合わせた研究開発投資総額を約120兆円とすることを目標に掲げた。

さらに、第6期基本計画に掲げた取組を着実に行えるよう、総合知を活用する機能の強化と未来に向けた政策の立案、エビデンスシステム（e-CSTI[4]）の活用による政策立案機能強化と実効性の確保、毎年の統合戦略と基本計画に連動した政策評価の実施、司令塔機能の実効性確保を進めることとしている。

1　Cross-ministerial Strategic Innovation Promotion Program
2　Science, Technology, Engineering, Art(s) and Mathematics
3　Global and Innovation Gateway for All
4　Evidence data platform constructed by Council for Science, Technology and Innovation

第2節　総合科学技術・イノベーション会議

総合科学技術・イノベーション会議は、内閣総理大臣のリーダーシップの下、我が国の科学技術・イノベーション政策を強力に推進するため、「重要政策に関する会議」として内閣府に設置されている。我が国全体の科学技術・イノベーションを俯瞰し、総合的かつ基本的な政策の企画立案及び総合調整を行うことを任務とし、議長である内閣総理大臣をはじめ、関係閣僚、有識者議員等により構成されている（第2

-1-1表）。

また、総合科学技術・イノベーション会議の下に、重要事項に関する専門的な事項を審議するため、7つの専門調査会（基本計画専門調査会、科学技術イノベーション政策推進専門調査会、重要課題専門調査会、生命倫理専門調査会、評価専門調査会、世界と伍する研究大学専門調査会、イノベーション・エコシステム専門調査会）を設けている。

■第2-1-1表／総合科学技術・イノベーション会議議員名簿（令和5年4月1日現在）

閣僚	岸田　文雄	内閣総理大臣
	松野　博一	内閣官房長官
	高市　早苗	科学技術政策担当大臣
	松本　剛明	総務大臣
	鈴木　俊一	財務大臣
	永岡　桂子	文部科学大臣
	西村　康稔	経済産業大臣
有識者	上山　隆大（常勤議員）	元 政策研究大学院大学教授・副学長
	梶原　ゆみ子（非常勤議員）	富士通株式会社執行役員　EVP CSO
	佐藤　康博（非常勤議員）	株式会社みずほフィナンシャルグループ特別顧問 （一社）日本経済団体連合会副会長
	篠原　弘道（非常勤議員）	日本電信電話株式会社（ＮＴＴ）相談役 （一社）日本経済団体連合会副会長・デジタルエコノミー推進委員会委員長
	菅　裕明（非常勤議員）	東京大学大学院理学系研究科化学専攻教授 東京大学先端科学技術研究センター教授 日本学術会議会員 ミラバイオロジクス株式会社取締役
	波多野　睦子（非常勤議員）	東京工業大学工学院電気電子系教授 東京工業大学学長特別補佐 量子科学技術研究開発機構 量子ビーム科学部門 研究統括 （公社）応用物理学会代表理事・会長 日本学術会議連携会員
	藤井　輝夫（非常勤議員）	東京大学総長
	梶田　隆章（非常勤議員）	日本学術会議会長　※関係機関の長

資料：内閣府作成

1 令和4年度の総合科学技術・イノベーション会議における主な取組

総合科学技術・イノベーション会議では「統合イノベーション戦略2022」（令和4年6月3日閣議決定）の策定、「戦略的イノベーション創造プログラム（SIP[1]）」及び「官民研究開発投資拡大プログラム（PRISM[2]）」の運営等、政策・予算・制度の各面で審議を進めてきた。

令和4年度は、令和5年2月8日の総合科学技術・イノベーション会議において「今後の科学技術・イノベーション政策の方向性について」を議題とし、先端科学技術の戦略的な推進、知の基盤（研究力）と人材育成の強化、イノベーション・エコシステムの形成を3つの基軸として検討するとともに、地域中核・特色ある研究大学総合振興パッケージの改定等を行った。

2 科学技術関係予算の戦略的重点化

総合科学技術・イノベーション会議は、政府全体の科学技術関係予算を重要な分野や施策へ重点的に配分し、基本計画や統合イノベーション戦略の確実な実行を図るため、予算編成において科学技術・イノベーション政策全体を俯瞰し関係府省の取組を主導している。

❶ 科学技術に関する予算等の配分の方針

総合科学技術・イノベーション会議は、中長期的な政策の方向性を示した基本計画の下、毎年の状況変化を踏まえ、統合イノベーション戦略において、その年度に重きを置くべき取組を示し、それらに基づいて、政府全体の科学技術関係予算の重要な分野や施策への重点的配分や政策のPDCAサイクルの実行等を図っている。

❷ 戦略的イノベーション創造プログラム（SIP）の推進

SIPは、総合科学技術・イノベーション会議が司令塔機能を活かして、府省や産学官の垣根を越えて、分野横断的な研究開発に基礎研究から出口（実用化・事業化）までの一気通貫で取り組むプログラムである。総合科学技術・イノベーション会議が定める方針の下、内閣府に計上する「科学技術イノベーション創造推進費」（令和4年度：555億円）を財源に実施した。

SIP第2期の12課題は、開始から5年目となり、各課題で研究内容の成果を取りまとめ、一部テーマでは社会実装が実現するとともに、社会実装に向けた体制整備が進んだ。また、SIP第3期に向けては、「第6期基本計画」に基づき、令和3年末に我が国が目指す将来像（Society 5.0）の実現に向けた15の課題候補を決定し、公募で決定したプログラムディレクター（PD）候補が座長となり、サブ課題等に関する有識者、関係省庁、研究推進法人等で構成する検討タスクフォース（TF）を設置し、フィージビリティスタディ（FS）を行ってきた。FS結果に基づき、事前評価を実施したところ、1月26日の総合科学技術・イノベーション会議のガバニングボードにおいて14の課題を決定し、課題ごとに「社会実装に向けた戦略及び研究開発計画」（戦略及び計画）（案）を策定した。策定した「戦略及び計画」（案）は、2月にパブリックコメントを行い、併せて公募を行うPDとともに、3月に決定した。3月17日には「SIP／PRISMシンポジウム2022[3]」を開催した。

1　Cross-ministerial Strategic Innovation Promotion Program
2　Public/Private R&D Investment Strategic Expansion PrograM
3　「SIP／PRISMシンポジウム2022」開催報告について（映像コンテンツの掲載等）
　　https://www.8.cao.go.jp/cstp/stmain/20230331sipsymposium.html

❸　官民研究開発投資拡大プログラム（ＰＲＩＳＭ）の推進と研究開発とSociety 5.0との橋渡しプログラム（ＢＲＩＤＧＥ）による社会実装の促進

　ＰＲＩＳＭは、民間投資の誘発効果の高い領域や研究開発成果の活用による政府支出の効率化が期待される領域に各府省庁施策を誘導すること等を目的に平成30年度に創設したプログラムである。総合科学技術・イノベーション会議が策定した各種戦略等を踏まえ、ＡＩ技術領域、革新的建設・インフラ維持管理技術／革新的防災・減災技術領域、バイオ技術領域、量子技術領域に重点化し配分を行ってきており、令和4年度においては、これら4領域の33施策に追加配分を実施した。令和4年度に、これまでのＰＲＩＳＭの枠組みを活かしながら、技術開発にとどまらず、社会実装に向けた各府省庁の施策を強化することを目的に見直しを行い、社会実装への橋渡しということで名称もＢＲＩＤＧＥに変更した。今後もＢＲＩＤＧＥにおいて、総合科学技術・イノベーション会議が策定する又は改正された各種戦略のみならず、総合科学技術・イノベーション会議が毎年設定する、事業環境整備、スタートアップ創出といった重点課題を踏まえた、革新技術等の社会課題解決や新技術の創出等、各府省庁のイノベーション化を推進すること等により、官民の研究開発投資の拡大を目指す。

❹　ムーンショット型研究開発制度の推進

　ムーンショット型研究開発制度[1]は、超高齢化社会や地球温暖化問題など重要な社会課題に対し、人々を魅了する野心的な目標（ムーンショット目標）を国が設定し、挑戦的な研究開発を推進するものである。総合科学技術・イノベーション会議はムーンショット目標1～6を令和2年1月に、健康・医療戦略推進本部はムーンショット目標7を令和2年7月に決定した。本制度では、社会環境の変化等に応じて目標を追加することとしており、コロナ禍による経済社会の変容や気候変動問題を踏まえ、総合科学技術・イノベーション会議は若手研究者の調査研究に基づき、新たにムーンショット目標8、9を令和3年9月に決定した（第57回総合科学技術・イノベーション会議本会議）。「ムーンショット型研究開発制度に係るビジョナリー会議」で示されたヒューマン・セントリック（人間中心の社会）な考え方も踏まえ、最終的には、一人ひとりの多様な幸せ（well−being）を目指す。

　令和4年度は、令和3年度に新たに決定した2つの新目標（目標8、9）に関し、5月末より研究開発を開始した。また、激化する国際競争に打ち勝つ研究開発力強化等のため、目標1、3、4、6、7に関して新たな研究開発プロジェクトマネージャー（ＰＭ）[2]を追加公募し、秋頃より研究開発を開始した。各目標の実現に向けた研究開発を着実に推進し、産学官から構成されるムーンショット型研究開発制度に係る戦略推進会議にて進捗状況の報告を行った。

1　　ムーンショット型研究開発制度
　　https://www.8.cao.go.jp/cstp/moonshot/index.html

2　　研究開発プロジェクト
　　https://www.8.cao.go.jp/cstp/moonshot/project.html

■第2-1-2図／ムーンショット型研究開発制度

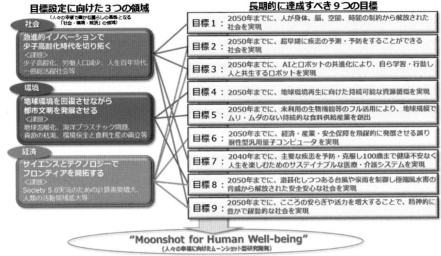

資料：内閣府作成

3 国家的に重要な研究開発の評価の実施

　総合科学技術・イノベーション会議は、「内閣府設置法」（平成11年法律第89号）第26条第1項第3号に基づき、国の科学技術政策を総合的かつ計画的に推進する観点から、各府省が実施する大規模研究開発[1]等の国家的に重要な研究開発を対象に評価を実施している。

　また、同会議は、「特定国立研究開発法人による研究開発等の促進に関する特別措置法」（平成28年法律第43号）第5条及び福島復興再生特別措置法（平成24年法律第25号）に基づき、特定国立研究開発法人の中長期目標期間の最終年度においては、基本計画等の国家戦略との連動性の観点等から見込評価等や次期中長期目標案に対して、令和5年度から設置される福島国際研究機構に対しては新たな中期目標案に対して意見を述べている。

　（1）特定国立研究開発法人の中長期目標期間終了時の見込評価等に対する総合科学技術・イノベーション会議の意見（令和4年11月18日決定、通知）

　令和4年度に終了する物質・材料研究機構の中長期目標期間終了時の見込評価等に対する総合科学技術・イノベーション会議の意見を決定し、当該法人を所管する文部科学大臣に通知した。

　（2）特定国立研究開発法人の次期中長期目標（案）に対する総合科学技術・イノベーション会議の意見（令和5年2月27日決定、答申）

　文部科学大臣から諮問のあった物質・材料研究機構の次期中長期目標（案）（令和5年4月〜令和12年3月）に対し、総合科学技術・イノベーション会議の意見を決定し、当該法人を所管する文部科学大臣に答申した。

　（3）福島国際研究教育機構の中期目標（案）に対する総合科学技術・イノベーション会議の意見（令和5年3月10日決定、答申）

　内閣総理大臣、文部科学大臣、厚生労働大臣、農林水産大臣、経済産業大臣、環境大臣から諮問のあった福島国際研究教育機構の中期目標（案）（令和5年4月〜令和12年3月）に対し、総合科学技術・イノベーション会議の意見を答申した。

　そのほか、文部科学省では、「国の研究開発評価に関する大綱的指針」（平成28年12月21日内閣総理大臣決定）を受けて改定した、「文部科学省における研究及び開発に関する評価

1　国費総額約300億円以上の研究開発のうち、科学技術政策上の重要性に鑑み、評価専門調査会が評価すべきと認めたもの

指針」（平成14年6月20日文部科学大臣決定、平成29年4月1日最終改定大綱的指針）を踏まえ、科学技術・学術審議会　研究計画・評価分科会等において研究開発課題の評価を実施するとともに、研究開発プログラム評価の実施に向け、議論や試行を重ねるなどして、より一層実効性の高い研究開発評価を実施することにより、優れた研究開発が効果的・効率的に推進されることを目指している。

4 専門調査会等における主な審議事項

❶ 評価専門調査会

第6期基本計画では、「指標を用いながら進捗状況の把握、評価を評価専門調査会において継続的に実施」するとされており、これを受けて評価専門調査会の体制を見直した。

令和3年度は、新体制の評価専門調査会において、同基本計画のうち、「多様で卓越した研究を生み出す研究の再構築」を事例として、試行的に調査・検討を実施した。

令和4年度以降は、同基本計画における対象事例を増やすとともに、進捗状況の把握、評価の制度を高めていくこととしている。

また、新体制の評価専門調査会では、従来実施している「国家的に重要な研究開発の評価」について、各省評価における評価項目の設定や評価基準の考え方が、「基本計画」や「大綱的指針」との整合を図ることを目的とした評価を開始した。

❷ 生命倫理専門調査会

科学技術の進展等を踏まえたヒト受精胚の取扱いへの対応方針について、生命倫理専門調査会における議論に基づき、令和4年2月に『『ヒト胚の取扱いに関する基本的考え方』見直し等に係る報告（第三次）～研究用新規胚の作成を伴うゲノム編集技術等の利用等について～」を取りまとめた。今後、ヒト受精胚に関する新たな技術が出現した場合等、科学技術に関する生命倫理上の課題が生じたときには、生命倫理専門調査会において、最新の科学的知見や社会的妥当性の評価に基づく検討を行っていくこととする。

第3節　統合イノベーション戦略

　政府は、Society 5.0の実現に向け、関連施策を府省横断的かつ一体的に推進するため、「統合イノベーション戦略」を策定している。本戦略は1年間の国内外における科学技術・イノベーションをめぐる情勢を分析し、強化すべき課題、新たに取り組むべき課題を抽出して、施策の見直しを行っている。

　令和4年度に策定された「統合イノベーション戦略2022」は、第6期基本計画の実行計画と位置付けられる2年目の年次戦略である。各国間の技術覇権争いや気候変動問題への対策等、科学技術・イノベーションを巡る国内外の変化を踏まえ、今後1年間で取り組む科学技術・イノベーション政策の具体化を行った。

　統合イノベーション戦略2022においては、以下の3つを政策の柱とし、これらを相互に連携させながら、効果的・効率的に政策を推進することで「成長」と「分配」の好循環を実現することとしている。

① 　知の基盤と人材育成の強化

　　10兆円規模の大学ファンドの創設を契機とした大学改革や博士学生支援、地域大学振興、ＳＴＥＡＭ教育を更に推進し、イノベーションと価値創造の源泉となる知を持続的に創出

② 　イノベーション・エコシステムの形成

　　イノベーションの担い手としてスタートアップを前面に、経済社会を活性化させ、科学技術・イノベーションの恩恵を国民や社会、地域に還元

③ 　先端科学技術の戦略的な推進

　　ＡＩ・量子の新戦略やシンクタンク、経済安全保障重要技術育成プログラムや次期ＳＩＰ等を通じ、我が国の勝ち筋となる技術を育成

　さらに、戦略的に取り組む分野について、量子分野では、ここ数年の量子産業を巡る国際競争の激化など外部環境が変化する中で、我が国の優位性を獲得し、有志国と強固な関係を構築することで、将来の量子技術の社会実装や量子産業の強化を実現するため、「量子未来社会ビジョン」（令和4年4月22日統合イノベーション戦略推進会議決定）を策定した。令和2年1月に策定した「量子技術イノベーション戦略」と本ビジョンの下、官民一体となった量子技術イノベーションに関する総合的かつ戦略的取組を強力に推進している。

　また、ＡＩ分野では新たな国家戦略として「ＡＩ戦略2022」（令和4年4月22日統合イノベーション戦略推進会議決定）が策定され、大規模災害等への対処などの重要性にも着目しつつ、特に企業による社会実装を念頭に、ＡＩの信頼性向上、データの充実、人材確保等の環境整備等の新たな目標が設定され、取組が進められている。

第４節　科学技術・イノベーション行政体制及び資金循環の活性化

1 科学技術・イノベーション行政体制

国の行政組織においては、総合科学技術・イノベーション会議による様々な答申等を踏まえ、関係行政機関がそれぞれの所掌に基づき、国立試験研究機関、国立研究開発法人及び大学等における研究の実施、各種の研究制度による研究の推進や研究開発環境の整備等を行っている。

文部科学省は、各分野の具体的な研究開発計画の作成及び関係行政機関の科学技術に関する事務の調整を行うほか、先端・重要科学技術分野の研究開発の実施、創造的・基礎的研究の充実・強化等の取組を総合的に推進している。また、科学技術・学術審議会を置き、文部科学大臣の諮問に応じて科学技術の総合的な振興や学術の振興に関する重要事項についての調査審議とともに、文部科学大臣に対し意見を述べること等を行っている。

科学技術・学術審議会における主な決定・報告等は、第２-１-３表に示すとおりである。

■第２-１-３表／科学技術・学術審議会の主な決定・報告等（令和４年度）

年 月 日	主な報告等
令和４年７月８日	〔研究計画・評価分科会〕 航空科学技術分野に関する研究開発ビジョン
令和４年８月18日	〔研究計画・評価分科会〕 分野別研究開発プラン
令和４年８月30日	〔海洋開発分科会〕 今後の海洋科学技術の在り方について（提言）～国連海洋科学の10年、関連する主な基本計画を踏まえ～
令和４年12月20日	〔海洋開発分科会〕 今後の海洋科学掘削の在り方について（提言）
令和４年12月28日	〔研究計画・評価分科会　原子力科学技術委員会　原子力研究開発・基盤・人材作業部会〕 我が国の試験研究炉を取り巻く現状・課題と今後の取組の方向性について（中間まとめ）
令和５年１月23日	〔人材委員会〕 第11期人材委員会審議まとめ（論点整理）
令和５年１月25日	〔技術士分科会〕 第11期技術士分科会における技術士制度改革の検討報告 〔情報委員会　オープンサイエンス時代における大学図書館の在り方検討部会〕 オープンサイエンス時代における大学図書館の在り方について（審議のまとめ）
令和５年２月７日	〔学術分科会　人文学・社会科学特別委員会〕 人文学・社会科学の研究成果のモニタリング指標について（とりまとめ）

資料：文部科学省作成

　我が国の科学者コミュニティの代表機関として、210人（定員）の会員及び約1,900人の連携会員から成る日本学術会議は、内閣総理大臣の所轄の下に置かれ、科学に関する重要事項を審議し、その実現を図るとともに、科学に関する研究の連携を図り、その能率を向上させることを職務としている（第2-1-4図）。

　日本学術会議においては、「日本学術会議の今後の展望について」（平成27年3月日本学術会議の新たな展望を考える有識者会議決定）を基軸として改善に取り組んできたが、改めて現状を自己点検して課題を抽出し、日本学術会議がより良い役割を発揮できるようになるため、アカデミーの原点は何かを踏まえた検討を行い、改革に向けた具体的な取組を実施している（「日本学術会議のより良い役割発揮に向けて」（令和3年4月日本学術会議総会））。

　これを踏まえ令和4年1月に日本学術会議会則及び関係規定の改正、科学的助言等対応委員会の設置等を行い、これらに基づいて活動を行っている。特に、内閣府からの審議依頼2件（①「研究力強化－特に大学等における研究環境改善の視点から－に関する審議について」

（令和4年8月5日に回答を公表）、②「研究DXの推進－特にオープンサイエンス、データ利活用推進の視点から－に関する審議について」（令和4年12月23日に回答を公表））に対応したほか、文部科学省からの「論文の査読に関する審議について（依頼）」（令和4年12月27日）の審議依頼に関する議論を進めている。また、その他の意思の表出等としては、令和4年度中に見解を1件、日本学術会議会長談話を3件公表した。

　また、日本学術会議では、協力学術研究団体（2,118団体：令和4年度末時点）等の科学者コミュニティ内のネットワークの強化と活用に取り組むとともに、各種シンポジウム・記者会見等を通じて、科学者コミュニティ外との連携・コミュニケーションを図っている。

　さらに、国際学術会議（ISC[1]）をはじめとする43の国際学術団体に、我が国を代表して参画するなど、国際学術交流事業を推進している。令和4年度は閣議口頭了解を得て9件の共同主催国際会議を開催したほか、令和4年5月には、ベルリンでGサイエンス学術会議が開催され、気候変動・ヘルス等、について計4つ

■第2-1-4図／日本学術会議の構成

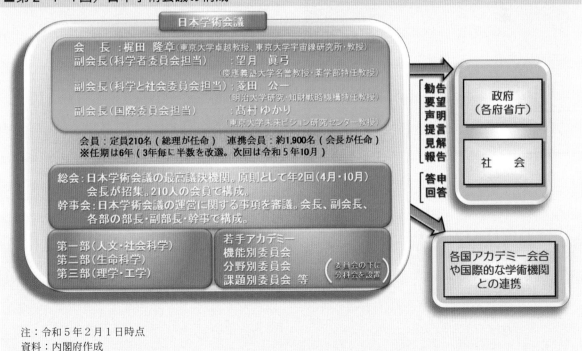

注：令和5年2月1日時点
資料：内閣府作成

1　International Science Council

のテーマについてG7各国アカデミーと共同声明を取りまとめ公表した。また、令和5年3月には、Gサイエンス学術会議を日本学術会議が主催し、気候変動、ヘルス、海洋の3つのテーマについて共同声明を取りまとめ公表した。

なお、日本学術会議の在り方については、令和4年1月に取りまとめた「日本学術会議の在り方に関する政策討議取りまとめ」等を踏まえ、日本学術会議が国民から理解され信頼される存在であり続けるためにはどのような役割・機能が発揮されるべきかという観点から検討を進め、令和4年12月に「日本学術会議の在り方についての方針」等を取りまとめ公表した。

コラム1　G7のナショナルアカデミーによる政策提言（Gサイエンス学術会議）

Gサイエンス学術会議（S7：Science7）は、G7サミット参加国のナショナルアカデミーがG7サミットに向けて科学的な政策提言を行うことを目的とし、平成17年（2005年）に発足した科学アカデミー会合である。例年、その年のG7議長国のアカデミーが主導してテーマを決定し、共同声明を取りまとめ、関連する会合を開催している。

令和5年（2023年）は、G7議長国が日本であることから、日本学術会議がGサイエンス学術会議2023を主催した。Gサイエンス学術会議2023では、気候変動や保健といった国際社会が直面する地球規模課題を踏まえ、気候変動と関連する危機への対応、高齢化社会におけるヘルス、海洋と生物多様性の3つをテーマとして、共同声明を取りまとめた。

3月7日には、日本学術会議が主催して、Gサイエンス学術会議2023に関連する公開シンポジウムを東京で開催した。このシンポジウムには、G7ナショナルアカデミーから会長などの代表者に加えて、国際学術会議（ISC：International Science Council）、Global Young Academy、2023年のG20議長国であるインドのアカデミーからも代表者が出席し、共同声明のテーマについての基調講演やパネルディスカッションなどを行った。

また、同日、G7ナショナルアカデミーの代表者が岸田文雄内閣総理大臣を表敬し、後藤茂之内閣府特命担当大臣（経済財政政策）の立会いの下、Gサイエンス学術会議2023共同声明を梶田隆章日本学術会議会長から岸田総理に手交した。

提供：内閣府　日本学術会議事務局

---

2 知と価値の創出のための資金循環の活性化

❶ 科学技術関係予算

我が国の令和4年度当初予算における科学技術関係予算は4兆2,921億円であり、そのうち一般会計分は3兆4,881億円、特別会計分は8,040億円となっている。令和4年度補正予算における科学技術関係予算は4兆6,064億円であり、そのうち一般会計分は4兆4,898億円、特別会計分は1,166億円となっている（令和5年2月時点）。科学技術関係予算（当初予算）の推移は第2-1-5表、府省別の科学技術関係予算は第2-1-6表のとおりである。

■第 2 - 1 - 5 表／科学技術関係予算の推移

（単位：億円）

項　目 / 年　度		平成29年度	平成30年度	令和元年度	令和 2 年度	令和 3 年度	令和 4 年度
	科学技術振興費　　（A）	13,045	13,175	13,597	13,639	13,638	13,787
	対前年度比　　　%	100.9	101.0	103.2	100.3	100.0	101.1
	その他の研究関係費（B）	15,339	17,340	20,584	22,054	19,780	21,094
	対前年度比　　　%	100.7	113.0	118.7	107.4	89.7	106.6
一般会計中の科学技術関係予算（C）＝（A）＋（B）		28,384	30,515	34,182	35,693	33,418	34,881
対前年度比　　　　%		100.8	107.5	112.0	104.5	93.6	104.4
特別会計中の科学技術関係予算（D）		7,497	7,908	8,237	8,094	7,776	8,040
対前年度比　　　%		99.8	105.5	104.2	98.3	96.1	103.4
科学技術関係予算（E）＝（C）＋（D）		35,881	38,423	42,419	43,787	41,194	42,921
対前年度比　　　%		100.6	107.1	110.4	103.3	94.1	104.2
国の一般会計予算　　　（F）		974,547	977,128	1,014,571	1,026,580	1,066,097	1,075,964
対前年度比　　　%		100.8	100.3	103.8	101.2	103.8	101.0
国の一般歳出予算　　　（G）		583,591	588,958	619,639	634,972	669,023	673,746
対前年度比　　　%		100.9	100.9	105.2	102.5	105.4	100.7

注：1．各年度とも当初予算額である。
　　2．各種積算と合計欄の数字は、四捨五入の関係で一致しないことがある。
資料：内閣府及び財務省のデータを基に文部科学省作成

■第 2 - 1 - 6 表／府省別科学技術関係予算

（単位：億円）

事項 / 府省等名	令和 3 年度（当初予算額）				令和 3 年度（補正予算額）				令和 4 年度（当初予算額）				令和 4 年度（補正予算額）			
	一般会計	科学技術振興費	特別会計	総額	一般会計	科学技術振興費	特別会計	総額	一般会計	科学技術振興費	特別会計	総額	一般会計	科学技術振興費	特別会計	総額
国　　会	12	11	-	12	-	-	-	-	12	11	-	12	-	-	-	-
内閣官房	653	-	-	653	222	-	-	222	626	-	-	626	199	-	-	199
内 閣 府	1,159	882	-	1,159	2,066	1,746	-	2,066	1,223	953	-	1,223	2,895	2,397	-	2,895
警 察 庁	23	21	-	23	-1	-1	-	-1	22	20	-	22	3	3	-	3
金 融 庁	-	-	-	-	-	-	-	-	-	-	-	-	6	-	-	6
消費者庁	30	-	-	30	3	-	-	3	30	-	-	30	-	-	-	-
デジタル庁	-	-	-	-	3	-	-	3	53	-	-	53	55	-	-	55
復 興 庁	-	-	275	275	-	-	-	-	-	-	299	299	-	-	-	-
総 務 省	1,133	598	-	1,133	1,320	677	-	1,320	1,065	661	-	1,065	880	788	-	880
法 務 省	12	-	-	12	-	-	-	-	11	-	-	11	-	-	-	-
外 務 省	156	-	-	156	2	-	-	2	345	-	-	345	30	-	-	30
財 務 省	11	10	-	11	-	-	-	-	11	10	-	11	1	1	-	1
文部科学省	19,510	8,844	1,088	20,598	11,436	10,664	82	11,518	19,514	8,863	1,086	20,599	11,288	6,978	148	11,436
厚生労働省	1,610	667	178	1,787	2,945	30	-	2,945	2,205	647	658	2,863	551	52	-	551
農林水産省	1,949	943	-	1,949	495	88	-	495	1,997	943	-	1,997	322	93	-	322
経済産業省	1,713	1,090	4,932	6,645	14,495	10,101	1,811	16,306	1,722	1,104	4,708	6,430	27,631	17,588	759	28,390
国土交通省	3,904	281	110	4,013	322	83	-	322	3,963	284	95	4,058	1,016	117	-	1,016
環 境 省	404	289	1,193	1,597	35	33	383	418	436	290	1,193	1,630	19	14	259	278
防 衛 省	1,139	-	-	1,139	-	-	-	-	1,645	-	-	1,645	-	-	-	-
合　　計	33,418	13,638	7,776	41,194	33,345	23,421	2,277	35,622	34,881	13,787	8,040	42,921	44,898	28,031	1,166	46,064

注：1．補正予算額は、当初予算額同様の統一的な基準による集計ではなく、府省ごとの判断に基づく集計である。
　　2．各種積算と合計欄の数字は、四捨五入の関係で一致しないことがある。
資料：内閣府のデータを基に文部科学省作成

❷ 民間の研究開発投資促進に向けた税制措置

政府は、我が国の研究開発投資総額の約7割を占める民間企業の研究開発投資を維持・拡大し、イノベーション創出につながる中長期・革新的な研究開発を促すことを目的に、「研究開発税制」と呼ばれる税制措置を設けている。

「研究開発税制」とは、研究開発を行う企業の法人税額から、試験研究費の額に応じて、一定割合を控除できる制度である。

我が国のイノベーション創出を一層促す制度とするため、継続的に見直しを行っており、令和5年度税制改正大綱（令和4年12月23日閣議決定）においては、控除上限と控除率を見直し、研究開発投資のインセンティブを強化するとともに、共同研究等の対象となる研究開発型スタートアップの定義の見直しや、高度研究人材の活用を促す措置の創設、試験研究費の範囲の見直しなどの改正を行うこととされた（第2-1-7図）。

■第2-1-7図／研究開発税制（令和5年4月～令和7年度末までの措置）

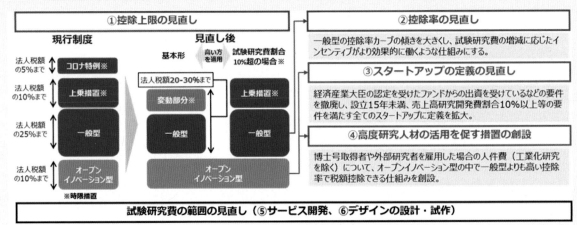

資料：経済産業省作成

第2章	Society 5.0の実現に向けた科学技術・イノベーション政策

第1節	国民の安全と安心を確保する持続可能で強靱（きょうじん）な社会への変革

我が国の社会を再設計し、世界に先駆けた地球規模課題の解決や国民の安全・安心を確保することにより、国民一人ひとりが多様な幸せ（well-being）を得られる社会への変革を目指しており、そのために行っている政府の取組を報告する。

1 サイバー空間とフィジカル空間の融合による新たな価値の創出

第6期基本計画が目指すSociety 5.0の実現に向け、サイバー空間とフィジカル空間を融合し、新たな価値を創出できることを目指している。具体的には質の高い多種多様なデータによるデジタルツインをサイバー空間に構築し、それを基にＡＩを積極的に用いながらフィジカル空間を変化させ、その結果をサイバー空間へ再現するという、常に変化し続けるダイナミックな好循環を生み出す社会へと変革することを目指すこととしている。

❶ サイバー空間を構築するための戦略、組織

デジタル庁では、規制・制度のデジタル原則への適合性の点検・見直しを進め、日本社会の本格的な構造改革を行い、デジタル化の恩恵を国民や事業者が享受し、成長を実感できるよう、まずは現場で人の目に頼る規制等、アナログ的な手法を用いる規制について、デジタル技術の活用可能性を踏まえた規制の横断的な点検・見直しを推進している。令和4年12月には、アナログ規制に関する約1万条項に関する見直し方針及び見直しに向けた工程表を確定した。こうした取組と並行して、規制所管省庁や企業等と協力し、類似の趣旨・目的の規制をまとめた類型と技術の対応関係を整理したテクノロジーマップの整備を行い、「規制の見直し」と「技術の進展」の正のスパイラルを生み出すことで、規制の合理化に伴う新たな成長産業を創出し、経済成長の実現を図っていくこととしている。

また、行政の手続における手数料等について、キャッシュレス納付を可能とする「情報通信技術を利用する方法による国の歳入等の納付に関する法律」（令和4年5月9日法律第39号）が令和4年4月27日に成立し、同年11月1日に施行された。同法を適用し、自動車検査登録手数料、旅券発給手数料等についてキャッシュレス納付が導入されている。さらに、データの利活用による経済発展と社会的課題の解決を図るため、「包括的データ戦略」を推進しており、プラットフォームを構築する際に共通となるデータの取扱いルールの策定、公的なデータ基盤をレジストリカタログとして整備、支援制度の検索を可能としたマイ制度ナビの公開等を行った。

❷ データプラットフォームの整備と利便性の高いデータ活用サービスの提供

デジタル庁は、令和4年度においては、パイロット版として、アドレスベース・レジストリ及び公共施設ベース・レジストリを整備し、これらベース・レジストリのデータ公開サイトであるレジストリカタログサイトの公開等を行った。

また、国・地方公共団体・独立行政法人等の関係者が効果的に協働できるように、特に情報システムの観点から重要な方針である「情報システムの整備及び管理の基本的な方針」（令和3年12月24日デジタル大臣決定）を策定した。

さらに、年間を通じて、予算要求段階、執行段階の予算プロセスにおいて、プロジェクトの各フェーズに応じたレビューを行い、レビューの結果等を予算要求や執行に適切に反映させていくこととしており、令和2年度時点での政府情報システムの運用等経費及び整備経費のうちのシステム改修に係る経費計約5,400億円を、令和7年度までに3割削減することを目指すこととしている。

また、医療、教育、防災等の準公共分野において、デジタル化、データ連携を推進し、ユーザに個別化したサービスを提供するため、府省庁横断的な体制の下、それぞれの分野での調査・実証等の実施に向けた取組を進めている。

情報処理推進機構に設置しているデジタルアーキテクチャ・デザインセンター（DADC）において、日本の産業競争力の強化及び安全・安心なデータ流通を実現するため、異なる事業・分野間で個別に整備されたシステムやデータをつなぐための標準を含むアーキテクチャの設計に取り組んできた。

内閣府は、戦略的イノベーション創造プログラム（SIP[1]）「ビッグデータ・AIを活用したサイバー空間基盤技術」で、分野を超えたデータ連携を実現する「分野間データ連携基盤技術」を開発した。同技術のコネクタを分野ごとにデータ基盤に導入すると、データ提供、検索、取得等が容易にできるようになる。本技術を活用し、スマートシティのデータ基盤やSIP等で構築した分野ごとのデータ基盤との連携を実証し、分野間データ連携基盤技術の検証を行った。

❸ データガバナンスルールなど信頼性のあるデータ流通環境の構築

デジタル庁は、「データ戦略推進ワーキンググループ」の下に設置した「トラストを確保したDX推進サブワーキンググループ」において、令和4年7月に報告書を公表し、「トラストポ

リシーの基本方針」を整理した。また、「プラットフォームにおけるデータ取扱いルールの実装ガイダンス ver1.0」の実装に向け、準公共等の分野の一部及びデジタル田園都市国家構想推進交付金の一部において実装又は参照した。

❹ デジタル社会に対応した次世代インフラやデータ・AI利活用技術の整備・研究開発

1．デジタル社会に対応した次世代インフラ

総務省は、Society 5.0におけるネットワーク通信量の急増、サービス要件の多様化やネットワークの複雑化に対応するため、1運用単位当たり5Tbpsを超える光伝送システムの実用化を目指した研究開発及び人工知能を活用した通信ネットワーク運用の自動化等を実現するための研究開発を実施した。また、第5世代移動通信システム（5G）の更なる社会実装を念頭に、令和4年度まで5Gの信頼性・エネルギー効率等について更なる高度化を実現するための研究開発を実施したほか、5Gの先に求められる技術を見据え、100GHz以上の高周波数帯通信デバイスに関する研究開発を実施している。また、テラヘルツ波を用いた超高精細度映像の非圧縮伝送が可能な無線通信基盤技術の応用展開を目指し、超高精細度映像インターフェース技術、ビーム制御技術及び無線信号処理技術の研究開発を実施した。

情報通信研究機構は、テラヘルツ波を利用した100Gbps級の無線通信システムの実現を目指したデバイス技術や集積化技術、信号源や検出器等に関する基盤技術の研究開発を行った。また、ICT利活用に伴う通信量及び消費電力の急激な増大に対処するため、ネットワーク全体の超高速化と低消費電力化を同時に実現する光ネットワークに関する研究開発を推進した。

経済産業省では、更に超低遅延や多数同時接続といった機能が強化された5G（以下「ポスト5G」という。）について、今後、スマートエ

1　Cross-ministerial Strategic Innovation Promotion Program

場や自動運転といった多様な産業用途への活用が見込まれているため、ポスト5Gに対応した情報通信システムや当該システムで用いられる半導体等の関連技術を開発するとともに、ポスト5Gで必要となる先端的な半導体の製造技術の開発に取り組んだ。また、産業のIoT化や電動化が進展し、それを支える半導体関連技術の重要性が高まる中、我が国が保有する高水準の要素技術等を活用し、エレクトロニクス製品のより高性能な省エネルギー化を実現するため、次世代パワー半導体や半導体製造装置の高度化に向けた研究開発に取り組んだ。

さらに、総務省では、2030年代のあらゆる産業・社会活動の基盤になると想定される次世代の情報通信インフラBeyond 5Gの実現に向け、令和3年3月に情報通信研究機構に設置した研究開発基金により、Beyond 5Gの実現に必要な要素技術の研究開発を支援してきたが、同基金は研究開発期間が限定されていたことから、令和5年3月にBeyond 5Gなど革新的な情報通信技術の研究開発を実施するための恒久的な基金を情報通信研究機構に新たに設置した。今後、同基金を活用し、研究開発及び社会実装・海外展開を推進する。

コラム2　先端ロジック半導体の3次元構造パラダイムシフトに対応した研究開発拠点の整備

　SNSによるコミュニケーション、銀行オンライン決済、AI自動運転では、"情報"という目に見えない"価値"が収集・演算され、"付加価値"へと変換され、さらにそれらが「高速大容量」、「低遅延」、「多数同時接続」を実現するポスト5G／6G通信手段により世界中にリアルタイムに配信され、無数の情報リンクが形成されてゆく。ロジック半導体は、超高速のデジタル演算処理及びデジタル通信処理を行っており、国家安全保障上においても、極めて重要な基幹技術の1つである。ロジック半導体では、単位面積当たりに、いかに多くの半導体トランジスタ（スイッチ）を作り込むかが最重要技術因子であり、これまで60年間以上にわたり、素子の微細化が精力的に進められてきた。2025年以降には、1兆半導体素子時代に突入するとされており、更なる高集積化に対応した3次元構造へパラダダイムシフトするとされ（図）、それに伴い半導体動作原理や製造プロセス技術に変革的イノベーションが求められている。

　産業技術総合研究所では、新エネルギー・産業技術総合開発機構の「ポスト5G情報通信システム基盤強化研究開発事業 研究開発項目②先端半導体製造技術の開発（a）先端半導体の前工程技術（More Moore 技術）の開発」において採択された「先端3次元構造ロジック半導体デバイスの製造・プロセス技術の開発と検証用パイロットライン整備」の中で、産業技術総合研究所つくばセンターに設置されているスーパークリーンルーム内に3次元構造ロ

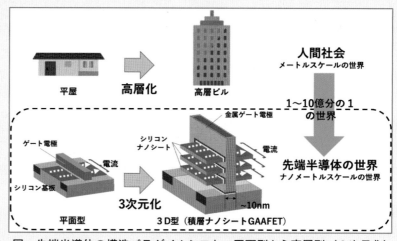

図　先端半導体の構造パラダイムシフト：平面型から高層型（3次元化）
提供：産業技術総合研究所

ジック半導体デバイス（積層ナノシートGAAFET）を試作できる共用パイロットラインを整備する計画で、令和4年度には必要な最先端製造装置導入の大方を完了させた。令和5年度末には、パイロットラインの稼働を開始する見込みで、先端半導体製造技術コンソーシアムを結成し（https://unit.aist.go.jp/cpo-eleman2022/ASMA/）、会員で利用できる仕組みも提供する。

2．ＡＩ利活用技術の整備・研究開発

　政府においては、令和4年4月にＡＩに関する新たな国家戦略として「ＡＩ戦略2022」が策定されている。同戦略では、大規模災害等への対処などの重要性にも着目しつつ、特に企業による社会実装を念頭に、ＡＩの信頼性向上、データの充実、人材確保等の環境整備等についての新たな目標が掲げられている。

　関係府省庁における取組としては、総務省は、情報通信研究機構において、脳活動分析技術を用い、人の感性を客観的に評価するシステムの開発を実施しており、このシステムを用いて脳活動等に現れる無意識での価値判断等に応じた効率的な情報処理プロセスの開発や脳情報通信技術によるＡＩの普及によって生じる倫理的・法的・社会的課題（ＥＬＳＩ[1]）に関する取組等を実施し、社会実装に向けた取組を実施している。また、誰もが分かり合えるユニバーサルコミュニケーションの実現を目指して、音声、テキスト、センサーデータ等の膨大なデータを用いた深層学習技術等の先端技術により、多言語翻訳、対話システム、行動支援等の研究開発・実証を実施している。

　文部科学省は、理化学研究所に設置した革新知能統合研究センターにおいて、①深層学習の原理解明や汎用的な機械学習の基盤技術の構築、②我が国が強みを持つ分野の科学研究の加速や我が国の社会的課題の解決のための人工知能等の基盤技術の研究開発、③人工知能技術の普及に伴って生じるＥＬＳＩに関する研究などを実施している。令和4年度においては、「ＡＩ戦略2022」に基づき、従来の深層学習を超える、信頼性の高い次世代ＡＩ基盤技術の理論構築や、医療分野・防災分野における最先端のＡＩ基盤技術の社会実装に向けた研究開発などを進めている。このほか、科学技術振興機構において、人工知能等の分野における若手研究者の独創的な発想や、新たなイノベーショ

ンを切り開く挑戦的な研究課題に対する支援（ＡＩＰ[2]ネットワークラボ）を一体的に推進している。

　経済産業省は、平成27年5月、産業技術総合研究所に設置した「人工知能研究センター」に優れた研究者・技術を結集し、大学等と産業界のハブとして目的基礎研究の成果を社会実装につなげていく好循環を生むエコシステムの形成に取り組んでいる。具体的には、①人と共に進化するＡＩシステムの基盤技術開発、②実世界で信頼できるＡＩの評価手法の確立、③容易に構築・導入できるＡＩ技術の開発に取り組んでいる。また、産業技術総合研究所情報・人間工学領域において、世界トップレベルの人工知能処理性能を有する大規模で省電力の計算システム「ＡＩ橋渡しクラウド（ＡＢＣＩ2.0[3]）」を運用している。さらに、経済産業省「ＩｏＴ社会実現に向けた次世代人工知能・センシング等中核技術開発」に基づき、新エネルギー・産業技術総合開発機構では、人との協調性や信頼性を実現するＡＩシステムの研究開発や、リモートシステムに必要なＡＩ技術の研究開発、信頼性を担保して高精度にリアルデータを取得するためのセンシングデバイス・システム開発等を実施している。加えて、平成30年度よりエネルギー需給構造の高度化に向けた「次世代人工知能・ロボットの中核となるインテグレート技術開発」事業として、エネルギー需給の高度化に貢献するＡＩ技術の実装加速化に向けた研究開発やＡＩ導入を飛躍的に加速させる基盤技術開発、ものづくり分野の設計や製造現場に蓄積されてきた「熟練者の技・暗黙知（経験や勘）」の伝承・効率的活用を支えるＡＩ技術開発に取り組んでいる。

　また、経済産業省は、ＩｏＴ社会の到来により増加した膨大な量の情報を効率的に活用するため、ネットワークのエッジ側で動作する超低消費電力の革新的ＡＩチップに係るコンピュー

1　Ethical, Legal and Social Issues
2　Advanced Integrated Intelligence Platform
3　AI Bridging Cloud Infrastructure

ティング技術、新原理により高速化と低消費電力化を両立する次世代コンピューティング技術（脳型コンピュータ、量子コンピュータ、光分散コンピュータ等）の開発に取り組んだ。また、ＡＩチップ開発に必要な設計ツールや検証装置等を備えたＡＩチップ設計拠点を構築し、民間企業におけるＡＩチップ開発を支援した。

❺　デジタル社会を担う人材育成

近年では、イノベーションが急速に進展し、技術がめまぐるしく進化する中、Society 5.0の実現に向け、ＡＩ・ビッグデータ・ＩoＴ等の革新的な技術を社会実装につなげるとともに、そうした技術による産業構造改革を促す人材を育成する必要性が高まっている。

文部科学省は、ＡＩ戦略2022の目標である「文理を問わず全ての大学・高専生（約50万人卒／年）が初級レベルの能力を習得すること」、「大学・高専生（約25万人卒／年）が自らの専門分野への応用基礎力を習得すること」の実現のため、数理・データサイエンス・ＡＩ教育の基本的考え方、学修目標・スキルセット、教育方法などを体系化したモデルカリキュラム（リテラシーレベル・応用基礎レベル）を策定・活用するとともに、教材等の開発や、教育に活用可能な社会の実課題・実データの収集・整備等を通じて全国の大学などへの普及・展開を推進している。また、ＡＩ戦略2019では、大学・高等専門学校における数理・データサイエンス・ＡＩ教育のうち、優れた教育プログラムを政府が認定することとされており、令和４年度時点でリテラシーレベル217件、応用基礎レベル68件の教育プログラムを認定している。本認定制度は、各大学等の取組について、政府だけでなく産業界をはじめとした社会全体として積極的に評価する環境を醸成し、より質の高い教育を牽引していくことを目指している。

さらに、令和４年度第２次補正予算において3,002億円が措置されたことにより、デジタル

等の成長分野を牽引する高度専門人材の育成に向けて、意欲ある大学・高等専門学校が成長分野への学部転換等の改革に予見可能性を持って踏み切れるよう、新たに基金を創設し、機動的かつ継続的な支援を行うこととしている。

また、各分野の博士人材等について、データサイエンス等を活用しアカデミア・産業界を問わず活躍できるトップクラスのエキスパート人材を育成する研修プログラムの開発を目指す「データ関連人材育成プログラム」を平成29年度より実施しているほか、高度な統計学のスキルを有する人材の育成及び統計人材育成エコシステムの構築を目的とした「統計エキスパート人材育成プロジェクト」に令和３年度より取り組んでいる。

総務省は、奇想天外で野心的な技術課題に失敗を恐れずに挑戦する人を支援する「異能vation」プログラムを平成26年度から実施している。本プログラムでは、新たな価値を創造する、破壊的なＩＣＴイノベーションへの「挑戦」とその世界展開を支援するための取組を推進している。

経済産業省は、情報処理推進機構を通じて、ＩＴを駆使してイノベーションを創出することのできる独創的なアイデアと技術を有するとともに、これらを活用していく能力を有する優れた個人（ＩＴクリエータ）を発掘・育成する「未踏ＩＴ人材発掘・育成事業」等を実施している。

❻　デジタル社会の在り方に関する国際社会への貢献

デジタル庁は、日本が主催した2023年（令和５年）４月のＧ７デジタル・技術大臣会合も踏まえ、信頼性のある自由なデータ流通（ＤＦＴ[1]）の推進に向け、データ流通に関するグローバルな枠組みを構築するため、データ品質、プライバシー、セキュリティ、インフラ等の相互信頼やルール、標準等、国際的なデータ流通

1　Data Free Flow with Trust

を促進する上での課題解決に向けた方策を実行することとしている。

　内閣府は、データ連携基盤の構築に関する取組を通じて得られた技術的成果等を踏まえつつ、関係省庁との連携の下、デジタル社会の在り方に関する国際的な議論への対応等について検討している。

　総務省は、2025年日本国際博覧会（大阪・関西万博）も見据え、「グローバルコミュニケーション計画2025」（令和2年3月）に基づき情報通信研究機構の多言語翻訳技術の更なる高度化により、ビジネスや国際会議における議論等の場面にも対応したAIによる「同時通訳」を実現するための研究開発を実施している。

　外務省及び国際協力機構は、政府開発援助事業において開発途上国のデジタル社会構築に資する協力を推進するべく、開発の各分野でのデジタルの利活用、その基盤となるデジタル化を担う人材・産業の育成、サイバーセキュリティの能力強化等に取り組んでいる。

❼　新たな政策的課題

　内閣府は、DFFTの推進など、関係省庁の議論の動向を踏まえつつ、AI戦略、包括的データ戦略などに基づく各種の取組を通じて、国境を越えたデータ活用促進方策等の検討を進めている。

②　地球規模課題の克服に向けた社会変革と非連続なイノベーションの推進

　2050年までに、温室効果ガスの排出を全体としてゼロにする、2050年カーボンニュートラルを実現するとともに、健全で効率的な廃棄物処理及び高度な循環経済の実現に向けた対応をすることで、グリーン産業の発展を通じた経済成長へとつながり、経済と環境の好循環が生み出されるような社会を目指している。

❶　革新的環境イノベーション技術の研究開発・低コスト化の促進

1．革新的環境イノベーション戦略とグリーン成長戦略

　「革新的環境イノベーション戦略」等に基づき、有望分野に関する革新的技術の研究開発を強化している。また、「2050年カーボンニュートラルに伴うグリーン成長戦略」を策定し、革新的な技術開発に対する継続的な支援を行うグリーンイノベーション基金事業等を活用し、革新的技術の研究開発・実証とその社会実装を推進している。

2．カーボンニュートラルに向けた研究開発の推進

　文部科学省は、2050年カーボンニュートラルの実現や将来の産業成長に向けて、非連続なイノベーションをもたらす「革新的GX技術」の創出を目指す、「革新的GX技術創出事業（GteX）」について令和4年度補正予算により予算措置し、令和5年3月に基金を造成した。

　経済産業省は、二酸化炭素を資源として捉え、これを分離・回収し、鉱物化によりコンクリート等、人工光合成等により化学品、メタネーション[1]等により燃料へ再利用し、大気中への二酸化炭素排出を抑制するカーボンリサイクルの技術開発を推進するため、「カーボンリサイクル技術ロードマップ」を令和元年6月に策定し、令和3年7月には最新動向を踏まえ改訂した。同ロードマップに沿って、二酸化炭素の分離・回収技術、持続可能な航空燃料（SAF[2]）や二酸化炭素を用いたコンクリートの製造技術、バイオマス由来化学品を生産するためのバイオ生産プロセス技術等の研究開発を実施しており、カーボンリサイクルの分野においてはグリーンイノベーション基金も活用しながら技術の社会実装を進めている。さらに、広島県大崎上島にカーボンリサイクル実証研究拠点を整備し、技術開発や実証試

1　　二酸化炭素と水素を合成して天然ガスの主成分であるメタンを合成する技術
2　　Sustainable Aviation Fuel

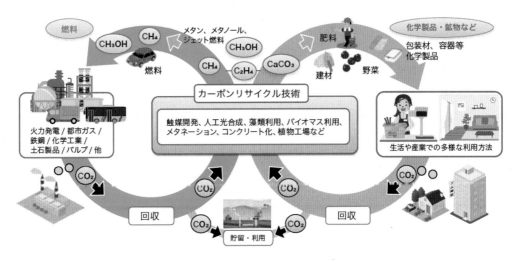

カーボンリサイクルのコンセプト
資料：経済産業省作成

験を集中的に実施している。

　また、二酸化炭素回収・利用・貯留（CCUS[1]）技術の実用化を目指し、二酸化炭素大規模発生源から分離・回収・輸送した二酸化炭素を利用・地中（地下1,000m以深）に貯留する一連のトータルシステムの実証及びコストの大幅低減や安全性向上に向けた技術開発を進めている。鉄鋼製造においては、製鉄プロセスにおける省エネ化を目指し、低品位原料を有効活用して製造するコークス（フェロコークス）を用いて鉄鉱石の還元反応を低温化・高効率化するための技術開発を行った。また、水素還元等プロセス技術の開発事業（COURSE50[2]）の成果を踏まえ、「グリーンイノベーション基金／製鉄プロセスにおける水素活用」において、大幅な二酸化炭素排出削減を目指し、水素を用いて鉄鉱石を還元する技術の開発を行っている。

　環境省は、火力発電所の排ガスから二酸化炭素の大半を分離・回収する場合のコスト、発電効率の低下、環境影響等の評価に向けた日本初となる実用規模の二酸化炭素分離・回収設備の設計・建設や、我が国に適したCCS[3]の円滑な導入手法の取りまとめ等を行っている。また、国内における二酸化炭素の貯留可能な地点の選定を目的として、経済産業省と環境省は共同で弾性波探査等の地質調査を実施している。さらに、平成30年度からは二酸化炭素回収・有効利用（CCU[4]）の実証事業を行っており、人工光合成やメタネーション等といった取組及びこれらのライフサイクルを通じた二酸化炭素削減効果の検証・評価を行っている。

　経済産業省は、航空分野における脱炭素化の取組に寄与する持続可能な航空燃料（SAF[5]）の商用化に向け、ATJ[6]技術（触媒技術を利用してアルコールからSAFを製造）や、ガス化・FT[7]合成技術（木材等を水素と一酸化炭素に気化し、ガスと触媒を反応させてSAFを製造）、カーボンリサイクルを活用した微細藻類の培養技術を含むHEFA[8]技術に係る実証事業等を実施している。

　また、「グリーンイノベーション基金／CO2等を用いた燃料製造技術開発事業」において、SAFの大量生産が可能となる技術（ATJ技

1　Carbon dioxide Capture, Utilization and Storage
2　CO2 Ultimate Reduction System for Cool Earth 50
3　Carbon Capture and Storage
4　Carbon dioxide Capture and Utilization
5　Sustainable Aviation Fuel
6　Alcohol To Jet
7　Fischer-Tropsch
8　Hydroprocessed Esters and Fatty Acids

術）の支援を予定している。

メタネーションについては、大量供給を可能とする、合成メタンの大規模かつ高効率な生産技術の確立が必要である。このため、サバティエ反応によるメタネーション設備大型化に向けた技術開発・実証を実施している。さらに、「グリーンイノベーション基金／CO2等を用いた燃料製造技術開発事業」により、生産効率を飛躍的に高める革新的メタネーション技術の開発を開始している。

科学技術振興機構は、「戦略的創造研究推進事業 先端的低炭素化技術開発（ALCA[1]）」及び「未来社会創造事業『地球規模課題である低炭素社会の実現』領域」において、バイオマスからの化成品製造やバイオ生産等、石油製品を代替する革新的なバイオテクノロジーの研究開発を推進している。

理化学研究所は、石油化学製品として消費され続けている炭素等の資源を循環的に利活用することを目指し、植物科学、ケミカルバイオロジー、触媒化学、バイオマス工学等を融合した先導的研究を実施している。また、バイオマスを原料とした新材料の創成を実現するための革新的で一貫したバイオプロセスの確立に必要な研究開発を実施している。

コラム3　カーボンリサイクル

「カーボンリサイクル」とは、二酸化炭素を資源として捉え、これを分離・回収し、鉱物化によりコンクリート等、人工光合成等により化学品、メタネーション等により燃料へ再利用し、大気中への二酸化炭素排出を抑制する取組です。また、エネルギー安定供給とカーボンニュートラルの両立を実現するゲームチェンジャーとなり得る技術であり、日本に競争力があります。既に、二酸化炭素を原料としたコンクリートや車のヘッドライトカバーなどに使われるポリカーボネートは実用化されています。

カーボンリサイクルとは
資料：経済産業省作成

一方で、カーボンリサイクル技術の多くは低コスト化が課題であり、特に、二酸化炭素フリー水素はまだ高価なため、水素を使用した技術にはイノベーションが必要です。そのため、短期的には、コンクリートにより多くの二酸化炭素を固定する技術や藻類によるバイオ燃料化など、水素を必要としない技術をターゲットとし、長期的には、合成燃料など既存の汎用品を代替する利用が期待されており、現在、グリーンイノベーション基金を活用しながら、産学官連携の下で研究開発が進められています。

また、イノベーションの創出・実用化を加速させるため、令和4年9月、広島県大崎上島のカーボンリサイクル実証研究拠点が本格的に始動しました。隣接地の石炭ガス化燃料電池複合発電実証プロジェクトで回収された二酸化炭素を利用し、技術開発や実証試験を集中的に実施しています。本拠点を多様なカーボンリサイクル技術の「ショーケース」として、最先端技術を世界中にアピールすることで、海外との連携を促進し、更なるイノベーションの創出・加速を目指します。

カーボンリサイクル実証研究拠点
資料：経済産業省作成

1　Advanced Low Carbon Technology Research and Development Program

3．ムーンショットに関する取組

ムーンショット型研究開発制度は、少子高齢化、大規模自然災害、地球温暖化等の我が国が抱える課題に科学技術が果敢に挑戦し将来の成長分野を切り拓いていくために9つの目標を設定している（第1章第2節②❹参照）。その中で、目標4においては「2050年までに、地球環境再生に向けた持続可能な資源循環を実現」という目標を掲げ、地球環境再生のために持続可能な資源循環の実現による地球温暖化問題の解決（Cool Earth）と環境汚染問題の解決（Clean Earth）を目指している。目標5においては「2050年までに、未利用の生物機能等のフル活用により、地球規模でムリ・ムダのない持続的な食料供給産業を創出」という目標を掲げ、食料生産と地球環境保全の両立を目指している。

4．ゼロエミッション国際共同研究センターについて

令和2年1月29日に産業技術総合研究所はゼロエミッション国際共同研究センターを設置した。当該センターにおいては、国際連携の下、再生可能エネルギー、蓄電池、水素、二酸化炭素分離・利用、人工光合成等、革新的環境イノベーション戦略の重要技術の基盤研究を実施しているほか、クリーンエネルギー技術に関するG20各国の国立研究所等のリーダーによる国際会議（RD20）や、東京湾岸ゼロエミッションイノベーション協議会（ゼロエミベイ）の事務局を担うなど、イノベーションハブとしての活動を推進している。

5．農林水産業に関する取組

SDGsや環境を重視する国内外の動きが加速する中、我が国としても持続可能な食料システムを構築し、国内外を主導していくことが急務となっている。このため、農林水産省では、令和3年5月に、我が国の食料・農林水産業の生産力向上と持続性の両立をイノベーションで実現する「みどりの食料システム戦略」を策定し、その実現に向けた「環境と調和のとれた食料システムの確立のための環境負荷低減事業活動の促進等に関する法律（みどりの食料システム法）」が令和4年に制定・施行された。同法に基づく事業者の計画認定等により、化学肥料の使用低減に寄与する自動灌水施肥装置、化学農薬の使用低減や有機農業の取組拡大に寄与する水田用除草機など、環境負荷の低減に資する新技術の開発・普及を促進している。また、本戦略では、2050年までに目指す姿として、農林水産業のCO2ゼロエミッション化の実現、化学農薬使用量（リスク換算）の50%低減、化学肥料使用量の30%低減、有機農業の取組面積の割合を25%に拡大等、14の数値目標（KPI[1]）を掲げており、令和4年6月には中間目標として新たにKPI2030年目標を設定した。

農林水産省では、イノベーションの創出に向け、生産現場が直面する課題を解決するための研究開発や地球温暖化対策等、中長期的な視点で取り組むべき研究開発を総合的に推進している。令和4年度においては、現場の農林漁業者等が活用する技術の持続的改良、脱炭素・環境対応などの基盤技術の開発を実施するとともに、スマート農業技術やペレット堆肥の活用技術の社会実装を加速化させるための技術開発や実証、データに基づく土づくり等の環境整備を一体的に推進した。また、中長期的に取り組むべき挑戦的な研究開発として、飛んでいる害虫にレーザー光を照射して打ち落とし、化学農薬の使用量低減に貢献する新たな害虫の防除技術の開発や、牛のメタン産生と生産性向上に関与する胃の中の微生物機能を解明し、牛からのメタンを抑制する候補資材の開発を推進した。

また、衛星測位情報や画像データ等を活用した農業機械の自動走行システム、野菜・果樹の

1　Key Performance Indicatorの略であり、「重要業績評価指標」のこと

収穫ロボット化等のスマート農業技術の開発や生産現場への導入効果を経営面から明らかにするスマート農業実証プロジェクトをこれまでに全国205地区で展開した（令和5年3月時点）。さらに、実証成果の普及のため、令和元年度採択地区の2年間の経営事例分析結果を公表するとともに、実証で培われた技術・ノウハウを有する生産者、民間事業者等から成るスマートサポートチームによる新たな産地へのスマート農業技術の展開を開始した。

加えて、「福島イノベーション・コースト構想」の実現に向け、ICTやロボット技術などを活用した農林水産分野の先端技術の開発を行うとともに、現場が新たに直面している課題の解消に資する現地実証や社会実装に向けた取組を推進した。

これまでの現場での課題を踏まえ、スマート農業推進総合パッケージ（令和2年10月策定）を令和4年6月に改訂し、スマート農業の社会実装の加速化を推進している。

この総合パッケージに基づき、実証の着実な実施や成果の普及、農作業受託や農業機械のシェアリング等を行う農業支援サービス事業体の育成、農業現場への実装に際して安全上の課題解決が必要なロボット技術の安全性の検証や安全性確保策の検討を進めた。

また、農業現場におけるデータ活用の促進に向けて、農業機械等のデータ連携を図るオープンAPI[1]の整備を図るため、トラクター、コンバイン等の農業機械、穀物乾燥機、施設園芸機器等における、営農に資するデータ項目について、データ形式の標準化、データの利用権限等の取扱いルールの策定を実施した。

このほか、様々なデータの連携・提供が可能なデータプラットフォーム「農業データ連携基盤（WAGRI）」を活用した農業者向けのI CTサービスが展開されているほか、農業生産のみならず流通・加工・消費・輸出までのデータ共有を可能にするフードチェーンプラットフォームの構築を進めた。

土木研究所は、農業の成長産業化や強靱化に資する積雪寒冷地の農業生産基盤の整備・保全管理技術の開発、水産資源の生産力向上に資する寒冷海域の水産基盤の整備・保全に関する研究開発を実施している。

農林水産省は、農林水産分野における気候変動緩和技術として、令和2年度からバイオ炭やブルーカーボン、木質バイオマスのマテリアル利用による炭素吸収源対策技術の開発に取り組んでいるほか、水田・畑作・園芸施設等の現場における温室効果ガス排出削減と生産性向上を両立する気候変動緩和技術の実装スケールでの開発、炭素貯留能力に優れた造林樹種の育種期間を大幅に短縮する技術の開発を新たに開始している。また、牛の消化管内発酵由来メタン排出削減技術等の開発や、アジア地域の水田における温室効果ガス排出削減等に関する総合的栽培管理技術の開発を推進している。

さらに、気候変動適応技術として、流木災害防止・被害軽減技術、病害虫や侵略的外来種の管理技術の開発に取り組んでいる。

農林水産省は、民間企業等における海外の有用な植物遺伝資源を用いた新品種開発を支援するため、特にアジア地域の各国との二国間共同研究を推進し、海外植物遺伝資源の調査・収集と評価に加え、それらの情報を効率的に供給するためのデータベース構築を行っている。また、農業・食品産業技術総合研究機構は、「農業生物資源ジーンバンク事業」として、農業に係る生物遺伝資源の収集・保存・評価・提供を行っている。

1　　Application Programming Interface

コラム4　みどりの食料システム戦略の目標実現に向け、「みどりの品種育成方針」を策定

　農林水産省では、持続可能な食料システムを構築するため、食料・農林水産業の生産力向上と持続性の両立をイノベーションで実現する「みどりの食料システム戦略」を令和3年に策定した。本戦略においては、2050年までの目標として農林水産業のCO2ゼロエミッション化の実現、化学農薬使用量（リスク換算）の50%低減、化学肥料使用量の30%低減、有機農業の取組面積割合の25%（100万ha）への拡大が掲げられており、本戦略の目標実現には新たな特性を持つ品種の育成が重要な役割を担うものと期待されている。そのため、農林水産省では今後必要となる品種育成の方向性を整理し、この品種育成を加速するためのスマート育種基盤の構築について示した「みどりの品種育成方針」を令和4年12月に策定した。

　具体的な品種育成については、「温室効果ガス排出低減」、「化学農薬の使用量低減」、「化学肥料の使用量低減」、「気候変動対応」のほか、昨今の世界情勢の急激な変化から問題となっている「食料安全保障」の5つの項目ごとに方向性を示している。

　また、品種育成には多大な労力と10年を超える時間が必要となるが、求められる品種を迅速に育成するため、遺伝資源の迅速な育種素材化や品種育成に最適な交配組合せをAIによって予測する技術などの品種育成を効率化する技術を組み合わせたスマート育種基盤を構築することとしている。

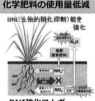

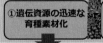

提供：農林水産技術会議事務局

＜参考URL＞農林水産技術会議事務局ウェブサイト
https://www.affrc.maff.go.jp/docs/hinsyu/hinsyu_kaihatu.html

6．社会インフラ設備の省エネ化・ゼロエミッション化に向けた取組

　国土交通省は、技術のトップランナーを中核とした海事産業の集約・連携強化を図るため、次世代船舶（ゼロエミッション船等）の技術開発支援を行うとともに、環境省と連携し、LNG燃料システム及び最新の省CO2機器を組み合わせた先進的な航行システムの普及を図るためのLNG燃料船の導入促進事業を行った。

　海上・港湾・航空技術研究所は、船舶からの二酸化炭素排出量の大幅削減に向け、ゼロエミッションを目指した環境インパクトの大幅な低減と社会合理性を兼ね備えた環境規制の実現に資する基盤的技術に関する研究を行っている。

また、国内外に広く適用可能なブルーカーボンの計測手法を確立することを目的に、大気と海水間のガス交換速度や海水と底生系間の炭素フロー等の定量化など、沿岸域における現地調査や実験を推進している。

土木研究所は、社会構造の変化に対応した資源・資材活用・環境負荷低減技術の開発を実施している。

国土技術政策総合研究所は、温室効果ガス排出を抑制しエネルギー・資源を回収する下水処理技術に関する研究、省エネ住宅の高性能化を踏まえたエネルギー消費性能の合理的な評価手法の開発を行っている。

海上・港湾・航空技術研究所は、海中での施工、洋上基地と海底の輸送・通信等に係る研究開発、海洋資源・エネルギー開発に係る基盤的技術の基礎となる海洋構造物の安全性評価手法及び環境負荷軽減手法の開発・高度化に関する研究を行っている。

７．地球環境の観測技術の開発と継続的観測
（１）地球観測等の推進

気候変動の状況等を把握するため、世界中で様々な地球観測が実施されている。気候変動問題の解決に向けた全世界的な取組を一層効果的なものとするためには、国際的な連携により、観測データ及び科学的知見への各国・機関へのアクセスを容易にするシステムが重要である。「全球地球観測システム（GEOSS[1]）」は、このような複数のシステムから構成される国際的なシステムであり、その構築を推進する国際的な枠組みとして、地球観測に関する政府間会合（GEO[2]）が設立され、2023年（令和5年）3月時点で258の国及び国際機関等が参加している。我が国はGEOの執行委員国の1つとして主導的な役割を果たしている。

環境省は、環境研究総合推進費における戦略的研究課題の1つとして、我が国の気候変動適応を支援する影響予測・適応評価に関する最新の科学的情報の創出を目的とする「気候変動影響予測・適応評価の総合的研究（S-18）」を実施している。これらの戦略的研究をはじめとして、気候変動及びその影響の観測・監視並びに予測・評価及びその対策に関する研究を環境研究総合推進費等により総合的に推進している。

（２）人工衛星等による観測

宇宙航空研究開発機構は、気候変動観測衛星「しきさい」（GCOM-C[3]）、水循環変動観測衛星「しずく」（GCOM-W[4]）、陸域観測技術衛星2号「だいち2号」（ALOS-2[5]）等の運用及び先進レーダ衛星（ALOS-4[6]）等の研究開発などを行い、人工衛星を活用した地球観測の推進に取り組んでいる（第2章第1節 ③ ❺参照）。

環境省は、気候変動とその影響の解明に役立てるため、関係府省庁及び国内外の関係機関と連携して、温室効果ガス観測技術衛星「いぶき」（GOSAT[7]）や「いぶき2号」（GOSAT-2）による全球の二酸化炭素及びメタン等の観測技術の開発及び観測に加え、航空機・船舶・地上からの観測を継続的に実施している。GOSATは、気候変動対策の一層の推進に貢献することを目指して、二酸化炭素及びメタンの全球の濃度分布、月別及び地域別の排出・吸収量の推定を実現するとともに、平成21年の観測開始から二酸化炭素及びメタンの濃度がそれぞれ季節変動を経ながら年々上昇し続けている傾向を明らかにするなどの成果を上げている。また、人間活動により発生した温室効果ガスの排出源と排出量を特定できる可能性を示した。後継機であるGOSAT-2はGOSAT

1　　Global Earth Observation System of Systems
2　　Group on Earth Observations
3　　Global Change Observation Mission-Climate
4　　Global Change Observation Mission-Water
5　　Advanced Land Observing Satellite - 2
6　　Advanced Land Observing Satellite - 4
7　　Greenhouse gases Observing SATellite

の観測対象である二酸化炭素やメタンの観測精度を高めるとともに、新たに一酸化炭素を観測対象として追加した。二酸化炭素は、工業活動や燃料消費等の人間活動だけでなく、森林や生物の活動によっても排出されている。一方、一酸化炭素は、人間の活動から排出されるものの、森林や生物活動からは排出されない（自然火災を除く。）。二酸化炭素と一酸化炭素を組み合わせて観測して解析することにより、「人為起源」の二酸化炭素の排出量の推定を目指している。ＧＯＳＡＴ－２は、平成30年10月に打ち上げられ、ＧＯＳＡＴのミッションである全球の温室効果ガス濃度の観測を継承するほか、人為起源排出源の特定と排出量推計精度を向上するための新たな機能により、各国のパリ協定に基づく排出量報告の透明性向上への貢献を目指している。なお、令和元年度から水循環観測と温室効果ガス観測のミッションの継続と観測能力の更なる強化を目指してＧＣＯＭ－Ｗの後継センサ高性能マイクロ波放射計３（ＡＭＳＲ３[1]）とＧＯＳＡＴ－２の後継センサ温室効果ガス観測センサ３型（ＴＡＮＳＯ－３[2]）を相乗り搭載する「温室効果ガス・水循環観測技術衛星」（ＧＯＳＡＴ－ＧＷ[3]）の開発を進めている。

また、パリ協定に基づく世界各国が実施する気候変動対策の透明性向上に貢献するために、ＧＯＳＡＴシリーズの観測データによる排出量推計技術等の国際標準化に向けた海外での検証と展開を推進している。環境省では、平成30年度（2018年度）より、モンゴル国政府の協力の下で本技術の高度化に取り組み、ＧＯＳＡＴ観測データから推計した二酸化炭素の排出量が、統計データ等からモンゴル国が算出した排出量の算定値とおおむね一致するまで技術を高めることに成功した。さらに、令和３年度よりモンゴル国以外の各国への展開を推進

しており、令和４年度（2022年度）では中央アジアの２か国に対して排出量推計技術の展開に係る協力関係を構築した。

（3）地上・海洋観測等

近年、北極域の海氷の減少、世界的な海水温の上昇や海洋酸性化の進行、プラスチックごみによる海洋の汚染など、海洋環境が急速に変化している。海洋環境の変化を理解し、海洋や海洋資源の保全・持続可能な利用、地球環境変動の解明を実現するため、海洋研究開発機構は、漂流フロート、係留ブイや船舶による観測等を組み合わせ、統合的な海洋の観測網の構築を推進している。

海洋研究開発機構と気象庁は、文部科学省等の関係機関と連携し、世界の海洋内部の詳細な変化を把握し、気候変動予測の精度向上につなげる高度海洋監視システム（アルゴ計画[4]）に参画している。アルゴ計画は、アルゴフロートを全世界の海洋に展開することによって、常時全海洋を観測するシステムを構築するものである。

文部科学省は、地球環境変動を顕著に捉えることが可能な南極地域及び北極域における研究諸分野の調査・観測等を推進している。「南極地域観測事業」では、南極地域観測第Ⅹ期６か年計画（令和４～９年度）を開始し、南極氷床融解メカニズムと物質循環変動の調査など、南極地域における調査・観測等を実施している。

北極域は、様々なメカニズムにより温暖化が最も顕著に進行している場所として知られている。一方で、夏季海氷融解により、我が国を含め様々な利用可能性が期待されている。これら全球的な気候変動への対応や北極域の持続的利用への貢献の両面において、基盤となる科学的知見の充実は不可欠である。

このため、令和２年度に開始した「北極域研

1　Advanced Microwave Scanning Radiometer 3
2　Total Anthropogenic and Natural emissions mapping SpectrOmeter-3
3　Global Observing SATellite for Greenhouse gases and Water cycle
4　全世界の海洋を常時観測するため、日本、米国等30以上の国や世界気象機関（ＷＭＯ：World Meteorological Organization）、ユネスコ政府間海洋学委員会（ＩＯＣ：Intergovernmental Oceanographic Commission）等の国際機関が参加する国際プロジェクト

究加速プロジェクト（ArCSⅡ[1]）において、国際連携拠点や海洋地球研究船「みらい」などを利用し、北極域の環境変化の実態把握とプロセスの解明、その影響についての定量的な予測と対応策等の検討に向け、文理連携により北極域の持続的可能な利用のための取組を実施している。また、ArCSⅡの下、令和4年度（2022年度）は、海洋地球研究船「みらい」により、20回目になる太平洋側北極海の観測を実施し、北極海同時広域観測研究計画（SAS）にも継続的に参画することで国際的に貢献した。

　さらに、令和3年度から、観測空白域となっている海氷域の観測が可能な観測・研究プラットフォームである北極域研究船の令和8年度就航に向けて、建造を着実に進めている。

　気象庁は、地球温暖化をはじめとする気候変動等の監視に資するため、国内及び南極昭和基地において大気中の温室効果ガスの観測を行っているほか、海洋気象観測船により北西太平洋の洋上大気や海水中の温室効果ガス、及び航空機により上空の温室効果ガスの観測を行っている。また、エアロゾル、日射放射、オゾン層・紫外線の観測や解析も実施しており、温室効果ガスを含め、これらのデータを公開している。気象庁が観測したデータに加え、世界中から収集した船舶・アルゴフロート・衛星等の観測データも活用して地球環境に関連した海洋変動を解析し、現状と今後の見通しを「海洋の健康診断表」として取りまとめ、公開している。

（4）スーパーコンピュータ等を活用した気候変動の予測技術等の高度化

　文部科学省は、「気候変動予測先端研究プログラム」において、地球シミュレータ等のスーパーコンピュータを活用し、気候モデル等の開発を通じて気候変動の予測技術等を高度化す

ることによって、気候変動対策に必要となる基盤的情報を創出するための研究開発を実施している。これまで文部科学省が推進してきた気候変動研究の成果は、令和4年12月に公表された「気候予測データセット2022」（文部科学省・気象庁）に取りまとめられるなど、我が国の気候変動対策に資する予測情報として提供されているほか、「気候変動に関する政府間パネル（IPCC[2]）」の第6次評価報告書において、数多く引用されるなど、国際的な貢献も果たしている。

　また、「地球環境データ統合・解析プラットフォーム事業」において、地球環境データを蓄積・統合解析する「データ統合・解析システム（DIAS[3]）」を活用し、地球環境ビッグデータを利活用した気候変動、防災等の地球規模課題の解決に貢献する研究開発を推進している。

　気象研究所は、エアロゾルが雲に与える効果、オゾンの変化や炭素循環なども表現できる温暖化予測地球システムモデルを構築し、気候変動に関する10年程度の近未来予測及びIPCCの排出シナリオに基づく長期予測を行っている。また、我が国特有の局地的な現象を表現できる分解能を持った精緻な雲解像地域気候モデルを開発して、領域温暖化予測を行っている。

　海洋研究開発機構は、大型計算機システムを駆使した最先端の予測モデルやシミュレーション技術の開発により、地球規模の環境変動が我が国に及ぼす影響を把握するとともに、気候変動問題の解決に海洋分野から貢献している。

❷ 多様なエネルギー源の活用等のための研究開発・実証等の推進

　政府は、令和3年10月にエネルギー基本計画を閣議決定した。その中で、2050年カーボンニュートラルの実現に向け、「産業・業務・

1　Arctic Challenge for Sustainability Ⅱ
2　Intergovernmental Panel on Climate Change
3　Data Integration and Analysis System

家庭・運輸・電力部門のあらゆる経済活動に共通して、様々なイノベーションに挑戦・具現化し、新たな脱炭素技術の社会実装を進めていくことが求められる」としており、技術開発・イノベーションの重要性について明記している。また、2050年カーボンニュートラルの実現を目指す中であっても、安全の確保を大前提に、安定的で安価なエネルギー供給を確保していくことが重要であり、そのため、再生エネルギー、原子力、水素、ＣＣＵＳ[1]などあらゆる選択肢を追求していくこととしている。

1．太陽光発電システムに係る発電技術

経済産業省は、薄型軽量のため設置制約を克服できるペロブスカイト太陽電池[2]等の革新的な新構造太陽電池の実用化へ向けた要素技術、太陽光発電システム全体の効率向上を図るための周辺機器高機能化や維持管理技術、低コストリサイクル技術の開発を行っている。

科学技術振興機構は、「未来社会創造事業『地球規模課題である低炭素社会の実現』領域」において、温室効果ガス削減に大きな可能性を有し、かつ従来技術の延長線上にない革新的技術の研究開発を競争的環境下で推進しており、その中で革新的な太陽光利用に係る研究開発を推進している。

2．浮体式洋上風力発電システムに係る発電技術

経済産業省は、浮体式洋上風力発電システムの導入拡大に向け、福島県沖における複数基による実証事業を行い、浮体式特有の安全性・信頼性・経済性を評価するとともに、開発から撤去に至るまでの発電事業全般に関する検証を行った。また、アジア市場への展開も見据えた浮体式洋上風力発電のコスト低減に向け、グ

リーンイノベーション基金による要素技術開発支援に着手した。

環境省は、我が国で初となる２ＭＷ（メガワット）浮体式洋上風力発電機の開発・実証を行い、関連技術等を確立した。本技術開発・実証の成果として、平成28年より国内初の洋上風力発電の商用運転が開始されており、風車周辺に新たな漁場が形成されるなどの副次効果も生じている。また、浮体式洋上風力発電の本格的な普及拡大に向け、低炭素化・高効率化する新たな施工手法等の確立を目指す取組を行った。令和4年度は、前年度に引き続き脱炭素化ビジネスが促進されるよう、新たに浮体式洋上風力発電の早期普及に貢献するための情報の整理や、地域が浮体式洋上風力発電によるエネルギーの地産地消を目指すに当たって必要な各種調査、当該地域における事業性・二酸化炭素削減効果の見通しなどの検討を行った。

国土交通省は、浮体式洋上風力発電施設のコスト低減に向けて、平成30年度より安全性を確保しつつ浮体構造や設置方法の簡素化等を実現するための設計・安全評価手法を検討しているところ、令和4年度は遠隔検査及びモニタリングについて実態調査や実現可能性の検討を行った。

3．地熱発電に係る技術開発

経済産業省は、地熱発電について、資源探査の段階における高いリスクやコスト、発電段階における運転の効率化や出力の安定化といった課題を解決するため、探査精度を向上する技術開発や、開発・運転を効率化、出力を安定化する技術開発を行っている。また、発電能力が高く開発が期待されている次世代の地熱発電（超臨界地熱発電）に関する資源量評価等の検討を行っている。

1　Carbon dioxide Capture, Utilization and Storage
2　ペロブスカイトと呼ばれる結晶構造を持つ物質を使った我が国発の太陽電池。塗布や印刷などの簡易なプロセスが適用できるため、製造コストの大幅低減が期待されている。

4．高効率石炭火力発電及び二酸化炭素の分離回収・有効利用技術開発

経済産業省は、脱炭素化を見据えた次世代の高効率石炭火力発電技術である石炭ガス化燃料電池複合発電（ＩＧＦＣ[1]）等の技術開発を実施している。また、火力発電から発生する二酸化炭素の効率的な分離回収・有効利用（ＣＣＵ／カーボンリサイクル[2]）技術の開発を行っている。

5．その他技術開発

経済産業省は、国内製油所のグリーン化に向けて、重質油の組成を分子レベルで解明し、反応シミュレーションモデル等を組み合わせたペトロリオミクス技術を活用して、重質油等の成分と反応性を事前に評価することにより、二次装置の稼働を適切に組み合わせ、製油所装置群の非効率な操業を抑制し、二酸化炭素排出量の削減に寄与する革新的な石油精製技術の開発等を進めている。

6．原子力に関する研究開発等

内閣府原子力委員会は、原子力利用全体を見渡し、専門的見地や国際的教訓等を踏まえた独自の視点から、今後の原子力政策について政府としての長期的な方向性を示す羅針盤となる「原子力利用に関する基本的考え方」（以下「基本的考え方」という。）を平成29年に策定し、原子力を取り巻く環境変化等を踏まえ、令和5年2月に改定を行った。「基本的考え方」では、エネルギーに関する原子力利用のみならず、東京電力ホールディングス株式会社福島第一原子力発電所事故の反省と教訓、国際協力、核不拡散・核セキュリティの確保、国民からの信頼回復、廃止措置及び放射性廃棄物の対応、放射線・ラジオアイソトープ利用、研究開発、人材育成といった幅広い分野に関する理念・基本目標を示している。「基本的考え方」は、原子力

委員会で改定された後、閣議にて尊重する旨、決定されている。

（1）原子力利用に係る安全性・核セキュリティ向上技術

経済産業省は、「原子力の安全性向上に資する技術開発事業」により、東京電力ホールディングス株式会社（以下「東電」という。）福島第一原子力発電所の事故で得られた教訓を踏まえ、原子力発電所の包括的なリスク評価手法の高度化等、更なる安全対策高度化に資する技術開発及び基盤整備を行っている。また、我が国は、国際原子力機関（ＩＡＥＡ[3]）、米国等と協力し、核不拡散及び核セキュリティに関する技術開発や人材育成における国際協力を先導している。日本原子力研究開発機構は「核不拡散・核セキュリティ総合支援センター」を設立し、核不拡散及び核セキュリティに関する研修等を行うとともに、ＩＡＥＡとの核セキュリティ分野における人材育成に係る取決めに基づき、研修カリキュラムの共同開発、講師の相互派遣、人材育成支援に関する情報交換等を行っている。また、中性子を利用した核燃料物質の非破壊測定、不法な取引による核物質の起源が特定可能な核鑑識の技術開発等を行うとともに、包括的核実験禁止条約機関（ＣＴＢＴＯ[4]）との放射性希ガス共同観測プロジェクトに基づく幌延及びむつでの観測を通して核実験検知能力の向上に貢献している。

（2）原子力基礎・基盤研究開発

文部科学省は、原子力研究開発・基盤・人材作業部会において、原子力利用の安全性・信頼性・効率性を抜本的に高める新技術等の開発や、産学官の垣根を越えた人材・技術・産業基盤の強化に向けた研究開発・基盤整備・人材育成等の課題について、総合的に検討を行った。この検討結果を踏まえ、「原子力システム研究開発

1 　Integrated Coal Gasification Fuel Cell Combined Cycle
2 　Carbon dioxide Capture and Utilization/Carbon Recycling
3 　International Atomic Energy Agency
4 　The Preparatory Commission for the Comprehensive Nuclear-Test-Ban Treaty Organization

事業」では、原子力イノベーション創出につながる新たな知見の獲得や課題解決を目指し、将来の社会実装に向けて取り組むべき戦略的なテーマを設定し、経済産業省と連携して我が国の原子力技術を支える戦略的な基礎・基盤研究を推進した。日本原子力研究開発機構は、核工学・炉工学、燃料・材料工学、原子力化学、環境・放射線科学、分離変換、計算科学、先端原子力科学、中性子・放射光利用等の基礎・基盤研究を行っている。

また、ラジオアイソトープ（放射性同位元素：RI）については、医療分野や工業・農業分野等における活用が進められてきている。特に医療分野については、RIを用いた診断・治療の普及を通じ、我が国の医療体制を充実し、もって国民の福祉向上に貢献することが重要であることに鑑み、現在は多くを輸入に依存している重要ラジオアイソトープの国産化等を実現することが求められている。このために、試験研究炉や加速器を用いた研究開発から実用化、普及に至るまでの取組を順次一体的に推進する「医療用等ラジオアイソトープ製造・利用推進アクションプラン」を令和4年5月に原子力委員会が策定した。

（3）革新的な原子力技術の開発

原子力は実用段階にある脱炭素化の選択肢であり、安全性等の向上に加え、多様な社会的要請に応える原子力技術のイノベーションを促進することが重要である。経済産業省は令和元年度より「社会的要請に応える革新的な原子力技術開発支援事業」により、民間企業等による安全性・経済性・機動性に優れた原子力技術の開発の支援を開始した。

また、日本原子力研究開発機構は、高速実験炉「常陽」の運転再開に向けた準備等を進め、革新的な原子力技術の開発に必要な研究開発基盤の維持・発展を図った。さらに、発電、水素製造など多様な産業利用が見込まれ、固有の

安全性を有する高温ガス炉について、安全性の高度化、原子力利用の多様化に資する研究開発等を推進した。

加えて、GX実現に向けた基本方針（令和5年2月閣議決定）においては、エネルギー基本計画を踏まえて原子力を活用していくため、新たな安全メカニズムを組み込んだ次世代革新炉の開発・建設に取り組むとされており、関係府省庁において必要な取組を推進していくとされた。

（4）原子力人材の育成・確保

原子力人材の育成・確保は、原子力分野の基盤を支え、より高度な安全性を追求し、原子力施設の安全確保や古い原子力発電所の廃炉を円滑に進めていく上で重要である。

文部科学省は、「国際原子力人材育成イニシアティブ事業」により、産学官の関係機関が連携し、人材育成資源を有効に活用することによる効果的・効率的・戦略的な人材育成の取組を支援している。令和3年度には、これまで各機関の取組を個別に支援していたのに対し、大学や研究機関等の複数機関が連携して一体的に人材育成を行う体制として「未来社会に向けた先進的原子力教育コンソーシアム（ＡＮＥＣ[1]）」を創設した。また、平成28年12月の原子力関係閣僚会議において、高速増殖原型炉もんじゅを廃止措置に移行する旨の政府方針を決定した際、将来的に「もんじゅ」サイトを活用して新たな試験研究炉を設置するとした。平成29年度から設置すべき炉型等を審議会等を通じて検討した結果、中性子ビーム利用を主目的とした試験研究炉に絞り込み、令和2年から概念設計及び運営の在り方の検討を開始し、令和4年3月に詳細設計段階へと移行した。引き続き、新試験研究炉の設置に必要な取組を着実に進めていくこととしている。

経済産業省は、「原子力の安全性向上を担う人材の育成事業委託費」により、東電福島第一

1　Advanced Nuclear Education Consortium for the Future Society

原子力発電所の廃止措置や既存原子力発電所の安全確保等のため、原子力施設のメンテナンス等を行う現場技術者や、産業界等における原子力安全に関する人材の育成を支援している。

（5）東電福島第一原子力発電所の廃止措置技術等の研究開発

経済産業省、文部科学省及び関係省庁等は、東電福島第一原子力発電所の廃止措置等に向けて、「東京電力ホールディングス（株）福島第一原子力発電所の廃止措置等に向けた中長期ロードマップ」（令和元年12月27日改訂）に基づき、連携・協力しながら対策を講じている。この対策のうち、燃料デブリの取り出し技術の開発や原子炉格納容器内部の調査技術の開発等の技術的難易度が高く、国が前面に立って取り組む必要がある研究開発については、事業者を支援している。

文部科学省は、国内外の英知を結集し、安全かつ着実に廃止措置等を実施するため、英知を結集した原子力科学技術・人材育成推進事業や「日本原子力研究開発機構 廃炉環境国際共同研究センター」（福島県双葉郡富岡町）を中核とし、中長期的な廃炉現場のニーズに対応する研究開発及び人材育成の取組を推進している。

また、廃炉に関する技術基盤を確立するための拠点整備も進めており、日本原子力研究開発機構においては、遠隔操作機器・装置の開発・実証施設（モックアップ施設）として「楢葉遠隔技術開発センター」（福島県双葉郡楢葉町）が、平成28年4月から本格運用を開始している。加えて、燃料デブリや放射性廃棄物などの分析手法、性状把握、処理・処分技術の開発等を行う「大熊分析・研究センター」（福島県双葉郡大熊町）が平成30年3月に一部施設の運用を開始している。さらに、同センターを活用した分析実施体制の構築に向け、第1棟・第2棟の整備を進めている。

（6）核燃料サイクル技術

「エネルギー基本計画」（令和3年10月閣議決定）において、「使用済燃料の処理・処分に関する課題を解決し、将来世代のリスクや負担を軽減するためにも、高レベル放射性廃棄物の減容化・有害度低減や、資源の有効利用等に資する核燃料サイクルについて、これまでの経緯等も十分に考慮し、引き続き関係公共団体や国際社会の理解を得つつ取り組むこととし、再処理やプルサーマル[1]等を推進する」こととしており、また、「米国や仏国等と国際協力を進めつつ、高速炉等の研究開発に取り組む」との方針としている。開発工程や体制について具体化を図るため、高速炉開発に係る「戦略ロードマップ」が改訂された（令和4年12月23日原子力関係閣僚会議決定）。

（7）放射性廃棄物処理処分に向けた技術開発等

高レベル放射性廃棄物の減容や有害度の低減に資する可能性のある研究開発として、高速炉や加速器を用いた核変換技術や群分離技術に係る基礎・基盤研究を進めている。

また、研究施設や医療機関などから発生する低レベル放射性廃棄物の処分に向けては、「埋設処分業務の実施に関する基本方針」（平成20年12月文部科学大臣及び経済産業大臣決定）に即して日本原子力研究開発機構が定めた「埋設処分業務の実施に関する計画」（平成21年11月認可、令和元年11月変更認可）に従い、「低レベル放射性廃棄物等の処理・処分に関する考え方について（見解）」（令和3年12月、原子力委員会）を踏まえつつ必要な取組を進めている。

（8）日本原子力研究開発機構が保有する施設の廃止措置

日本原子力研究開発機構は、総合的な原子力の研究開発機関として重要な役割を担ってお

1　使用済燃料から再処理によって分離されたプルトニウムをウランと混ぜて、混合酸化物燃料に加工し、使用すること

り、その役割を果たすためにも、研究の役割を終えた施設については、国民の理解を得ながら、安全確保を最優先に、着実に廃止措置を進めることが必要である。日本原子力研究開発機構は、平成30年12月に保有する施設全体の廃止措置に係る長期方針である「バックエンドロードマップ」を公表した。文部科学省は、日本原子力研究開発機構が保有する原子力施設の安全かつ着実な廃止措置を進めていくため、その取組を支援している。

高速増殖原型炉もんじゅについては、廃止措置計画に基づいて平成30年よりおおむね30年間の廃止措置が進められている。廃止措置計画の第一段階においては、令和4年10月までに燃料体を炉心から燃料池に取り出す作業を終了し、令和5年2月に廃止措置計画変更認可申請について認可を受け、令和5年度からの第二段階においては、水・蒸気系等発電設備の解体作業等に着手することとした。今後も「もんじゅ」の廃止措置については、立地地域の声に向き合いつつ、安全、着実かつ計画的に進めていくこととしている。

新型転換炉原型炉ふげんについては、廃止措置計画に基づき、原子炉周辺機器等の解体撤去を進めるとともに、令和8年夏頃の使用済燃料搬出完了に向けた仏国事業者との契約等を進めた。また、今後の原子炉本体の解体撤去に向けては、解体時の更なる安全性向上を図るため、新たな技術開発による工法の見直し等を行った。

東海再処理施設については、廃止措置計画に基づき、保有する高放射性廃液の早期のリスク低減を最優先課題とし、高放射性廃液のガラス固化、高放射性廃液貯蔵場等の安全確保に取り組むとともに、施設の高経年化対策と安全性向上対策を着実に進めている。

（9）国民の理解と共生に向けた取組

文部科学省は、立地地域をはじめとする国民の理解と共生のための取組として、立地地域の持続的発展に向けた取組、原子力やその他のエネルギーに関する教育への取組に対する支援などを行っている。

（10）国際原子力協力

外務省は、IAEAによる原子力科学技術の平和的利用の促進及びこれを通じたIAEA加盟国の「持続可能な開発目標（SDGs[1]）」の達成に向けた活動を支援しており、「原子力科学技術に関する研究、開発及び訓練のための地域協力協定（RCA[2]）」に基づくアジア太平洋における技術協力や平和的利用イニシアティブ（PUI[3]）拠出金等によるIAEAに対する財政的支援、専門的知見・技術を有する国内の大学、研究機関、企業とIAEAの連携強化等を通じて、開発途上国の能力構築を推進するとともに日本の優れた人材・技術の国際展開を支援している。また、IAEAは我が国と協力し、2013年（平成25年）に福島県に「IAEA緊急時対応能力研修センター（IAEA―RANET―CBC）」を指定しており、国内外の関係者を対象として、緊急事態の準備及び対応分野での能力強化のための研修を実施している。さらに、令和元年11月に東京にて、核物質等の輸送セキュリティに関する国際シンポジウムを日本原子力研究開発機構核不拡散・核セキュリティ総合支援センターと協力して開催するなど、核セキュリティの国際的強化の取組を実施した。

文部科学省は、IAEAや経済協力開発機構原子力機関（OECD／NEA[4]）などの国際機関の取組への貢献を通じて、原子力平和的利用と核不拡散の推進をリードするとともに、内閣府が主導しているアジア原子力協力フォー

1　Sustainable Development Goals
2　Regional Cooperative Agreement for Research, Development and Training Related to Nuclear Science and Technology
3　Peaceful Uses Initiative
4　OECD Nuclear Energy Agency

ラム（ＦＮＣＡ[1]）の枠組みの下、アジア地域を中心とした参加国に対して放射線利用・研究炉利用等の分野における研究開発・基盤整備等の協力を実施している。

経済産業省は、放射性廃棄物の有害度の低減及び減容化等に資する高速炉の実証技術の確立に向けた研究開発について、日仏、日米協力をはじめとする国際協力の枠組みを活用して進めた。

また、米国やフランスをはじめとする原子力先進国との間で、第４世代原子力システム国際フォーラム（ＧＩＦ[2]）等の活動を通じ、原子力システムの研究開発等、多岐にわたる協力を行っている。

（11）原子力の平和的利用に係る取組
我が国は、ＩＡＥＡとの間で1977年（昭和52年）に締結した日・ＩＡＥＡ保障措置協定及び1999年（平成11年）に締結した同協定の追加議定書に基づき、核物質が平和目的に限り利用され、核兵器などに転用されていないことをＩＡＥＡが確認する「保障措置」を受け入れている。これを受け、我が国は「核原料物質、核燃料物質及び原子炉の規制に関する法律（原子炉等規制法）」（昭和32年法律第166号）に基づき、国内の核物質を計量及び管理し、国としてＩＡＥＡに報告、ＩＡＥＡの査察を受け入れるなどの所要の措置を講じている。

原子力規制庁は、令和４年５月18日に我が国における2021年（令和３年）の保障措置活動の実施結果について原子力規制委員会に報告し、その結果をＩＡＥＡによる我が国の保障措置活動についての評価に資するためにＩＡＥＡに情報提供した。ＩＡＥＡの保障措置実施報告では、2021（令和３年）においても、我が国において、全ての核物質が平和的活動にとどまっている旨の結論（拡大結論）が導出された。これにより、2003年（平成15年）の実施結果以降、継続して拡大結論が導出されている。

７．核融合エネルギー技術の研究開発

核融合エネルギーは、燃料資源が豊富で、発電過程で温室効果ガスを発生せず、少量の燃料から大規模な発電が可能という特徴がある。そのため、エネルギー問題と環境問題を根本的に解決し、エネルギー安全保障の確保にも資する、重要な将来のクリーン・エネルギーとして期待されており、後述するＩＴＥＲ（イーター）計画[3]の技術進捗も相まって、近年、諸外国でも政策的関心が高まっている。

ＩＴＥＲ（国際熱核融合実験炉）の建設状況（2021年10月）
（仏サン＝ポール＝レ＝デュランス市カダラッシュ）
提供：ＩＴＥＲ Organization

我が国は、世界７極35か国の協力により、国際約束に基づき、実験炉の建設・運転を通じて核融合エネルギーの科学的・技術的実現可能性を実証するＩＴＥＲ計画を推進している。建設地のフランスではＩＴＥＲの建設作業が本格化しており、超伝導トロイダル磁場コイル等の重要機器も順次フランスに到着している。超伝導トロイダル磁場コイルについては、我が国が製作を担当する最終号機（予備機を除く。）が完成し、令和５年２月に完成式典が行われた。また、核融合発電に不可欠な、核融合炉から熱としてエネルギーを取り出す機器であるブランケットは、現在ＩＴＥＲで実施する試験に向けた設計活動が進んでおり、令和４年10月には量子科学技術研究開発機構ブランケット工

1　Forum for Nuclear Cooperation in Asia
2　Generation IV International Forum
3　日本・欧州・米国等の７極35か国による国際約束に基づき、核融合実験炉の建設・運転を通じて、その科学的・技術的実現可能性を実証する国際共同プロジェクト

学試験棟（青森県六ヶ所村）に整備された試験装置の運用開始式典が行われた。あわせて、我が国は、ＩＴＥＲ計画を補完・支援し、原型炉に必要な技術基盤を確立するための日欧協力による先進的研究開発である幅広いアプローチ（ＢＡ[1]）活動を推進している。ＢＡ活動ではＪＴ－６０ＳＡ[2]が実験運転開始に向けた調整が進むなど、令和４年度も研究開発が進展している[3]。

さらに、我が国は、核融合エネルギーの実現に向けて、平成30年７月に科学技術・学術審議会核融合科学技術委員会が策定した「原型炉研究開発ロードマップについて（一次まとめ）」等に基づき、ＩＴＥＲ計画、ＢＡ活動を推進するとともに、ヘリカル方式（核融合科学研究所）、レーザー方式（大阪大学レーザー科学研究所）など多様な学術研究も推進しており、世界を先導する成果を上げている。令和４年度は、核融合発電の実施時期等について検討が行われた。その結果、令和７年以降に予定されている第2回中間チェックアンドレビューの結果を踏まえて、引き続き、実施時期について検討を行うこととなった[4]。

また、内閣府は産業化によるエネルギーイノベーションの加速のため、令和５年４月に「フュージョンエネルギー・イノベーション戦略」を策定した[5]。

８．その他長期的なエネルギー技術の開発

経済産業省では、宇宙太陽光発電の実現に必要な発電と送電を１つのパネルで行う発送電一体型パネルを開発するとともに、その軽量化や、マイクロ波による無線送電技術の効率の改善に資する送電部の高効率化のための技術開発等を行っている。

宇宙航空研究開発機構では、宇宙太陽光発電の実用化を目指した要素技術の研究開発を行っている。

❸　経済社会の再設計（リデザイン）の推進
１．「脱炭素社会」への移行に向けた取組

環境省では、住宅・建築物の高断熱化改修等の省エネルギー性能の向上やネット・ゼロ・エネルギー化（ＺＥＨ[6]・ＺＥＢ[7]）の支援を行っており、ＨＥＭＳ[8]やＢＥＭＳ[9]の導入による太陽光発電と家電等の需要側設備のエネルギー管理や、充放電設備の導入によるＥＶ[10]・ＰＨＥＶ[11]との組合せ利用を促進している。

1　Broader Approach
2　臨界プラズマ試験装置ＪＴ－60を平成20年８月に運転停止し、改修のため解体し、令和２年３月に組立完了。現在は運転開始に向けた調整を実施
3　核融合研究ＨＰ　Fusion Energy〜Connect to the Future
　　https://www.mext.go.jp/a_menu/shinkou/fusion/

4　核融合エネルギーへの道ＩＴＥＲ
　　https://www.youtube.com/watch?v=QEohCE1famE（出典：ITER Japan - QST）

5　核融合戦略〜内閣府（cao.go.jp）
　　https://www.8.cao.go.jp/cstp/fusion/index.html

6　net Zero Energy House
7　net Zero Energy Building
8　Home Energy Management Service
9　Building and Energy Management System
10　Electric Vehicle
11　Plug-in Hybrid Electric Vehicle

加えて、再エネ設備とＥＶ・ＰＨＥＶを同時導入し、カーシェアとして供する公共団体・事業者を支援することで、「ゼロカーボン・ドライブ」の普及も推進している。

　環境省は、気候変動への適応について、気候変動適応法の規定に基づき、令和２年12月に気候変動影響評価報告書を公表するとともに、政府は同報告書を踏まえて令和３年10月に気候変動適応計画を改定した。また、環境省は、気候変動適応計画に基づく施策の進捗状況やＫＰＩの実績値を確認し、その結果を令和４年11月に公表した。この気候変動適応法及び気候変動適応計画に基づき、国立環境研究所気候変動適応センターは「気候変動適応情報プラットフォーム（Ａ－ＰＬＡＴ[1]）」において、関係府省庁及び関係研究機関と連携して適応に関する最新の情報を提供するとともに、気候変動の影響や適応に関する研究や科学的な面から地方公共団体等の適応の取組のサポートを行っている。また、地域の関係者が連携して適応策を推進するため、適応法に基づく「気候変動適応広域協議会」が全国７ブロックで立ち上げられた。

　文部科学省は、地域の脱炭素化を加速し、その地域モデルを世界に展開するための大学等のネットワーク構築に取り組んだ。また、国立環境研究所気候変動適応センターのＡ－ＰＬＡＴを通じて、ニーズを踏まえた気候変動予測情報等の研究開発成果を地方公共団体等に提供している。

２．地球温暖化対策に向けた研究開発
（１）水素・蓄電池等の蓄エネルギー技術を活用したエネルギー利用の安定化

　経済産業省は、蓄電池や燃料電池に関する技術開発・実証等を実施している。具体的には、再生可能エネルギーの導入拡大に伴い必要となる系統用の大規模蓄電池について、これまで

導入時における最適な制御・管理手法の技術開発を実施するための取組を進めてきた。これら取組で得られた知見等を活用し実際のビジネスに参入する事業者もおり、普及拡大に向けた導入支援を行っている。また、電気自動車やプラグインハイブリッド車など、次世代自動車用の蓄電池[2]について、性能向上とコスト低減を目指した技術開発を実施した。燃料電池自動車（ＦＣＶ[3]）や家庭用などの定置用が主な用途である燃料電池については、耐久性・効率性向上、低コスト化のための技術開発を行うとともに、新たな用途への展開を目指した実証も行った。さらに、燃料電池自動車の更なる普及拡大に向けて、四大都市圏を中心に、令和５年２月末時点で164か所（他15か所整備中）の水素ステーションの整備を行った。

　環境省は、「再エネ由来等水素を活用した自立・分散型エネルギーシステム構築事業」において、将来の再生可能エネルギー大量導入社会を見据え、地域の実情に応じて、蓄電池や水素を活用することにより系統に依存せず再生可能エネルギーを電気・熱として供給できるシステムを構築し、自立型水素エネルギー供給システムの導入・活用方策を確立することを目指す取組を進めている。また、地域の資源を用い、水素エネルギーシステムを構築し、地域で活用することを目指した「水素サプライチェーン実証事業」を実施し、地域の特性や多様な技術に対応できるよう進めている。

　科学技術振興機構「戦略的創造研究推進事業 先端的低炭素化技術開発（ＡＬＣＡ）」の特別重点技術領域において、従来性能を大幅に上回る次世代蓄電池に係る研究開発を推進している。さらに、「共創の場形成支援プログラム（ＣＯＩ－ＮＥＸＴ）」の先進蓄電池研究開発拠点において、産学共創の研究開発を実施している。また、「未来社会創造事業 大規模プロジェクト型」において、水素発電、余剰電力の貯蔵、輸

1　Climate Change Adaptation Information Platform
2　全固体電池やリチウムイオン電池よりも高いエネルギー密度を有する革新型蓄電池
3　Fuel Cell Vehicle

送手段等の水素利用の拡大に貢献する高効率・低コスト・小型長寿命な革新的水素液化技術の研究開発を、「未来社会創造事業『地球規模課題である低炭素社会の実現』領域」において、再生可能エネルギーから持続的に水素製造を可能にする水電解技術の研究開発を推進している。

（2）新規技術によるエネルギー利用効率の向上と消費の削減

　内閣府は、平成30年度よりSIPにおいて「IoE[1]社会のエネルギーシステム」に取り組み、様々なエネルギーがネットワークに接続され、需給管理が可能となるIoE社会の実現を目指している。本SIPでは、再生可能エネルギーの大量導入に向けて、セクターカップリングを通じた交通・電力インフラの統合的エネルギーマネジメントシステムの概念モデル及びプラットフォームの設計のための検討を行い、地方公共団体などが地域エネルギーシステムをデザインする際のガイドラインや公共団体別のエネルギー需給データベースの構築などを進めた。また、ガリウム系半導体デバイスを適用して、再生可能エネルギーを含む多様な入力電源に対して最適な制御を可能とするユニバーサルパワーモジュールやワイヤレス電力伝送システム等の社会実装に向けての研究開発を進めた。

　経済産業省は、電力グリッド上に散在する再生可能エネルギーや蓄電池等のエネルギー設備、ディマンドリスポンス等の需要側の取組を遠隔に統合して制御し、あたかも1つの発電所（仮想発電所：バーチャルパワープラント）のように機能させることによって、電力の需給調整に活用する実証を行っている。

　環境省は、地球温暖化の防止に向け、革新技術の高度化・社会実装を図り、必要な技術イノベーションを推進するため、再生可能エネルギーの利用、エネルギー使用の合理化だけでなく、窒化ガリウム（GaN）やセルロースナノファイバー（CNF）といった省CO_2性能の高い革新的な部材・素材の活用によるエネルギー消費の大幅削減、燃料電池や水素エネルギー、蓄電池、二酸化炭素回収・有効利用・貯留（CCUS[2]）等に関連する技術の開発・実証、普及を促進した。

　環境省は、公共施設等に再エネや自営線等を活用した自立・分散型エネルギーシステムを導入し、地域の再エネ比率を高めるためのエネルギー需給の最適化を行うことにより、地域全体で費用対効果の高い二酸化炭素排出削減対策を実現する先進的モデルを確立するための事業を実施している。

　科学技術振興機構は、「未来社会創造事業 大規模プロジェクト型」において、環境中の熱源（排熱や体温等）をセンサ用独立電源として活用可能とする革新的熱電変換技術の研究開発を推進している。

　理化学研究所は、物性物理、超分子化学、量子情報エレクトロニクスの3分野を糾合し、新物質や新原理を開拓することで、発電・送電・蓄電をはじめとするエネルギー利用技術の革新を可能にする全く新しい物性科学を創成し、エネルギー変換の高効率化やデバイスの消費電力の革新的低減を実現するための研究開発を実施している。

　文部科学省は、航空科学技術委員会において、電動ハイブリッド推進システム技術、水素航空機に適用可能な水素燃料電池を利用したエンジン技術といった二酸化炭素排出低減技術の研究開発の方策を研究開発ビジョンとして取りまとめ、これを反映した分野別研究開発プランの実施を推進している。

　宇宙航空研究開発機構は、航空機の燃費・環境負荷低減等に係る研究開発としてエンジンの低NOx化・高効率化技術や航空機の電動化技術等の研究開発に取り組んでおり、さらに、産業界等との連携により成果の社会実装を見据

1　　Internet of Energy
2　　Carbon dioxide Capture, Utilization and Storage

えながら、国際競争力強化のための取組を加速させている。

新エネルギー・産業技術総合開発機構は、省エネルギー技術の研究開発や普及を効果的に推進するため、「省エネルギー技術戦略2016」に掲げる重要技術（令和元年7月改定版）を軸に、提案公募型事業である「脱炭素社会実現に向けた省エネルギー技術の研究開発・社会実装促進プログラム」を実施している。

建築研究所は、住宅・建築・都市分野において環境と調和した資源・エネルギーの効率的利用のための研究開発等を行っている。

（3）革新的な材料・デバイス等の幅広い分野への適用

文部科学省は、「革新的パワーエレクトロニクス創出基盤技術研究開発事業」において、我が国が強みを有する窒化ガリウム（GaN）等の次世代パワー半導体の研究開発と、その特性を最大限活用したパワーエレクトロニクス機器等の実用化に向けて、回路システムや受動素子等のトータルシステムとして一体的な研究開発を推進している。また、「次世代X-nics半導体創生拠点形成事業」において、2035〜2040年頃の社会で求められる半導体集積回路の創生に向けた新たな切り口による研究開発と将来の半導体産業を牽引する人材の育成を推進するため、アカデミアにおける中核的な拠点の形成を推進している。

科学技術振興機構は、「未来社会創造事業『地球規模課題である低炭素社会の実現』領域」において、革新的な材料開発・応用及び化学プロセス等の研究開発を推進している。

物質・材料研究機構では、多様なエネルギー利用を促進するネットワークシステムの構築に向け、高効率太陽電池や蓄電池の研究開発、エネルギーを有効利用するためのエネルギー変換・貯蔵用材料の研究開発、省エネルギーのための高出力半導体や高輝度発光材料等におけるブレークスルーに向けた研究開発、低環境負荷社会に資する高効率・高性能な輸送機器材

料やエネルギーインフラ材料の研究開発等、エネルギーの安定的な確保とエネルギー利用の効率化に向けて、革新的な材料技術の研究開発を推進している。

経済産業省は、二酸化炭素と水を原料に太陽エネルギーでプラスチック原料等の基幹化学品を製造する技術の開発（人工光合成プロジェクト）、金属ケイ素を経由せず高効率に有機ケイ素原料を製造する技術の開発、機能性化学品の製造手法を従来のバッチ法からフロー法へ置き換える技術の開発、全固体リチウムイオン電池材料の性能・特性を的確かつ迅速に評価できる材料評価技術の開発、セルロースナノファイバーの製造プロセスにおけるコスト低減、製造方法の最適化、量産効果が期待できる用途に応じた複合化・加工技術等の開発・安全性評価に必要な基盤情報の整備を行っている。

（4）地域の脱炭素化加速のための基盤的研究開発

文部科学省は、カーボンニュートラル実現に向けて、「大学の力を結集した、地域の脱炭素化加速のための基盤研究開発」にて人文学・社会科学から自然科学までの幅広い知見を活用して、大学等と地域が連携して地域のカーボンニュートラルを推進するためのツール等に係る分野横断的な研究開発を推進している。あわせて、「カーボンニュートラル達成に貢献する大学等コアリション」を通じて、各大学等による情報共有やプロジェクト創出を促進している。

3．「循環経済」への移行に向けた取組

循環経済への移行に向けて、令和4年4月に「プラスチックに係る資源循環の促進等に関する法律」（令和3年法律第60号）が施行され、プラスチックの資源循環を加速している。

そのようなプラスチックの資源循環に係る促進策として、経済産業省は、「プラスチック有効利用高度化事業」により、プラスチックの資源効率や資源価値を高めるための技術の実

用化に係る研究開発並びに海洋生分解性プラスチック開発・導入普及に向けて、将来的に求められる用途や需要に応えるための新たな技術・素材の開発及び海洋生分解性プラスチックの国際標準化提案に向けた研究開発を推進している。また、「プラスチックに係る資源循環の促進等に関する法律」に基づき、ライフサイクル全体を通じてプラスチックの高度な資源循環に資する技術に係る設備投資等を支援している。

環境省は、化石由来プラスチックからバイオマス等の再生可能資源への素材代替やリサイクルが困難な複合プラスチック等のリサイクルに関する技術実証を行っている。

また、可燃ごみ指定収集袋など、その利用用途から一義的に焼却せざるを得ないプラスチックをバイオマス化するため、「地方公共団体におけるバイオプラスチック等製ごみ袋導入のガイドライン」を公表している。

さらに、G20大阪サミットで我が国が提唱した「大阪ブルー・オーシャン・ビジョン」を踏まえ、第5回国連環境総会決議に基づき、プラスチック汚染に関する法的拘束力のある国際文書（条約）の策定に向けた政府間交渉委員会への参加や東南アジアを中心とした途上国支援、海洋プラスチックごみ対策の基盤となる科学的知見の集積強化、発生抑制対策の検討などを実施し、国内外で積極的に海洋プラスチックごみ対策に取り組んでいる。

4.「分散型社会」を構成する生物多様性への対応

環境省は、「分散型社会」を構成する生物多様性への対応については、絶滅危惧種の保護や侵略的外来種の防除に関する技術、二次的自然を含む生態系のモニタリングや維持・回復技術、遺伝資源を含む生態系サービスと自然資本の経済・社会的価値の評価技術及び持続可能な管理・利用技術等の研究開発を推進し、「自然との共生」の実現に向けて取り組んでいる。

「生物多様性及び生態系サービスに関する政府間科学一政策プラットフォーム（ＩＰＢＥＳ[1]）」は、生物多様性及び生態系サービスに関する科学と政策の連携強化を目的として、評価報告書等の作成を行っている。平成31年（2019年）2月には、侵略的外来種に関する評価のための技術支援機関が公益財団法人地球環境戦略研究機関に設置され、その活動を支援した。作成中の評価報告書等に我が国の知見を効果的に反映させるため、ＩＰＢＥＳに関わる国内専門家及び関係省庁による国内連絡会を令和4年（2022年）7月、令和5年（2023年）3月に開催した。さらに、令和4年（2022年）に公表されたＩＰＢＥＳ価値評価報告書を踏まえたシンポジウム「持続可能な将来に向けて、自然の価値とわたしたちの価値観を問い直す」を令和5年（2023年）2月に開催した。

我が国は、生物多様性に関するデータを収集して全世界的に利用されることを目的とする地球規模生物多様性情報機構（ＧＢＩＦ[2]）に、日本からのデータ提供拠点である国立遺伝学研究所、国立環境研究所及び国立科学博物館と連携しながら、生物多様性情報を提供した。ＧＢＩＦで蓄積されたデータは、ＩＰＢＥＳでの評価の際の重要な基盤データとなることが期待されている。

製品評価技術基盤機構は、生物遺伝資源の収集・保存・分譲を行うとともに、これらの資源に関する情報（系統的位置付け、遺伝子に関する情報等）を整備・拡充し、幅広く提供している。また、微生物遺伝資源の保存と持続可能な利用を目指した14か国・地域29機関のネットワーク活動に参加し、各国との協力関係を構築するなど、生物多様性条約を踏まえたアジア諸国における生物遺伝資源の利用を積極的に支援している。さらに、微生物等の生物資源デー

1　Intergovernmental science-policy Platform on Biodiversity and Ecosystem Services
2　Global Biodiversity Information Facility

タを集約した横断的データベースとして「生物資源データプラットフォーム（ＤＢＲＰ[1]）」を構築し、生物資源とその関連情報へワンストップでアクセスできるデータプラットフォームとして運用している。

食料生産や気候調整等で人間社会と密接に関わる海洋生態系は、近年、汚染・温暖化・乱獲等の環境ストレスにさらされており、これらを踏まえた海洋生態系の理解・保全・利用が課題となっている。このため、文部科学省は、「海洋資源利用促進技術開発プログラム」のうち「海洋生物ビッグデータ活用技術高度化」において、既存のデータやデータ取得技術を基にビッグデータから新たな知見を見いだすことで、複雑で多様な海洋生態系を理解し、保全・利用へと展開する研究開発を行っている。

❹　国民の行動変容の喚起

環境省はナッジ等の行動科学の知見とＡＩ／ＩｏＴ等の先端技術の組合せ（ＢＩ－Ｔｅｃｈ）により、日常生活の様々な場面での自発的な脱炭素型アクションを後押しする行動変容モデルの構築・実証を進めている。令和4年度では、ナッジ等の効果の異質性（地域差・個人差）や持続性（複数年に及ぶ行動の維持・習慣化）を明らかにするための大規模実証を令和5年度から順次実施するための予備実証を実施した。

また、成果を順次取りまとめ、国内及び国際会議において諸外国のナッジ・ユニット等とともに基調講演やパネルディスカッションを実施するなど、広く一般も含めた情報共有や連携を図っている。

環境省は、国立環境研究所等と連携し、全国で約10万組の親子を対象とした大規模かつ長期の出生コホート調査「子どもの健康と環境に関する全国調査（エコチル調査）」[2]を平成22年度から実施している。同調査においては、臍帯血、血液、尿、母乳、乳歯等の生体試料を採取保存・分析するとともに、質問票等によるフォローアップを行っている。

これまでに発表された成果論文は、325本に上り（令和4年12月末時点）、化学物質のばく露や生活環境といった環境要因が、妊娠・分娩時の異常や出生後の成長過程における子供の健康状態に与える影響等についての研究が着実に進められている。また、エコチル調査参加者のデータは、内閣府食品安全委員会における健康影響評価、妊婦の体重増加曲線や乳幼児の発達指標の作成等に活用されている。

これまでの成果は、シンポジウムの開催やステークホルダーとの対話事業等を通じて、国民への情報発信や健康リスクを低減するための啓発を行い、国民の行動変容を促進することに取り組んでいる。

③ レジリエントで安全・安心な社会の構築

頻発化・激甚化する自然災害に対し、レジリエントな社会の構築を目指している。併せてサイバー空間等の新たな領域における攻撃や、新たな生物学的な脅威から、国民生活及び経済社会の安全・安心を確保するとともに、先端技術の研究開発を推進し、適切な技術流出対策の実施も行っていくこととしている。

❶　頻発化、激甚化する自然災害への対応
１．予防力の向上

防災科学技術研究所では、将来起こり得る首都直下地震や南海トラフ地震等による大規模地震災害への備えとして、実大3次元震動破壊実

1　　Data and Biological Resource Platform
2　　子どもの健康と環境に関する全国調査（エコチル調査）
　　　http://www.env.go.jp/chemi/ceh/

験施設（E−ディフェンス）を活用し、構造躯体<small>（くたい）</small>に加えて、非構造部材を含む施設全体の損傷抑制及び損傷レベルの評価技術に関する研究開発、施設の安全性や継続使用の判定などに関する情報収集技術・判定技術の開発を実施している。

　国土交通省は、海上・港湾・航空技術研究所等との相互協力の下、全国港湾海洋波浪情報網（ＮＯＷＰＨＡＳ[1]）の構築・運営を行っており、全国各地で観測された波浪・潮位観測データを収集し、ウェブサイトを通じてリアルタイムに広く公開している[2]。

　土木研究所は、水災害の激甚化に対する流域治水の推進技術の開発、顕在化した土砂災害へのリスク低減技術の開発、極端化する雪氷災害に対応する防災・減災技術の開発を実施している。

　建築研究所は、自然災害による損傷や倒壊の防止等に資する建築物の構造安全性を確保するための技術開発や建築物の継続使用性を確保するための技術開発等を実施している。

　海上・港湾・航空技術研究所は、地震災害の軽減及び地震後の早期復旧・復興のため、沿岸域における地震・津波による構造物の変形・性能低下を予測し、沿岸域施設の安全性・信頼性の向上を図るための研究を実施している。

　気象研究所は、線状降水帯の発生等のメカニズム解明研究を加速化するため、令和4年2月に線状降水帯の機構解明の研究を立ち上げ、令和4年6月から10月にかけて、大学等の14機関と連携して高密度な集中観測を実施した。さらに、気象研究所は、局地的大雨をもたらす極端気象現象を、二重偏波レーダやフェーズドアレイレーダ、ＧＰＳ等を用いてリアルタイムで検知する観測・監視技術の開発に取り組んでいる。また、局地的大雨を再現可能な高解像度の数値予報モデルの開発など、局地的な現象による被害軽減に寄与する気象情報の精度向上を目的とし研究を推進している。

2．予測力の向上

　我が国の地震調査研究は、地震調査研究推進本部（本部長：文部科学大臣）（以下「地震本部」という。）の下、関係行政機関や大学等が密接に連携・協力しながら行われている。

　地震本部は、これまで地震の発生確率や規模等の将来予測（長期評価）を行っている。隣接する複数の領域を震源域とする東北地方太平洋沖地震や活断層を起因とした熊本地震の発生を踏まえ、長期評価の評価手法や公表方法を順次見直しつつ実施している。また、東北地方太平洋沖地震での津波による甚大な被害を踏まえ、様々な地震に伴う津波の評価を実施している。

　文部科学省は、南海トラフ地震を対象とした「防災対策に資する南海トラフ地震調査研究プロジェクト」を開始し、「通常と異なる現象」が観測された場合の地震活動の推移を科学的に評価する手法開発や、被害が見込まれる地域を対象とした防災対策の在り方などの調査研究を実施している。

　阪神・淡路大震災以降、陸域に地震観測網の整備が進められてきた一方、海域の観測網については、陸域の観測網に比べて観測点数が非常に少ない状況であった。このため、防災科学技術研究所では、南海トラフ地震の想定震源域において、地震計、水圧計等を備えたリアルタイムで観測可能な高密度海底ネットワークシステムである「地震・津波観測監視システム（ＤＯＮＥＴ[3]）」を運用している。また、今後も大きな余震や津波が発生するおそれがある東北地方太平洋沖において、地震・津波を直接検知し、災害情報の正確かつ迅速な伝達に貢献する「日

1　Nationwide Ocean Wave information network for Ports and HArbourS
2　http://www.mlit.go.jp/kowan/nowphas/

3　Dense Oceanfloor Network system for Earthquakes and Tsunamis

■第2-2-1図／南海トラフ海底地震津波
　　　　　　観測網（N－net）のイ
　　　　　　メージ図

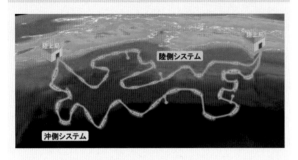

資料：文部科学省作成

本海溝海底地震津波観測網（S－net[1]）」を運用している。さらに、南海トラフ地震の想定震源域のうち、まだ観測網を設置していない高知県沖から日向灘の海域において、「南海トラフ海底地震津波観測網（N－net[2]）」の構築を進めた（第2-2-1図）。

　火山分野においては、平成26年の御嶽山の噴火等を踏まえ、「次世代火山研究・人材育成総合プロジェクト」を開始し、火山災害の軽減に貢献するため、従前の観測研究に加え、他分野との連携・融合を図り、「観測・予測・対策」の一体的な研究の推進及び広範な知識と高度な技術を有する火山研究者の育成を行っている。また、令和３年度から開始した「火山機動観測実証研究事業」において、火山の噴火切迫期や噴火発生時などの緊急時等に、迅速かつ効率的な機動観測を実現するために必要な体制構築に係る実証研究を実施している。

　国土技術政策総合研究所は、土砂・洪水氾濫発生時の土砂到達範囲・堆積深を高精度に予測するための計算手法の開発等の「激甚化する災害への対応」を行っている。

　防災科学技術研究所は、日本全国の陸域を均一かつ高密度に覆う約1,900点の高性能・高精度な地震計により、人体に感じない微弱な震動から大きな被害を及ぼす強震動に至る様々な

「揺れ」の観測を行っている。海域においては約200点の地震計・津波計を運用しているほか、国内16火山の「基盤的火山観測網（V－net[3]）」を含む、全国の陸域と海域を網羅する地震・津波・火山観測網である「陸海統合地震津波火山観測網（MOWLAS[4]）」を平成29年11月より運用している。MOWLASを用いた地震や津波の即時予測、火山活動の観測・予測の研究、実装を進めており、気象庁に観測データの提供を実施するほか、各研究機関や地方公共団体及び鉄道事業者をはじめとする民間での観測データの活用を推進した。

　また、マルチセンシングに基づく土砂・風水害の発生予測に関する研究、変容する雪氷災害や沿岸災害等の自然災害による被害の軽減に資する研究等を実施している。例えば、AIを用いた積雪・冠水などの道路状況判別、過去の雨量統計情報に基づく大雨の「稀さ」を踏まえた豪雨災害危険域の抽出、レーダと積雪変質モデル等を用いた高解像度面的降積雪情報など新しい情報の創出及び「雪おろシグナル」提供地域拡大、ニセコ吹きだまり情報サイト構築、既存消雪装置IoT化による降雪・融雪情報の公共団体提供など雪氷防災情報の社会適用、着雪検知センサの開発による着雪状況の現況把握及び逐次補正による予測情報の高度化、雲レーダ[5]を用いたゲリラ豪雨早期予測技術の開発等に取り組んでおり、開発された技術を活用し、民間企業との協働によるイノベーション創出を進めている。

　気象庁は、文部科学省と協力して地震に関する基盤的調査観測網のデータを収集し、処理・分析を行い、その成果を防災情報等に活用するとともに地震調査研究推進本部地震調査委員会等に提供している。また、自動震源決定処理

1　Seafloor observation network for earthquakes and tsunamis along the Japan Trench
2　Nankai Trough Seafloor Observation Network for Earthquakes and Tsunamis
3　The Fundamental Volcano Observation Network
4　Monitoring of Waves on Land and Seafloor
5　雨や雪が降る前の、雲の状態を観測することができる気象レーダ

手法（ＰＦ法[1]）を開発し導入するとともに、緊急地震速報については、東北地方太平洋沖地震で課題となった同時多発地震及び巨大地震に対応するため、発表基準に長周期地震動階級を追加したほか、ＩＰＦ法[2]及びＰＬＵＭ法[3]を導入し、更なる高度化のための技術開発を防災科学技術研究所等と協力して進めている。津波については、沖合の津波観測波形から沿岸の津波の高さを精度良く予測する手法（ｔＦＩＳＨ[4]）を導入している。

気象研究所は、津波災害軽減のための津波地震などに対応した即時的規模推定や沖合の津波観測データを活用した津波予測の技術開発、南海トラフで発生する地震の規模、破壊領域やゆっくりすべりの即時把握に関する研究、火山活動評価・予測の高度化のための監視手法の開発などを実施している。

産業技術総合研究所は、防災・減災等に資する地質情報整備のため、活断層・津波堆積物調査や活火山の地質調査を行い、その結果を公表している。全国の主要活断層に関しては、地震発生確率や最新活動時期が不明な活断層のうち７つ（横手盆地東縁、長野盆地西縁、身延、境峠・神谷／霧訪山－奈良井、弥栄、布田川、宮古島）を調査し、地震発生確率や規模の算出に必要なデータ等を取得した。また、活断層データベースのデータ更新やシステム改善を着実に実施した。津波堆積物については、千島海溝沿いでの過去の巨大地震による津波規模を明らかにする地質調査を行い、それらの結果を説明できる波源の断層モデルを検討した。そのほか、南海トラフ巨大地震の短期予測に資する地下水等総合観測点を運用・整備し、地下水位（水圧）、地下水温、地殻歪や地震波の常時観測を継続した。

火山に関しては、活火山に指定されている８火山（羅臼・知床硫黄山、雌阿寒岳、岩木山、秋田焼山、御嶽山、箱根山、伊豆東部火山群、伊豆大島）に対して、現地調査や火山砕屑物の解析等を行い、過去の噴火の規模・様式等の解明や今後の活動推移予測に資する情報を取得した。

海洋研究開発機構は、南海トラフの想定震源域や日本周辺海域・西太平洋域において、研究船や各種観測機器等を用いて海域地震や火山に関わる調査・観測を大学等の関係機関と連携して実施している。さらに、これら観測によって得られるデータを解析する手法を高度化し、大規模かつ高精度な数値シミュレーションにより地震・火山活動の推移予測を行っている。

国土地理院は、電子基準点[5]等によるＧＮＳＳ[6]連続観測、超長基線電波干渉法（ＶＬＢＩ[7]）、干渉合成開口レーダー（ＩｎＳＡＲ[8]）等を用いた地殻変動やプレート運動の観測、解析及びその高度化のための研究開発を実施している。また、気象庁、防災科学技術研究所、神奈川県温泉地学研究所、京都大学防災研究所等による火山周辺のＧＮＳＳ観測点のデータも含めた火山ＧＮＳＳ統合解析を実施し、火山周辺の地殻変動のより詳細な監視を行っている。

海上保安庁は、ＧＮＳＳ測位と音響測距を組み合わせた海底地殻変動観測や海底地形等の調査を推進し、その結果を随時公表している。

気象庁は、線状降水帯の予測精度向上等に向けた取組を強化・加速化している。令和４年には、６月に線状降水帯による大雨の半日程度前からの呼びかけを開始するとともに、６月から10月にかけて、スーパーコンピュータ「富岳」を活用した、開発中の予報モデルのリアルタイムシミュレーション実験を実施した。

1　Phase combination Forward search
2　Integrated Particle Filter法：同時に複数の地震が発生した場合でも、震源を精度良く推定する手法。京都大学防災研究所と協力して開発
3　Propagation of Local Undamped Motion法：強く揺れる地域が非常に広範囲に及ぶ大規模地震でも、震度を適切に予測する手法
4　tsunami Forecasting based on Inversion for initial sea-Surface Height
5　令和５年３月末現在で、全国に約1,300点
6　Global Navigation Satellite System
7　Very Long Baseline Interferometry：数十億光年の彼方から、地球に届く電波を利用し、数千kmもの距離を数mmの誤差で測る技術
8　Interferometric Synthetic Aperture Radar：人工衛星で宇宙から地球表面の変動を監視する技術

3．対応力の向上

SIP第1期「レジリエントな防災・減災機能の強化」（平成26～30年度）において開発した、災害情報を電子地図上で集約し、関係機関での情報共有を可能とするシステムである「基盤的防災情報流通ネットワーク」（SIP4D[1]）を活用し、令和4年8月3日からの大雨、令和4年台風第14号、第15号等において、内閣府（防災担当）が運用する「災害時情報集約支援チーム（ISUT[2]）」が、関係府省庁や地方公共団体、指定公共機関の災害対応に対して情報面からの支援を行った。また、平成30年度より開始したSIP第2期「国家レジリエンス（防災・減災）の強化」において、衛星、AIやビッグデータ等の最新の科学技術を最大限活用した災害発生時に国や市町村の意思決定の支援を行う情報システムを構築するため、研究開発及び社会実装を推進してきた。衛星データ即時一元化・共有システム「ワンストップシステム」の開発においては、令和4年8月3日からの大雨等の実災害対応を通じて、関係省庁と連携してシステムの評価検証や改善を実施した。災害時にSNS上で、AIを活用し人間に代わって自動的に被災者と対話するシステムである防災チャットボット等については、公共団体等との実証実験を通じた研究開発を行い、令和4年台風第14号等においては実災害での活用も行われた。

また、準天頂衛星システム「みちびき」のサービスを平成30年11月1日に開始し、みちびきを経由して防災気象情報の提供を行う災害・危機管理通報サービス及び避難所等における避難者の安否情報を収集する安否確認サービスの提供を行っている。

総務省は、情報通信等の耐災害性の強化や被災地の被災状況等を把握するためのICTの研究開発を行っている。また、これまで総務省が実施してきた災害時に被災地へ搬入して通信を迅速に応急復旧させることが可能な通信設備（移動式ICTユニット）等の研究成果の社会実装や国内外への展開を推進している。

防災科学技術研究所は、各種自然災害の情報を共有・利活用するシステムの開発に関する研究を実施するとともに、必要となる実証と、指定公共機関としての役割に基づく行政における災害対応の情報支援を行っている。令和4年8月3日からの大雨、令和4年台風第14号、令和4年台風第15号においては、「SIP4D」に収集された情報や被災地で収集された情報を一元的に集約し、各災害に関連した過去の情報や分析結果等と共に、「防災クロスビュー」（bosaiXview；一般公開）やISUT－SITE（災害対応機関に限定公開）と呼ばれる地図を表示するウェブサイトを介して災害対応機関へ情報発信を行い、状況認識の統一等を支援した。

消防庁消防研究センターでは自然災害への対応として、令和3年度からの5年計画で①ドローンなどを活用した土砂災害時の消防活動能力向上に係る研究開発、②地震発生時の市街地火災による被害を抑制するための研究開発、③危険物施設における地震災害を抑制するための研究を進めているところである。

情報通信研究機構は、天候等にかかわらず災害発生時における被災地の地表状況を随時・臨機に観測可能な航空機搭載合成開口レーダ（Pi－SAR[3]）の高度化を実施している。また、機構等が開発した、公衆通信網途絶地域において情報を同期して共有できるシステムについては、公共団体への導入等が行われている。加えて、通信途絶領域においてSIP4Dとのデータ連携を可能とする可搬型通信装置（ポータブルSIP4D）の基本機能拡張の開発を行っている。そのほか、SNSへの投稿をリアルタイムに分析し災害関連情報を抽出する情報分析技術の開発では、公共団体等と連携して、

1　Shared Information Platform for Disaster Management
2　Information SUpport Team
3　Polarimetric and Interferometric Airborne Synthetic Aperture Radar

防災訓練等での実証実験に協力している。

　国土技術政策総合研究所は、災害時の継続利用の観点等からの住宅・建築物の性能評価技術の開発、災害後における居住継続のための自立型エネルギーシステムの設計目標に関する研究を行っている。

　土木研究所は、大規模地震に対するインフラ施設の機能確保技術の開発を実施している。

　宇宙航空研究開発機構は、陸域観測技術衛星2号「だいち2号」（ALOS－2[1]）などの人工衛星を活用した様々な災害の監視や被災状況の把握に貢献している。

　また、新型コロナウイルス感染症の世界的な流行を受けて、経済産業省は、EdTechの学校への導入や在宅教育を促進するオンライン・コンテンツの開発を進めることとした。また、越境EC[2]の利活用促進や、デジタル商談プラットフォームの構築など、非対面・遠隔での事業活動への支援を充実することとした。

4. 観測・予測データを統合した情報基盤の構築等

　文部科学省は、「地球環境情報プラットフォーム構築推進プログラム」において、地球環境ビッグデータ（観測情報・予測情報等）を蓄積・統合解析し、気候変動等の地球規模課題の解決に資する情報基盤として、「データ統合・解析システム（DIAS[3]）」を開発し、これまでに国内外の研究開発を支えつつ、台風等による洪水を予測するシステム等の成果を創出してきた。また、研究者や企業等国内外の多くのユーザーに長期的・安定的に利用されるための運営体制を構築するとともに、エネルギー、気象・気候、防災や農業等の社会的課題の解決に資する共通基盤技術の開発を推進している。

　また、宇宙航空研究開発機構と共同で開発した超伝導サブミリ波リム放射サウンダ（SMILES[4]）で取得されたデータを解析することにより、新たな知見に基づく地球環境変動への警告を行うとともに、観測データの無償公開を令和2年度より開始した。また、温室効果ガス観測技術衛星GOSATをはじめとした地球環境観測データの独自な数理アルゴリズム解析を推進している。さらに、電波の伝わり方に影響を与える、太陽活動及び地球近傍の電磁環境の監視・予警報を配信するとともに、宇宙環境観測データの収集・管理・解析・公開を統合的に行っている。また、これらの観測技術及び論理モデルとAIを用いた予測技術を高度化する宇宙環境計測・予測技術の開発を進めている。

　さらに、気象庁では、「ひまわり8号」及び「ひまわり9号」を運用し、熱帯低気圧や海面水温等を観測しており、我が国のみならずアジア太平洋地域の自然災害防止や気候変動監視等に貢献している。

❷ デジタル化等による効率的なインフラマネジメント

　内閣府は、PRISM[5]（官民研究開発投資拡大プログラム）「革新的建設・インフラ維持管理技術／革新的防災・減災技術領域」において、i-Constructionの推進等の関係府省の施策に追加予算を配分し、これを加速することにより、イノベーション転換等を推進する。また、着実かつ効率的なインフラメンテナンスを実現するとともに、データの効果的な活用がもたらすオープンイノベーションの加速を図るため、国と地方公共団体、民間のデータを連携させる国土交通データプラットフォームの構築を国土交通省と連携し、推進している。同領域データ連携検討会及び次期SIP（SIP第3期）課題候補「スマートインフラマネジメント

1　Advanced Land Observing Satellite-2
2　Electronic Commerce
3　Data Integration and Analysis System
4　Superconducting Submillimeter-Wave Limb-Emission Sounder：大気の縁（リム）の方向にアンテナを向け、超伝導センサを使った高感度低雑音受信機を用いて大気中の微量分子が自ら放射しているサブミリ波（300GHzから3,000GHzまでの周波数の電波をサブミリ波という。このうち、SMILESでは、624GHzから650GHzまでのサブミリ波を使用している。）を受信し、オゾンなどの量を測定する。
5　Public/Private R&D Investment Strategic Expansion PrograM

システムの構築」に係る検討ＴＦにおいては、インフラ・維持管理の生産性向上・効率化等、インフラ分野のSociety 5.0の社会を実現するための検討を実施した。国土交通省は、社会インフラの維持管理及び災害対応の効果・効率の向上のためにロボットの開発・導入を推進している。

　国土交通省は、調査・測量から設計、施工、検査、維持管理・更新までのあらゆる建設生産プロセスにおいてＩＣＴ等を活用する「i-Construction」を推進し、令和７年度までに建設現場の生産性２割向上を目指している。さらに、新型コロナウイルス感染症対策を契機として、デジタル技術を活用して、管理者側の働き方やユーザーに提供するサービス・手続なども含めて、インフラ周りをスマートにし、従来の「常識」を変革する「インフラ分野のＤＸ（デジタル・トランスフォーメーション）」を推進している。例えば、３Ｄハザードマップを活用したリアルに認識できるリスク情報の提供、現場にいなくても現場管理が可能になるリモートでの立会いによる監督検査やデジタルデータを活用した配筋検査の省力化、自動・自律・遠隔施工等に取り組んでいる。令和３年度末には施策ごとの具体的な工程等を取りまとめた実行計画である「インフラ分野のＤＸアクションプラン」を策定したが、今後は、ネクスト・ステージとして更に取組を進化・加速化させるため、分野網羅的・組織横断的な取組を推進する。令和５年はＤＸによる変革を一層加速させる「躍進の年」として、引き続き取組を進めていく。

　国土地理院は、「i-Construction」を推進し、インフラ分野のＤＸを加速させるため、調査・測量、設計、施工、検査、維持管理・更新の各工程で使用する位置情報の共通ルール「国家座標」を整備している。また、３Ｄ測量の正確性・効率性・信頼性向上に資する測量新技術に関する技術開発を行っている。

　国土技術政策総合研究所では、建設事業のＤＸ化による労働生産性向上に向けて、ＢＩＭ／ＣＩＭ[1]モデル等のデジタルデータの活用に向けたシステムの検討、新技術の活用・施工現場データの分析に基づく建設技能者の作業改善による労働生産性向上・安全性向上につながる技術開発を行う「建設事業各段階のＤＸによる抜本的な労働生産性向上に関する研究」を行っている。そのほか、国土交通省本省関連部局と連携し、既存の住宅・社会資本ストックの点検・補修・更新等を効率化・高度化し、安全に利用し続けるため、既存建築物や敷地の利活用に関する手法・技術の開発、ＲＣ造マンションの既存住宅状況調査等の効率化に向けたデジタル新技術の適合性評価基準の開発を行っている。

　土木研究所は、社会インフラの長寿命・信頼性向上を目指した更新・新設に関する研究開発、構造物の予防保全型メンテナンスに資する技術の開発、積雪寒冷環境下のインフラの効率的な維持管理技術の開発、施工・管理分野の生産性向上に関する研究開発を実施している。

　海上・港湾・航空技術研究所は、我が国の経済・社会活動を支える沿岸域インフラの点検・モニタリングに関する技術開発や、維持管理の効率化及びライフサイクルコストの縮減に資する研究を実施している。

　物質・材料研究機構は、社会インフラの長寿命化・耐震化を推進するために、我が国が強みを持つ材料分野において、インフラの点検・診断技術、補修・更新技術、材料信頼性評価技術や新規構造材料の研究開発の取組を総合的に推進している。

　経済産業省は、産業保安分野においてテクノロジーの活用により保安面での安全性と効率性の向上を実現するスマート保安を推進している。

1　　Building Information Modeling/Construction Information Modeling/Management

❸ 攻撃が多様化・高度化するサイバー空間におけるセキュリティの確保

「サイバーセキュリティ基本法」（平成26年法律第104号）に基づき、サイバーセキュリティに関する施策を総合的かつ効果的に推進するため、内閣に設置された「サイバーセキュリティ戦略本部」（本部長：内閣官房長官）での検討を経て、令和3年9月28日に「サイバーセキュリティ戦略」を閣議決定した。これに基づき、サイバーセキュリティに関する技術の研究開発を推進している。

内閣府は、平成30年度から令和4年度まで、SIP「IoT社会に対応したサイバー・フィジカル・セキュリティ」としてセキュアなSociety 5.0の実現に向けた「サイバー・フィジカル・セキュリティ対策基盤技術」の開発及び実証を行った。IoTシステム・サービス及び中小企業を含む大規模サプライチェーン全体を守ることを可能とするものであり、今後は、多様な社会インフラやサービス、幅広いサプライチェーンを有する製造・流通・ビル等の各産業分野への社会実装につなげていく。

総務省は、情報通信研究機構等を通じて、多様化するサイバー攻撃に対応した攻撃観測・分析・可視化・対策技術や大規模集約された多種多様なサイバー攻撃に関する情報の横断分析技術、新たなネットワーク環境等のセキュリティ向上のための検証技術の研究開発を推進している。さらに、当該研究開発等を通じて得た技術的知見を活用して、巧妙化・複雑化するサイバー攻撃に対し、実践的な対処能力を持つセキュリティ人材を育成するため、同機構に組織した「ナショナルサイバートレーニングセンター」において、国の機関、地方公共団体等を対象とした実践的サイバー防御演習（CYDER[1]）の実施や、若手セキュリティ人材の育成（SecHack365）に取り組んでいる。また、同機構が有するこれらの技術・ノウハウや情報を中核として、同機構において、我が国のサイバーセキュリティ情報の収集・分析とサイバーセキュリティ人材の育成における産学の結節点となる「サイバーセキュリティ統合知的・人材育成基盤」（CYNEX[2]）の令和5年度中の本格運用開始を目指し取り組んでいる。

経済産業省は、IoTやAIによって実現されるSociety 5.0におけるサプライチェーン全体のサイバーセキュリティ確保を目的として、産業に求められる対策の全体像を整理した「サイバー・フィジカル・セキュリティ対策フレームワーク（CPSF）」を平成31年4月に策定し、CPSFに基づく産業分野別（ビル、工場、電力、宇宙等）のガイドラインの作成等を進めている。また、CPSFに連なる考え方として、サイバー空間におけるデータの取扱いやIoT機器のセキュリティに係るフレームワークを作成した。平成30年11月に産業技術総合研究所が設立した「サイバーフィジカルセキュリティ研究センター」では、サイバー空間とフィジカル空間が融合する中で、高度化・複雑化する脅威の分析と、脅威に対するセキュリティ強化技術の研究開発を推進・実施している。また重要インフラや我が国経済・社会の基盤を支える産業における、サイバー攻撃に対する防護力を強化するため、情報処理推進機構に設置する産業サイバーセキュリティセンターにおいて、官民の共同によりサイバーセキュリティ対策の中核を担う人材の育成等の取組を推進している。

経済産業省は、非対面・遠隔での活動の基盤として、サイバーセキュリティに関する検証技術構築支援や中小企業の対策支援を行うとともに、中小企業のデジタル化促進のための設備投資を後押しすることとしている。

❹ 新たな生物学的な脅威への対応

新型コロナウイルス感染症に対する研究開発等については、治療法、診断法、ワクチン等に関する研究開発等に対して支援を行ってい

1　CYber Defense Exercise with Recurrence
2　Cybersecurity Nexus

る。

治療法については、新型コロナウイルスの国内感染例が確認されて以降、大学等により研究開発が進められてきた。迅速に治療薬を創出する観点から、当初は既存治療薬を用いてその有効性・安全性の検討を行う既存薬再開発による研究開発を中心に日本医療研究開発機構を通じて支援してきたところである。また、新規創薬の観点から、基礎研究及び臨床研究等に対して支援を行い、新型コロナウイルス感染症の重症化リスクと関連する遺伝子を見いだす等の成果が得られている。

診断法についても日本医療研究開発機構を通じ、遺伝子増幅の検査に関する迅速診断キット、抗原迅速診断キット、検査試薬等の基盤的研究を支援し、これらが実用化されており、厚生労働行政推進調査事業費補助金による研究事業において作成された新型コロナウイルス感染症（COVID−19）診療の手引に反映されている。また、ウイルス等感染症対策技術の開発事業において、感染症の課題解決につながる研究開発や、新型コロナウイルス感染症対策の現場のニーズに対応した機器・システムの開発・実証等への支援を実施した。

ワクチンについては、国内におけるワクチンの開発の加速・供給体制強化の要請に対応するため、日本医療研究開発機構を通じて、国内の企業・大学等による基礎研究、非臨床研究、臨床研究の実施を支援している。

また、今回のパンデミックを契機に我が国においてワクチン開発を滞らせた要因を明らかにし、解決に向けて政府が一体となって必要な体制を再構築し、長期継続的に取り組む国家戦略として「ワクチン開発・生産体制強化戦略」（令和3年6月1日閣議決定）を策定した。この戦略に基づき、今後の感染症有事に備えた平時からの研究開発・生産体制強化のため、日本医療研究開発機構に先進的研究開発戦略センター（SCARDA[1]（スカーダ））を設置した。

医学、免疫学等の様々な専門領域や、バイオ医薬品の研究開発・実用化、マネジメントに精通した人材によるリーダーシップの下、国内外の感染症・ワクチンに関する情報収集・分析を幅広く行う体制を整備し、ワクチン研究開発・実用化の全体を俯瞰して研究開発支援を進めている。この新たな体制の下では、新たな創薬手法による産学官の実用化研究の集中的な支援、世界トップレベルの研究開発拠点の形成、創薬ベンチャーの育成等の事業に取り組む。また、日本医療研究開発機構における取組のほかにも、デュアルユースのワクチン製造拠点の整備等、ワクチンの迅速な開発・供給を可能にする体制の構築のために必要な取組を行っている。

そのほか、新型コロナウイルス感染症の流行により、グローバルな対応体制の必要性が改めて明らかになったことを踏まえ、日本医療研究開発機構を通じた支援により、国内外の感染症研究基盤の強化や基礎的研究を推進（「新興・再興感染症研究基盤創生事業」（文部科学省所管））するとともに、感染症有事の抜本的強化として、感染症危機対応医薬品等の実用化に向けた開発研究まで一貫して推進している（「新興・再興感染症に対する革新的医薬品等開発推進研究事業」（厚生労働省所管））。また、日本が主導するアジア地域における臨床研究・治験を進めるための基盤構築を進めているところである（「アジア地域における臨床研究・治験ネットワーク構築事業」（厚生労働省所管））。

また、新型コロナウイルス感染症の感染防止対策と経済活動の両立を図るため、アカデミアや企業から研究テーマの公募を行い、スーパーコンピュータ「富岳」を用いた飛沫シミュレーションをはじめとする感染拡大防止に資する「新たな日常の構築支援」や、新規陽性者数・重症者数等の感染状況に関するシミュレーションを実施した。

1　　SCARDA: Strategic Center of Biomedical Advanced Vaccine Research and Development for Preparedness and Response

❺　宇宙・海洋分野等の安全・安心への脅威への対応

1．宇宙分野の研究開発の推進

　今日、測位・通信・観測等の宇宙システムは、我が国の安全保障や経済・社会活動を支えるとともに、Society 5.0の実現に向けた基盤としても、重要性が高まっている。こうした中、宇宙活動は官民共創の時代を迎え、広範な分野で宇宙利用による産業の活性化が図られてきている。また、宇宙探査の進展により、人類の活動領域が地球軌道を超えて月面、深宇宙へと拡大しつつある中、「はやぶさ2」による小惑星からのサンプル回収の成功は、我が国の科学技術の水準の高さを世界に示し、その力に対する国民の期待を高めた。宇宙は科学技術のフロンティア及び経済成長の推進力として、更にその重要性を増しており、我が国におけるイノベーションの創出の面でも大きな推進力になり得る。

　こうした認識の下、政府は「宇宙基本計画」（令和2年6月30日閣議決定）に基づき、我が国の宇宙開発利用を国家戦略として、総合的かつ計画的に強力に推進している。

　なお、令和4年度において、イプシロンロケット6号機及びH3ロケット試験機1号機の打上げが失敗し、搭載した先進光学衛星（ALOS-3[1]）等の衛星を喪失した。文部科学省では対策本部を設置するとともに、有識者会合において専門的見地からの調査検討を行い、原因究明等を進めている。

（1）宇宙輸送システム

　宇宙輸送システムは、人工衛星等の打上げを担う宇宙開発利用の重要な柱であり、希望する時期や軌道に人工衛星を打ち上げる能力は自立性確保の観点から不可欠な技術基盤といえる。文部科学省は、自立的に宇宙活動を行う能力を維持・発展させるとともに、国際競争力を確保するため、H3ロケットやイプシロンロケットといった基幹ロケットの開発・高度化を進めている。加えて、今後想定される大きな宇宙利用需要に我が国として応えていくため、2040年までを見据え、官ミッションに対応する「基幹ロケット発展型」と、民間主導による「高頻度往還飛行型」の二本立ての将来宇宙輸送システム開発を進めるとする「革新的将来宇宙輸送システム実現に向けたロードマップ検討会取りまとめ」を令和4年7月に策定するとともに、「将来宇宙輸送システム研究開発プログラム」を令和4年度より本格開始し、官民共同による要素技術開発と、必要となる環境整備に取り組んでいる。

H-ⅡAロケット43号機の打上げ
提供：宇宙航空研究開発機構

（2）衛星測位システム

　内閣府は、準天頂衛星システム「みちびき」について、平成30年11月1日に4機体制による高精度測位サービスを開始するとともに、令和5年度を目途に確立する7機体制と機能・性能向上に向け、5号機、6号機及び7号機の開発を進めている。また、「みちびき」の利用拡大に向けて関係府省が連携し、自動車や農業機械の自動走行、物流や防災分野など様々な実証実験を進めている。

（3）衛星通信・放送システム

　2020年代に国際競争力を持つ次世代静止

1　Advanced Land Observing Satellite - 3

通信衛星を実現する観点から、総務省と文部科学省が連携し、電気推進技術や大電力発電、フレキシブルペイロード技術等の技術実証のため、平成28年度から技術試験衛星９号機の開発を行っている。

（4）衛星地球観測システム

環境省は、平成20年度に打ち上げたGOSAT及び平成30年度に打ち上げたGOSAT−２により、全球の二酸化炭素とメタンの濃度が地球規模で年々上昇している状況を明らかにしてきた。このミッションを発展的に継承し、脱炭素社会に向けた施策効果の把握を目指し、後継機GOSAT−GWを令和６年度の打上げに向け開発を進めている。

宇宙航空研究開発機構は、地球規模での水循環・気候変動メカニズムの解明を目的に平成24年５月に打ち上げた「しずく」（GCOM−W）及び平成29年12月に打ち上げた「しきさい」（GCOM−C）の運用を行っている。「しずく」は、平成26年２月に米国航空宇宙局（NASA[1]）との国際協力プロジェクトとして打ち上げた全球降水観測計画（GPM[2]）主衛星のデータとともに気象庁において利用され、降水予測精度向上に貢献するなど、気象予報や漁場把握等の幅広い分野で活用されるとともに、「しきさい」は、海外の大規模な森林火災の把握にも活用されている。現在、水循環観測と温室効果ガス観測のミッションの継続と観測能

力の更なる強化を目指して「しずく」と「いぶき２号」の各々の後継センサを相乗り搭載する「温室効果ガス・水循環観測技術衛星」（GOSAT−GW）の開発を進めている。

また、平成26年５月に打ち上げられた「だいち２号」は、様々な災害の監視や被災状況の把握、森林や極域の氷の観測等を通じ、防災・災害対策や地球温暖化対策などの地球規模課題の解決に貢献している。現在、広域かつ高分解能な撮像が可能な先進レーダ衛星（ALOS−４）の開発を進めている。また、令和２年11月に光データ中継衛星の打上げを行い、これらの衛星間の光通信の実証に向けた取組も進めており、災害発生時の被災地の衛星データを即時に地上へ中継することが可能となるなど、将来的に迅速な災害対策に貢献することが期待されている。

光データ中継衛星
提供：宇宙航空研究開発機構

なお、我が国の人工衛星の安定的な運用に向けて、文部科学省及び宇宙航空研究開発機構は、平成14年度から宇宙状況把握システム（SSA[3]システム）を構築・運用し、地上からスペースデブリ（宇宙ゴミ）等の把握を行ってきており、令和４年度末からは防衛省が運用するシステムに観測データを提供することにより、宇宙空間の安定的利用に貢献している。

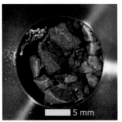

小惑星探査機「はやぶさ２」（左）と採取したサンプル（右）
提供：宇宙航空研究開発機構

1　National Aeronautics and Space Administration
2　Global Precipitation Measurement
3　Space Situational Awareness

（5）宇宙科学・探査

宇宙科学の分野においては、宇宙航空研究開発機構が中心となり、世界初のX線の撮像と分光を同時に行う人工衛星の開発・運用や、小惑星探査機「はやぶさ」による小惑星「イトカワ」からのサンプル回収など、X線・赤外線天文観測や月・惑星探査などの分野で世界トップレベルの業績を上げている。平成27年12月に金星周回軌道へ投入された金星探査機「あかつき」は、金星大気における「スーパーローテーション」の維持メカニズムの解明につながる成果を上げ、平成26年12月に打ち上げた「はやぶさ2」は、小惑星「リュウグウ」に到着後、小惑星表面への人工クレーター作成、1つの小惑星への2度の着陸成功など数々の世界初の快挙を成し遂げた。令和2年12月に地球近傍に帰還した「はやぶさ2」は、搭載するカプセルを地球に向けて分離しカプセルはオーストラリアの砂漠地帯で回収された。カプセル内にはリュウグウ由来のサンプルが確認され、現在、国内外の研究機関で詳細な分析が行われており、令和4年には小惑星「リュウグウ」に、生命の起源に結び付くアミノ酸が検出されるなど、続々と研究成果が発表されている。「はやぶさ2」の探査機本体は、現在新たな小惑星の探査に向かっている（令和13年到着予定）。

このほか、欧州宇宙機関との国際協力による水星探査計画（BepiColombo）の水星磁気圏探査機「みお」（平成30年（2018年）10月打上げ）が水星に向けて航行中であり、月への無人着陸を目指す小型月着陸実証機（SLIM[1]）やX線分光撮像衛星（XRISM[2]）（共に令和5年度打上げ予定）、火星衛星からサンプルリターンを行う火星衛星探査計画（MMX[3]）の開発など、国際的な地位の確立や人類のフロンティア拡大に資する宇宙科学分野の研究開発

を推進している。

また、総務省では、後述の国際宇宙探査計画（アルテミス計画）へ我が国が参画を決定したことを踏まえ、月面活動においてエネルギー資源として活用が期待される水資源の地表面探査を実現するため、令和3年度から、テラヘルツ波を用いた月面の広域な水エネルギー資源探査の研究開発を開始している。

（6）有人宇宙活動

国際宇宙ステーション（ISS[4]）計画[5]は、日本・米国・欧州・カナダ・ロシアの5極（15か国）共同の国際協力プロジェクトである。我が国は、日本実験棟「きぼう」及び宇宙ステーション補給機「こうのとり」（HTV[6]）の開発・運用や日本人宇宙飛行士のISS長期滞在により本計画に参加している。2022年（令和4年）1月、米国航空宇宙局（NASA）が米国としてISSの運用期間を2030年まで延長することを発表し、我が国も、同年11月、米国以外の参加極の中で最初に運用延長への参加を表明した。

我が国では、これまでに、有人・無人宇宙技術の獲得、国際的地位の確立、宇宙産業の振興、宇宙環境利用による社会的利益及び青少年育成等の多様な成果を上げてきている。「こうのとり」は、2009年（平成21年）の初号機から2020年（令和2年）の9号機までの全てにおいてミッションを成功させており、最大約6トンという世界最大級の補給能力や、一度に複数の大型実験装置の搭載など「こうのとり」のみが備える機能などによりISSの利用・運用を支えてきた。現在は、「こうのとり」で培った経験を活かし、開発・運用コストを削減しつつ、輸送能力の向上を目指し、後継機である新型宇宙ステーション補給機（HTV-X）の開発を

1　Smart Lander for Investigating Moon
2　X-Ray Imaging and Spectroscopy Mission
3　Martian Moons eXploration
4　International Space Station
5　日本・米国・欧州・カナダ・ロシアの政府間協定に基づき地球周回低軌道（約400 km）上に有人宇宙ステーションを建設・運用・利用する国際協力プロジェクト
6　H-II Transfer Vehicle

進めている。

また、ISSへの日本人宇宙飛行士の搭乗については、若田光一宇宙飛行士が2022年（令和4年）10月より、約半年間のISS長期滞在を開始した。若田宇宙飛行士はこれで日本人宇宙飛行士として最多となる5回目の宇宙飛行となり、2023年（令和5年）3月に帰還した。さらに、2021年（令和3年）から、宇宙航空研究開発機構において新しい日本人宇宙飛行士の募集・選抜を実施し、2023年（令和5年）2月に2名の宇宙飛行士候補者が選抜された。

（7）国際宇宙探査

国際宇宙探査計画「アルテミス計画」は、月周回有人拠点「ゲートウェイ」の建設や将来の火星有人探査に向けた技術実証、月面での持続的な有人活動などを民間企業の参画を得ながら国際協力により進めていく、米国が主導する計画である。我が国は、2019年（令和元年）10月にアルテミス計画への参画を決定し、欧州及びカナダも参画を表明している。上記決定を踏まえ、2020年（令和2年）7月には、文部科学省とNASAとの間で、「月探査協力に関する共同宣言」に署名した。その後、12月には、日本政府とNASAとの間で、「ゲートウェイのための協力に関する了解覚書」が締結され、我が国がゲートウェイへの機器等を提供することや、NASAが日本人宇宙飛行士のゲートウェイ搭乗機会を複数回提供することなど、共同宣言において確認された協力内容を可能とする法的枠組みが設けられた。2022年（令和4年）11月には、了解覚書における協力内容を具体化するため、文部科学省とNASAとの間で、了解覚書に基づく「『ゲートウェイ』のための協力に関する実施取決め」に署名し、我が国がゲートウェイ居住棟への機器提供や物資補給を行い、NASAが日本人宇宙飛行士のゲートウェイへの搭乗機会を1回提供するこ

とが規定された。さらに、日米両政府は、宇宙の探査及び利用をはじめとする日米宇宙協力を一層円滑にするため、2023年（令和5年）1月、新たな法的枠組みである「日・米宇宙協力に関する枠組協定」に署名した。

（8）宇宙の利用を促進するための取組

文部科学省は、人工衛星に係る潜在的なユーザーや利用形態の開拓など、宇宙利用の裾野の拡大を目的とした「宇宙航空科学技術推進委託費」により産学官の英知を幅広く活用する仕組みを構築した。これにより、宇宙航空分野の人材育成及び防災、環境等の分野における実用化を見据えた宇宙利用技術の研究開発等を引き続き行っている。

経済産業省は、石油資源の遠隔探知能力の向上等を可能とするハイパースペクトルセンサ（HISUI[1]）を開発し、令和元年12月に国際宇宙ステーションの日本実験棟「きぼう」に搭載後、令和4年度は取得データの解析・利用実証を実施した。また、民生分野の技術等を活用した低価格・高性能な宇宙用部品・コンポーネントの開発支援と軌道上実証機会の提供及び量産・コンステレーション化を見据えた低価格・高性能な小型衛星汎用バス開発・実証等を行っている。加えて、ビッグデータ化する宇宙データの利用拡大の観点から、政府衛星データをオープン＆フリー化するとともに、ユーザーにとって衛星データを利用しやすい環境を提供するため、衛星データプラットフォーム（Tellus）の整備を進めた。

2．海洋分野の研究開発の推進

四方を海に囲まれ、世界有数の広大な管轄海域を有する我が国は、海洋科学技術を国家戦略上重要な科学技術として捉え、科学技術の多義性を踏まえつつ、長期的視野に立って継続的に取組を強化していく必要がある。また、海洋の生物資源や生態系の保全、エネルギー・鉱物資

1　Hyperspectral Imager SUIte

源確保、地球温暖化や海洋プラスチックごみなどの地球規模課題への対応、地震・津波・火山等の脅威への対策、北極域の持続的な利活用、海洋産業の競争力強化等において、海洋に関する科学的知見の収集・活用に取り組むことは重要である。

　内閣府は、総合海洋政策本部と一体となって、第3期海洋基本計画（平成30年5月15日閣議決定）と整合を図りつつ、海洋に関する技術開発課題等の解決に向けた取組を推進している。

　文部科学省は、第3期海洋基本計画の策定等を踏まえ、科学技術・学術審議会海洋開発分科会において平成28年に策定された「海洋科学技術に係る研究開発計画」を平成31年1月に改訂し、未来の産業創造に向けたイノベーション創出に資する海洋科学技術分野の研究開発を推進している。

　海洋研究開発機構は、船舶や探査機、観測機器等を用いて深海底・氷海域等のアクセス困難な場所を含めた海洋における調査・研究を行い、得られたデータを用いたシミュレーションやデータのアーカイブ・発信を行っている。また、これらの技術を活用し、いまだ十分に解明されていない領域の実態を解明するための基礎研究を推進している。

地球深部探査船「ちきゅう」
提供：海洋研究開発機構

有人潜水調査船「しんかい6500」
提供：海洋研究開発機構

（1）海洋の調査・観測技術

　海洋研究開発機構は、海底下に広がる微生物生命圏や海溝型地震及び津波の発生メカニズム、海底資源の成因や存在の可能性等を解明するため、地球深部探査船「ちきゅう」の掘削技術や海底観測ネットワーク等を用いたリアルタイム観測技術等の開発を進めるとともに、それらの技術を活用した調査・研究・技術開発を実施している。また、大きな災害をもたらす巨大地震や津波等、深海底から生じる諸現象の実態を理解するため、研究船や有人潜水調査船「しんかい6500」、無人探査機等を用いた地殻構造探査等により、日本列島周辺海域から太平洋全域を対象に調査研究を行っている。

（2）海洋の持続的な開発・利用等に資する技術

　文部科学省は、大学等が有する高度な技術や知見を幅広く活用し、海洋生態系や海洋環境等の海洋情報をより効率的かつ高精度に把握する観測・計測技術の研究開発を「海洋資源利用促進技術開発プログラム」のうち「海洋情報把握技術開発」において実施している。

　海洋研究開発機構は、我が国の海洋の産業利用の促進に貢献するため、生物・非生物の両面から海洋における物質循環と有用資源の成因の理解を進め、得られた科学的知見、データ、技術及びサンプルを関連産業に展開している。

　内閣府は、SIP第1期「次世代海洋資源調査技術」の成果を踏まえ、平成30年度より、SIP第2期「革新的深海資源調査技術」として、世界に先駆け、我が国の排他的経済水域の2,000m以深にある海底に賦存するレアアース泥等の鉱物資源を効率的に調査し洋上に回収する技術の開発を進めてきた。令和4年度は

南鳥島の調査海域のレアアースの概略資源量評価の高精度化により有望開発候補地を選定した。さらに、水深3,000m海域での解泥・揚泥試験を成功させるなど、将来のレアアース生産に向けた技術開発が着実に進展している。

（3）海洋の安全確保と環境保全に資する技術

食料生産や気候調整等で人間社会と密接に関わる海洋生態系は、近年、汚染・温暖化・乱獲等の環境ストレスにさらされており、これらを踏まえた海洋生態系の理解・保全・利用が課題となっている。このため、文部科学省は、「海洋資源利用促進技術開発プログラム」のうち「海洋生物ビッグデータ活用技術高度化」において、既存のデータやデータ取得技術を基にビッグデータから新たな知見を見いだすことで、複雑で多様な海洋生態系を理解し、保全・利用へと展開する研究開発を行っている。

海上・港湾・航空技術研究所は、海洋資源・エネルギー開発に係る基盤的技術の基礎となる海洋構造物の安全性評価手法及び環境負荷軽減手法の開発・高度化に関する研究を行っている。海上保安庁は、海上交通の安全確保の向上のため、船舶の動静情報等を収集するとともに、これらのビッグデータを解析することにより船舶事故のリスクを予測するシステムの開発を行っている。

3．防衛分野の研究開発の推進

「国家安全保障戦略」（令和4年12月16日国家安全保障会議・閣議決定）において、「技術力の向上と研究開発成果の安全保障分野での積極的な活用のための官民連携の強化」が掲げられている。我が国の官民の高い技術力を幅広くかつ積極的に安全保障に活用するために、防衛省の意見を踏まえた研究開発ニーズと関係省庁が有する技術シーズを合致させるとともに、当該事業を実施していくための政府横断的な仕組みを創設することとしている。

防衛省は、防衛分野での将来における研究開発に資することを期待し、先進的な基礎研究を、公募・委託する安全保障技術研究推進制度（第2-2-2図）を平成27年度から実施している。また、令和3年度には技術シンクタンク機能を立ち上げ、将来の我が国防衛にとって重要となる先進的な民生技術の調査及び防衛分野への適用に向けた技術育成方針の検討に資する分析を進めている。

■第2-2-2図／安全保障技術研究推進制度

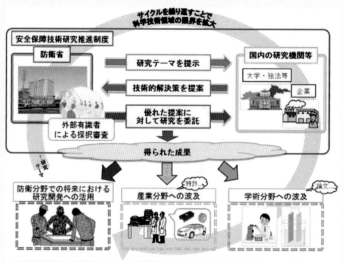

資料：防衛装備庁作成

加えて、有望な先端技術を早期に発掘、育成し、技術成熟度を引き上げて迅速かつ柔軟に装備品の研究開発に適用する「先進技術の橋渡し研究」について、令和5年度予算案において、大幅な拡充を図った。さらに、ゲーム・チェン

ジャーとなり得る防衛装備品の早期実用化のため、防衛省が実施する当該装備品のコア技術の研究と並行し、関連する重要な構成技術を民間企業等に研究委託する取組を令和4年度より実施している。

コラム5　防衛分野の他研究機関との連携による効率的な研究開発

近年、ドローンに代表される無人機に関する先端技術は民生において進展が著しく、様々な分野において大きな影響を与えている。防衛の分野においても革新的なゲーム・チェンジャーになり得る無人アセットに係る能力の強化が急務となっている。

特に四方を海に囲われた我が国にとって、隠密性の高い水中領域を掌握することは、我が国防衛にとって非常に重要である。UUV（Unmanned Underwater Vehicle：無人水中航走体）等の無人アセットを積極的に活用することにより、水中領域の優位性獲得に大きく寄与することが期待される。そのため、防衛省は民生先端技術を積極的に取り込みつつ、UUVに関する研究開発を積極的に実施している。

民生技術の取り込みの例として、防衛装備庁と海洋研究開発機構は、平成26年度に締結した協定の下で、令和元年から3年にかけて水中移動体の通信に関する研究協力を行っている。将来的には、UUVをネットワークに組み込んだ協調行動が想定されるが、水中での通信は音響通信が主であるため、空中での電波通信に比べて移動することによる影響を大きく受け音が正常に届かなくなる。そこで、防衛装備庁艦艇装備研究所と海洋研究開発機構は、移動体水中通信技術を研究し、その成果を組み合わせて水中移動体通信の試験を実施することによって、水中を移動するUUVで安定した通信を行う技術を検証した。今後も、連携関係を活用しつつ、防衛省及び研究機関で実施されてきた水中通信技術を発展させ、水中通信網の実現に向けた研究を前進させる。

また、防衛装備庁の安全保障技術研究推進制度では海洋研究開発機構から応募のあった「Time Reversalによる長距離MIMO音響通信の研究（平成30〜令和4年度）」、「レーザー反射光を利用する海中海底ハイブリットセンシングの研究（令和2〜6年度）」等の課題を採択し、基礎的な水中技術の開拓を行っている。

さらに、先進技術の橋渡し研究では、安全保障技術研究推進制度で得られた水中光通信の成果を水中音響通信と統合した光／音響ハイブリッド水中通信装置を製作し、その性能の実証を目的として、「UUV用水中通信の研究」を令和4年度から実施している。

今後も進展していく無人機技術などについて、他研究機関や民間等と連携しつつ早期実現を目指し研究を進めていく。

光/音響ハイブリッド水中通信の水槽試験
提供：防衛装備庁

4．警察におけるテロ対策に関する研究開発の推進

科学警察研究所においては、核物質の現場検知を目的とした検出装置の開発を実施している。本装置は、従来装置に対し大幅な低コスト化が見込まれている。さらに、小型化に伴う可搬性の向上によって、今後、現場での機動的な運用が期待される。また、国際テロで用いられ

ている、市販原料から製造される手製爆薬に関する威力・感度の評価や実証試験を実施するとともに、爆発物原料管理者対策に資する研究を実施している。

❻　安全・安心確保のための「知る」「育てる」「生かす」「守る」取組

内閣府は国内外の技術動向、社会経済動向、

安全保障など多様な視点から科学技術・イノベーションに関する調査研究を行うシンクタンク機能について、令和3年秋から令和4年度にかけてシンクタンク機能に関する試行事業を実施した。令和5年度も引き続き検討を進めていく。また、経済安全保障の確保・強化の観点から、内閣官房、文部科学省、経済産業省とともに、その他関係省庁と連携し、ＡＩや量子、宇宙、海洋等の技術分野に関し、民生利用や公的利用への幅広い活用を目指して先端的な重要技術の研究開発を進める「経済安全保障重要技術育成プログラム[1]」（通称K Program）について令和4年9月に研究開発ビジョンを決定し、12月に最初の公募を開始した。さらに、研究活動の国際化・オープン化に伴う新たなリスクに対し、大学や研究機関における研究の健全性・公正性（研究インテグリティ[2]）の自律的確保に向けた取組を行った[3]。

　経済産業省は、令和4年度に、文部科学省等の関係省庁と連携し、大学・研究機関向けの安全保障貿易管理説明会を開催するとともに、令和4年2月に改訂・公表した機微技術管理ガイダンスを周知し専門人材の派遣をするなど、大学等の「みなし輸出」管理の運用明確化等への適切な対応を後押しし、内部管理体制の強化及び機微技術の流出防止の取組を促進した。

　また、政府研究開発事業の契約に際し、安全保障貿易管理体制の構築を求める安全保障貿易管理の要件化に関し、内閣府と経済産業省が連携して手続の効率化のための取組を推進した。

　機微技術の輸出管理の在り方などについて、国際輸出管理レジームを含めた関係国間において議論を行っている。

　内閣情報調査室をはじめ、警察庁、公安調査庁、外務省、防衛省の情報コミュニティ各省庁は、相互に緊密な連携を保ちつつ、経済安全保障分野を含む情報の収集活動等に当たるとともに、必要な体制の強化に努めている。

4 価値共創型の新たな産業を創出する基盤となるイノベーション・エコシステムの形成

　社会のニーズを原動力として課題の解決に挑むスタートアップを次々と生み出し、企業、大学、公的研究機関等が多様性を確保しつつ相互に連携して価値を共創する新たな産業基盤が構築された社会を目指している。

❶ 社会ニーズに基づくスタートアップ創出・成長の支援

1．ＳＢＩＲ制度による支援

　ＳＢＩＲ[4]制度においては、「中小企業等経営強化法」（平成11年法律第18号）から「科学技術・イノベーション創出の活性化に関する法律」（平成20年法律第63号）へ根拠規定を移管したことにより、イノベーション政策として省庁横断の取組を強化するとともに、これまでの特定補助金等を指定補助金等、特定新技術補助金等に改めた。スタートアップ等に支出可能な補助金の支出目標額（令和4年度目標額：約546億円）を定める方針や、制度の運用を改善する指針の改訂を令和4年6月に閣議決定した。

　また、ＳＢＩＲ制度の支援対象に新たに先端技術分野の実証フェーズを追加し、スタートアップ等による先端技術分野の技術実証の成果の社会実装を推進する。農林水産省は、生物系特定産業技術研究支援センターを通じて、農林水産・食品分野において新たなビジネスを創出するため、技術シーズの創出から開発技術の事業化までを一体的に支援する「スタートアップへの総合的支援」を実施している。

1　本プログラムは内閣官房、内閣府、文部科学省、経済産業省が関係省庁と連携し、科学技術振興機構及び新エネルギー・産業技術総合開発機構に設置された基金により実施している。本基金は令和4年10月に経済施策を一体的に講ずることによる安全保障の確保の推進に関する法律（令和4年法律第43号）に基づく指定基金として指定された。
2　研究インテグリティは、研究の国際化やオープン化に伴う新たなリスクに対して新たに確保が求められる、研究の健全性・公正性を意味する。
3　詳細は第2章第1節 6 ❺ 1（6）研究活動の国際化・オープン化に伴う研究の健全性・公正性（研究インテグリティ）の自律的な確保において後述
4　Small Business Innovation Research

2．大学等発ベンチャーの支援

大学等発ベンチャーの新規創設数は、一時期減少傾向にあったが、近年は回復基調にあり、令和3年度の実績は244件となった。

科学技術振興機構は、「大学発新産業創出プログラム（START[1]）」を通じて、起業前段階から公的資金と民間の事業化ノウハウ等を組み合わせることにより、ポストコロナの社会変革や社会課題解決につながる新規性と社会的インパクトを有する大学等発スタートアップを創出する取組への支援や、スタートアップ・エコシステム拠点都市において、大学・自治体・産業界のリソースを結集し、世界に伍するスタートアップの創出に取り組むエコシステムを構築する取組への支援を実施している。また、政府が決定した「スタートアップ育成5か年計画」において、スタートアップを強力に育成するとともに、国際市場を取り込んで急成長するスタートアップの創出を目指していることを踏まえ、大学等の研究成果に対する国際化の支援とセットとなったギャップファンドプログラムや、地域の中核大学等を中心にスタートアップ創出体制の整備を支援するための基金を創設した。「出資型新事業創出支援プログラム（SUCCESS[2]）」では、科学技術振興機構の研究開発成果を活用するベンチャー企業への出資等を実施することにより、当該企業の事業活動を通じて研究開発成果の実用化を促進している。

経済産業省は、新エネルギー・産業技術総合開発機構が令和2年度から実施している「官民による若手研究者発掘支援事業」において、事業化を目指す大学等の若手研究者と企業のマッチングを伴走支援するとともに、企業との共同研究費等の助成をしている。また、令和4年度は「若手研究者によるスタートアップ課題解決支援事業」において、スタートアップの抱える課題とそれに取り組む大学等の若手研究者との共同研究等の助成をしている。

3．研究開発型スタートアップ支援事業

経済産業省では、新エネルギー・産業技術総合開発機構を通じて、我が国における技術シーズの発掘から事業化までを一体的に支援するため、創業前の起業家支援や、民間ベンチャーキャピタル等と協調した起業後初期の研究開発支援、事業会社と連携した事業化支援等、研究開発型スタートアップの成長フェーズに応じてシームレスに支援する「研究開発型スタートアップ支援事業」を実施した。

また、令和2年7月にスタートアップ支援を行う9つの政府系機関[3]で創設されたスタートアップ支援に関するプラットフォーム（通称Plus（プラス）"Platform for unified support for startups"）は、スタートアップからの相談に対応する一元的な窓口「Plus One」によるスタートアップへの支援制度に関する情報提供・相談対応等の運用等に取り組んできた。令和4年11月、新たに7機関[4]が追加参加したことにより、今後、全16機関での知見やネットワークの共有や、Plus Oneで紹介できる支援メニューの拡大が期待される。

❷　企業のイノベーション活動の促進

経済産業省は、ISO56000シリーズの動向、国内外のイノベーション経営に関する動向を踏まえつつ、施策の検討を行っている。

内閣府はオープンでアジャイルなイノベーションの創出に不可欠なオープンソースソフトウエア（OSS）の経営上の重要性の理解促進とOSS活用に対する意識向上のため、企業関係者が集う日本知的財産協会主催の研修会でパネルディスカッションを実施した。

1　Program for Creating STart-ups from Advanced Research and Technology
2　SUpport Program of Capital Contribution to Early-Stage CompanieS
3　Plus既存参加9機関：新エネルギー・産業技術総合開発機構、日本医療研究開発機構、国際協力機構、科学技術振興機構、農業・食品産業技術総合研究機構、日本貿易振興機構、情報処理推進機構、産業技術総合研究所、中小企業基盤整備機構
4　Plus新規参加7機関：工業所有権情報・研修館、国際協力銀行、日本貿易保険、日本政策金融公庫、日本政策投資銀行、地域経済活性化支援機構、産業革新投資機構

❸ 産学官連携による新たな価値共創の推進

1．国内外の産学官連携活動の現状

（1）大学等における産学官連携活動の実施状況

平成16年4月の国立大学法人化以降、総じて大学等における産学官連携活動は着実に実績を上げている。令和3年度は、民間企業との共同研究による大学等の研究費受入額は約893億円（前年度5.4％増）、このうち1件当たりの受入額が1,000万円以上の共同研究による大学等の研究費受入額は約505億円（前年度8.4％増）、また特許権実施等件数は2万1,959件（前年度4.3％増）であり、前年度と比べて着実に増加している（第2-2-3図）。

（2）技術移転機関（TLO）の現状

令和5年1月現在、32のTLO[1]が「大学等における技術に関する研究成果の民間事業者への移転の促進に関する法律」（平成10年法律第52号）に基づき文部科学省及び経済産業省の承認を受けている。

2．大学等の産学官連携体制の整備

政府は、我が国の大学・国立研究開発法人と外国企業との共同研究等の産学官連携体制に関し、安全保障貿易管理等に配慮した外国企業との連携に係るガイドラインの検討を開始した。

文部科学省及び経済産業省は、企業から大学・国立研究開発法人等への投資を今後10年間で3倍に増やすことを目指す政府目標を踏まえ、産業界から見た、大学・国立研究開発法人が産学官連携機能を強化する上での課題とそれに対する処方箋を取りまとめた「産学官連携による共同研究強化のためのガイドライン」を平成28年11月に策定した。さらに、当該ガイドラインの実効性を向上させるために大学等におけるボトルネックの解消に向けた処方箋と新たに産業界／企業における課題と処方箋を体系化した追補版（令和2年6月）を取りまとめ、具体的な取組手法を整理したＦＡＱ（令和4年3月）、「知」の価値を評価・算出する方法を実務的な水準まで整理した「産学協創の充実に向けた大学等の「知」の評価・算出のためのハンドブック」（令和5年3月）をそれぞれ公表し、その普及に努めている。また、平成30年度から「オープンイノベーション機構の整備[2]」を開始し、企業の事業戦略に深く関わる大型共同研究（競争領域に重点）を集中的にマネジメントする体制の整備を通じて、大型共同研究の推進により民間投資の促進を図っている。

■第2-2-3図／大学等における共同研究等の実績

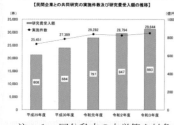
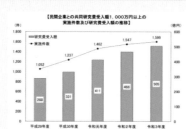
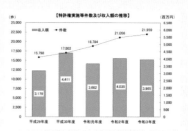

注：1．国公私立の大学等を対象
　　2．大学等とは大学、短期大学、高等専門学校、大学共同利用機関を指す。
　　3．特許権実施等件数は、実施許諾又は譲渡した特許権（「受ける権利」の段階のものも含む。）を指す。
資料：文部科学省「令和3年度　大学等における産学連携等実施状況について」（令和5年2月10日公表）

1　　Technology Licensing Organization
2　　オープンイノベーション機構の整備
　　https://www.mext.go.jp/a_menu/kagaku/openinnovation/index.htm

また、令和元年７月、文部科学省、一般社団法人日本経済団体連合会及び経済産業省が共同で「大学ファクトブック2019」を公表し、産学官連携活動に関する大学の取組の「見える化」を進めた。令和５年３月に最新のデータを基に内容を更新した「大学ファクトブック2023」を取りまとめた。

農林水産省は、「産学連携支援事業」により、全国に農林水産・食品分野を専門とする産学連携コーディネーターを配置し、ニーズの収集・把握、シーズの収集・提供を行うとともに、産学官のマッチング支援や研究開発資金の紹介・取得支援、商品化・事業化支援等を実施している。

３．産学官の共同研究開発の強化

科学技術振興機構は、大学等の研究成果の実用化促進のため、多様な技術シーズの掘り起こしや、先端的基礎研究成果を持つ研究者の企業探索段階から、中核技術の構築や実用化開発の推進等を通じた企業への技術移転まで、ハンズオン支援を実施する「研究成果最適展開支援プログラム（A－STEP[1]）」や、国から出資された資金等により、大学等の研究成果を用いて企業が行う開発リスクを伴う大規模な事業化開発を支援する「産学共同実用化開発事業（NexTEP）」を実施している。

経済産業省は、新エネルギー・産業技術総合開発機構が令和２年度から実施している「官民による若手研究者発掘支援事業」において、事業化を目指す大学等の若手研究者と企業のマッチングを伴走支援するとともに、企業との共同研究費等の助成を通して、若手研究者の支援と大学への民間投資額の３倍増を目指して

支援している。また、令和４年度は「若手研究者によるスタートアップ課題解決支援事業」において、スタートアップの抱える課題とそれに取り組む大学等の若手研究者との共同研究等の助成をしている。

総務省は、情報通信研究機構が構築・運営しているNICT[2]総合テストベッドにより、産学官連携によるIoTや新世代ネットワーク等の技術実証・社会実証を推進している。

農林水産省は、農林水産関連の研究機関を相互に接続する農林水産省研究ネットワーク（MAFFIN[3]）を構築・運営しており、令和４年度現在で71機関が接続している。MAFFINはフィリピンと接続しており、海外との研究情報流通の一翼を担っている。

４．産学官協働の「場」の構築

科学技術によるイノベーションを効率的にかつ迅速に進めていくためには、産学官が協働し、取り組むための「場」を構築することが必要である。科学技術振興機構においては、下記の（１）及び（２）の事業について、令和元年度より「共創の場形成支援」として大括り化し、一体的に推進している。

（１）知と人材が集積するイノベーション・エコシステムの形成

科学技術振興機構は、ウィズ／ポストコロナ時代を見据えつつ、国連の持続可能な開発目標（SDGs[4]）に基づく未来のありたい社会像の実現に向けた、バックキャスト型の研究開発を行う産学官共創拠点の形成を支援するため、令和２年度から「共創の場形成支援プログラム（COI－NEXT）[5]」を実施しており、令

1　Adaptable and Seamless TEchnology transfer Program through target-driven R&D
2　National Institute of Information and Communications Technology
3　Ministry of Agriculture, Forestry and Fisheries Research Network
4　Sustainable Development Goals
5　共創の場形成支援プログラム
　　https://www.jst.go.jp/pf/platform/index.html

和4年度は48拠点の研究開発を推進している。

（2）オープンイノベーションを加速する産学共創プラットフォームの形成

科学技術振興機構は、平成28年度より「産学共創プラットフォーム共同研究推進プログラム（OPERA[1]）」を実施しており、民間企業とのマッチングファンドにより、複数企業から成るコンソーシアム型の連携による非競争領域における大型共同研究と博士課程学生等の人材育成、大学の産学連携システム改革等とを一体的に推進することにより、「組織」対「組織」による本格的産学連携を実現し、我が国のオープンイノベーションの本格的駆動を図っている。

（3）産業技術総合研究所により技術シーズの発掘及び研究開発プログラムの発掘並びに研究開発プロジェクトの推進

産業技術総合研究所は、産業技術に関する産業界や社会からの多様なニーズを捉えながら、技術シーズの発掘や研究開発プロジェクトの推進を行っている。具体的な取組としては、オープンイノベーションハブとしての「TIA」の活動を推進するとともに、共創の場の形成の一環として16の技術研究組合に参画している（令和4年3月31日現在）。

5．オープンイノベーション拠点の形成
（1）筑波研究学園都市

筑波研究学園都市は、我が国における高水準の試験研究・教育の拠点形成と東京の過密緩和への寄与を目的として建設されており、29の国等の試験研究・教育機関をはじめ、民間の研究機関・企業等が立地しており、研究交流の促進や国際的研究交流機能の整備等の諸施策を

推進している。

TIAは、同都市にある公的4機関、産業技術総合研究所、物質・材料研究機構、筑波大学、高エネルギー加速器研究機構と東京大学、東北大学を中心に運営されているオープンイノベーション拠点である。第3期3年度目の令和4年度においては、TIA連携プログラム探索推進事業「かけはし」では、企業連携による研究課題を充実させる取組を強化し、SDGs貢献に向けた情報発信やプレベンチャー醸成といった取組を行った。また、TIAの人材育成事業として、TIA連携大学院「サマー・オープン・フェスティバル」を、Webを活用しながら実施した。若手研究人材の育成を目的とする「Nanotech CUPAL[2]」は、事業最終年度に当たり、「人材育成事業CUPAL総括報告会」を開催した。

（2）関西文化学術研究都市

関西文化学術研究都市は、我が国及び世界の文化・学術・研究の発展並びに国民経済の発展に資するため、その拠点となる都市の建設を推進している。令和4年度現在、150を超える施設が立地しており、多様な研究活動等が展開されている。

6．多様な分野との産学連携を行う「オープンイノベーションの場」の推進

農林水産省は、様々な分野の技術を農林水産・食品分野に導入した産学官連携研究を促進するため、「知」の集積と活用の場®の取組を推進している。

平成28年4月に「「知」の集積と活用の場®産学官連携協議会」を立ち上げ、様々な分野から4,597の研究者・生産者・企業等が会員となり、特定の目的に向けた研究戦略・ビジネス構想作

1　Program on Open Innovation Platform with Enterprises, Research Institute and Academia
　　https://www.jst.go.jp/opera/index.html

2　Nanotech Career-up Alliance

りを行う178の研究開発プラットフォームが活動している（令和5年3月時点）。さらに、研究開発プラットフォーム内に研究コンソーシアムが形成され、研究開発や成果の商品化・事業化に向けた活動が展開されている。

7．技術シーズとニーズのマッチングを促進する環境の醸成

農林水産省は、農林水産・食品産業分野の研究を行う民間企業、大学、公設試験研究機関（以下、「公設試」という。）、独立行政法人等の技術シーズを展示し、技術に対するニーズを有する機関との連携を促進するため、関係各府省・機関と連携し「アグリビジネス創出フェア」を毎年度開催している。令和4年度は、東京ビッグサイトにおいて全国から130機関が、最新の研究成果やその産業利用の取組等について情報発信を行い、3日間の開催期間中に2万人近くが来場した。

文部科学省は、「地域イノベーション・エコシステム形成プログラム[1]」により、地域の競争力の源泉（コア技術等）を核に地域内外の人材や技術を取り込み、グローバル展開が可能な事業化計画を策定し、リスクは高いが社会的インパクトが大きい事業化プロジェクトを支援しており、これまでに全21地域を採択した。

総務省は、ICT分野において新規性に富む研究開発課題を大学・国立研究開発法人・企業・地方公共団体の研究機関等から広く公募し、研究開発を委託する「戦略的情報通信研究開発推進事業（SCOPE[2]）」を通じて、未来社会における新たな価値創造、若手ICT研究者の育成、中小企業の斬新な技術の発掘、ICTの利活用による地域の活性化、国際標準獲得等を推進している。

経済産業省は、令和2年度から開始した「産

学融合拠点創出事業」において、産学融合の先導的取組とネットワーク構築に取り組むモデル拠点や、大学を起点とする企業ネットワークのハブとして活躍する産学連携拠点を支援し、オープンイノベーションの推進と産学連携の新たな転換に向けて取り組んでいる。また、令和4年度は「地域の中核大学等のインキュベーション・産学融合拠点の整備」において、スタートアップ創出や産学連携の推進を後押しするため、大学等のインキュベーション施設や産学融合拠点の整備等を支援している。

農林水産省は、生物系特定産業技術研究支援センターを通じて「イノベーション創出強化研究推進事業」を実施している。この事業では、様々な分野の多様な知識・技術等を結集した提案公募型研究開発を支援することにより、農林水産・食品分野のイノベーション創出や地域課題の解消等に貢献している。また、農林水産業・食品分野を専門とする産学連携コーディネーターを全国に配置し、ニーズの収集・把握、シーズの収集・提供を行うとともに、産学官のマッチング支援や研究開発資金の紹介・取得支援、商品化・事業化支援等を行い、地域における農林水産・食品分野の研究開発の振興を図っている。さらに、地域の実態に応じた研究開発の推進と新たな技術の普及促進を支援する新技術推進フォーラムの開催等の取組を進めている。

産業技術総合研究所は、公設試等と人的交流などを通して密接に連携して地域企業のニーズの発掘に努めるとともに、産業技術総合研究所の技術シーズを活用した地域企業への技術支援を行っている。具体的には、公設試等職員やその幹部経験者等137名を地域企業への「橋渡し」の調整役として「産総研イノベーションコーディネータ」に委嘱・雇用し、産業技術連携推進会議を通じて公設試相互及び公設試と

1　地域イノベーション・エコシステム形成プログラム
　　https://www.mext.go.jp/a_menu/kagaku/chiiki/program/1367366.htm

2　Strategic Information and Communications R&D Promotion Programme

産業技術総合研究所との協力体制を強化するとともに、公設試職員の技術力向上や人材育成を支援している。また、包括協定を締結するなど、地方公共団体との連携を積極的に進め、地方公共団体の予算による補助事業の活用等により、地域産業特性に応じた技術分野での連携を推進している。このような産業技術総合研究所の技術シーズを事業化につなぐ「橋渡し」を地域及び全国レベルで行い、地域企業の技術競争力強化に資することで地方創生に取り組んでいる。

❹　世界に比肩するスタートアップ・エコシステム拠点の形成

　内閣府、文部科学省、経済産業省では、スタートアップ・エコシステムの形成とイノベーションによる社会課題解決の実現を目指して、令和元年6月に「Beyond Limits. Unlock Our Potential～世界に伍するスタートアップ・エコシステム拠点形成戦略～」を策定し、令和2年にグローバル拠点都市4拠点、推進拠点都市4拠点を選定。拠点都市のスタートアップに対して、グローバル市場参入や海外投資家からの投資の呼び込みを促すため「グローバルスタートアップ・アクセラレーションプログラム」を実施する等、政府、政府関係機関、民間サポーターによる集中支援を実施することで、世界に伍するスタートアップ・エコシステム拠点の形成を推進している。

　また、政府は、海外のトップ大学等とも連携しつつ、ディープテック分野の研究機能とインキュベーション機能を兼ね備えた「スタートアップ・キャンパス」の創設に向け、構想の具体化を推進している。本構想では民間資金を基盤として、柔軟な運営を実現した世界標準のスタートアップ・エコシステムを形成し、世界に

挑戦するスタートアップ創出を目指している。

❺　挑戦する人材の輩出

　科学技術振興機構では、「大学発新産業創出プログラム（START）」の一環として、スタートアップ・エコシステム拠点都市において、アントレプレナーシップ教育を含めた大学等の起業支援体制の構築支援に加え、令和4年度第2次補正予算において、スタートアップ・エコシステム拠点都市を中心に、優れた才能を有する子供や、将来設計の入り口である高校生等へアントレプレナーシップ教育を拡大するための支援「EDGE－PRIME Initiative」を実施している。文部科学省は、その機運を高めるための推進役として10名の起業家等を「起業家教育推進大使[1]」として任命した。

　また、文部科学省においては、我が国全体のアントレプレナーシップ醸成を促進するため、「全国アントレプレナーシップ醸成促進事業」を令和4年度から実施し、その一環で全国の大学生等への受講機会拡大を目的とした「全国アントレプレナーシップ人材育成プログラム」をオンラインで実施した。

　また、文部科学省は、複数の大学等でコンソーシアムを形成し、企業等とも連携して、研究者の流動性を高めつつ、安定的な雇用を確保しながらキャリアアップを図る「科学技術人材育成のコンソーシアムの構築事業」を実施している。

　文部科学省及び経済産業省は、人材の流動性を高める上で、研究者等が複数の機関の間での出向に関する協定等に基づき、各機関に雇用されつつ、一定のエフォート管理の下、各機関における役割に応じて研究・開発及び教育に従事することを可能にする、クロスアポイントメント制度を促進することが重要であるとの認識

1　起業家教育推進大使
　https://www.mext.go.jp/a_menu/shinkou/sangaku/mext_00009.html

の下、その実施に当たっての留意点や推奨される実施例等をまとめた「クロスアポイントメント制度の基本的枠組みと留意点」を平成26年12月に公表し、更にその追補版を令和2年6月に公表して、制度の導入を促進している。

❻ 国内において保持する必要性の高い重要技術に関する研究開発の継続・技術の承継

産業技術総合研究所は、国内において保持する必要性の高い重要技術について、企業等での研究継続が困難となった等の問題が生じた場合、将来的に国内企業等へ当該技術が橋渡しされることを想定した上で、可能な範囲で、様々な受入制度を活用し、関係研究者の一時的雇用や当該研究の一定期間引継・継続等の支援を行うことを確認している。

⑤ 次世代に引き継ぐ基盤となる都市と地域づくり（スマートシティの展開）

都市や地域における課題解決を図り、地域の可能性を発揮しつつ新たな価値を創出し続けることができる多様で持続可能な都市や地域が全国各地に生まれることで、あらゆるステークホルダーにとって人間としての活力を最大限発揮できるような持続的な生活基盤を有する社会を目指している。

❶ データの利活用を円滑にする基盤整備・データ連携可能な都市OS[1]の展開

内閣府は、スマートシティを構築する際の共通の設計の枠組みである「スマートシティリファレンスアーキテクチャ」（SIP第2期「ビッグデータ・AIを活用したサイバー空間基盤技術」の一環として作成、令和2年3月公表）について、改訂のための課題整理のための調査を実施した。

❷ スーパーシティを連携の核とした全国へのスマートシティ創出事例の展開

「国家戦略特別区域法の一部を改正する法律」（令和2年法律第34号）に基づき、世界に先駆けて2030年頃の未来の先行実現を目指すスーパーシティ構想等の実現に向けた議論と取組を推進している。

国家戦略特区諮問会議等における審議等を経て、令和4年4月に茨城県つくば市及び大阪府大阪市がスーパーシティ型国家戦略特区に、石川県加賀市、長野県茅野市及び岡山県吉備中央町がデジタル田園健康特区にそれぞれ指定された。また、令和5年3月には、スーパーシティ型国家戦略特区とデジタル田園健康特区の区域会議を立ち上げ、それぞれの特区の目標や事業の方向性を定めた区域方針に即して、スタートアップ支援の取組を盛り込んだ第一弾の区域計画を作成し、内閣総理大臣の認定を受けた。スーパーシティは、地域のデジタル化と規制改革を行うことにより、DXを進め幅広い分野で未来社会の先行的な実現を目指すものである。また、デジタル田園健康特区は、デジタル技術の活用によって、人口減少、少子高齢化など、特に地方部で問題になっている課題に焦点を当て、地域の課題解決の先駆的モデルを目指すものである。これらの特区においては、大胆な規制改革を伴ったデータ連携や先端的サービスの実現に向けた取組が進められており、引き続き国家戦略特区全体で岩盤規制改革に取り組んでいくとともに、特段の弊害のない特区の成果については、全国展開を加速的に進めていく。

総合特区制度は、我が国の経済成長のエンジンとなる産業・機能の集積拠点の形成を目的とする「国際戦略総合特区」と、地域資源を最大限活用した地域活性化の取組による地域力向上を目的とする「地域活性化総合特区」から成り、政府は、規制の特例措置、税制（国際戦略総合特区のみ）・財政・金融上の支援措置など

1　都市オペレーティングシステムの略。スマートシティ実現のために、スマートシティを実現しようとする地域が共通的に活用する機能が集約され、スマートシティで導入する様々な分野のサービスの導入を容易にさせることを実現するITシステムの総称

により総合的に支援を行っている。

　また、関係府省庁は、スマートシティ官民連携プラットフォームを通じた公共団体と民間企業のマッチング支援や、スマートシティガイドブック（令和3年4月公開）を活用した先行事例の横展開・普及展開活動を通じ、先進的なサービスの実装に向けた地域や民間主導の取組を促進している。

　内閣府と関係府省は、「スマートシティ関連事業に係る合同審査会」においてスマートシティ関連事業の実施地域を合同で選定するなど、スマートシティの実装・普及に向けて各府省事業を一体的に実施している。

　内閣府は関係府省とともに、スマートシティ評価指標について検討を行い、その成果を地域におけるKPI設定に資するよう「スマートシティのKPI設定指針（令和4年4月公開）」を取りまとめ、その改善に努めた。

❸　国際展開

　政府は、我が国の「自由で開かれたスマートシティ」のコンセプトの下、グローバル・スマートシティ・アライアンス（GSCA）等の国際的な活動や、各種国際会議等において「スマートシティカタログ」等を活用し発信している。

　また、関係府省は、案件形成調査の実施や関係国・都市の参加による「日ＡＳＥＡＮ[1]スマートシティ・ネットワーク ハイレベル会合」（第4回：令和4年12月）の開催等「日ＡＳＥＡＮスマートシティ・ネットワーク」の枠組みを通じたスマートシティ展開に向けて取組を推進している。

　さらに、関係府省は、スマートシティの海外展開を国際標準の活用により促進するため、国内外の標準の専門家等と連携して、国際標準提案及び国内外の体制構築等について検討を実施した。

❹　持続的活動を担う次世代人材の育成

　関係府省は、スマートシティの実現に必要な人材育成等の課題について、先行する取組事例を掲載したスマートシティガイドブックの普及浸透を図り、これらの運営上の課題解決の取組についての検討を実施している。

6　様々な社会課題を解決するための研究開発・社会実装の推進と総合知の活用

　人文・社会科学と自然科学の融合による「総合知」を活用しつつ、我が国と価値観を共有する国・地域・国際機関等と連携して、社会課題や課題の解決に向けて、研究開発と成果の社会実装に取り組むことで、未来の産業創造や経済成長と社会課題の解決が両立する社会を目指している。

❶　総合知を活用した未来社会像とエビデンスに基づく国家戦略の策定・推進

１．人間や社会の総合的理解と課題解決に貢献する「総合知」

　内閣府では、人間や社会の総合的理解と課題解決に貢献する「総合知」に関して、「総合知」が求められる社会的背景を踏まえ、「総合知」に関する基本的な考え方、更に戦略的な推進方策を検討し、令和4年3月に中間取りまとめとして取りまとめ、その普及啓発のため総合知ポータルサイトの開設やキャラバンの実施等を推進している。

２．分野別戦略

　ＡＩ（第2章第1節 1 ❹参照）、バイオテクノロジー、量子技術、マテリアルや、宇宙（第2章第1節 3 ❺参照）、海洋（第2章第1節 3 ❺参照）、環境エネルギー（第2章第1節 2 参照）、健康・医療、食料・農林水産業（第2章第1節 2 ❶参照）、フュージョンエネルギー（核融合エネルギー）（第2章第1節 2 ❼参照）

1　Association of South East Asian Nations

等の府省横断的に推進すべき分野については、国家戦略に基づき、研究開発等を進めている。本白書で他の箇所で記載していない分野別戦略のうち、バイオテクノロジー、量子技術、マテリアル、健康・医療、フュージョンエネルギーの分野別戦略について以下に記す。

（1）バイオテクノロジー

　世界的なバイオエコノミーへの関心の高まりを受け、政府は「2030年に世界最先端のバイオエコノミー社会を実現」することを全体目標とする「バイオ戦略2019」を令和元年度に策定し、同戦略を改定しつつ政策を推進している。令和2年初頭からの世界的な新型コロナウイルス感染症の流行を受け、令和2年度はバイオ戦略に沿って感染症拡大の収束に向けた研究開発等への対応と収束後の迅速な経済回復を見据えバイオ戦略2019に沿って遅滞なく取り組むべき基盤的施策を取りまとめた「バイオ戦略2020（基盤的施策）」及び市場領域ロードマップと「バイオ戦略2020（市場領域施策確定版）」をそれぞれ分冊版として策定した。さらには、新型コロナウイルス感染症への対応、気候変動に対する国際的な対応等に係る目まぐるしい動きがあり、令和3年度には、これらの動向を踏まえつつ両分冊版を統合・改訂し、「バイオ戦略フォローアップ」とした。そのため、このバイオ戦略フォローアップが実質的に今日のバイオ戦略となっている。

　バイオ戦略は、バイオ関連市場の拡大、バイオコミュニティの形成、データ基盤の整備の3つの柱から構成される。バイオ関連市場の拡大については、2030年時点で総額92兆円のバイオ関連市場の創出を目指し、9つの市場領域を設定し、関連市場の拡大に取り組んでいる。9つの市場領域は、バイオ製造、一次生産等、健康・医療の3領域にまとめられ、バイオ製造を経済産業省、一次生産等を農林水産省、健康・医療を内閣府がそれぞれ市場領域ロードマップを策定し、それぞれの取組を進めている。加えて、内閣府はバイオコミュニティの形成にも

取り組んでいる。バイオコミュニティの形成は、バイオ関連市場の拡大を具現化するため、全国に多様で個性的なコミュニティ群を形成し、継続的に成長を支援することで各市場領域のバリューチェーンを構築しようとする構想である。過去のバイオ拠点形成関連施策の反省として、拠点のあるべき姿や課題についての議論が不十分であったこと、単独都市・研究機関自らの限られた資源（人材、財源など）のみでできることを考え連携が不十分だったことを踏まえ、ビジョンを明確化するとともに、外部からの人材や投資を呼び込む体制の構築を重視している。バイオコミュニティの形成は、バイオ分野で世界をリードするグローバルバイオコミュニティと、地域の特性を活かした特色ある取組を展開してエコシステムを構築する地域バイオコミュニティの二層で進めている。グローバルバイオコミュニティについては、令和4年4月に東京圏にGreater Tokyo Biocommunity、関西圏にバイオコミュニティ関西（BiocK）2拠点を認定した。地域バイオコミュニティについては、令和4年12月に新たにひろしまバイオDXコミュニティ、沖縄バイオコミュニティの2拠点を認定し、現在全国6拠点が認定されている。また、これらのバイオコミュニティ間連携の促進と活動を後押しするため、これらコミュニティ、関係省庁、関係団体、在外公館等の関係者が一堂に会する「官民連携プラットフォーム」会合の開催、「バイオコミュニティ成長支援施策パッケージ」の取りまとめ、各コミュニティの状況及び参考となる情報にワンストップでアクセス可能なWEBサイトの開設等の取組を進めている。データ基盤の整備については、今後のバイオ分野の研究開発・事業化にはバイオとデジタルの融合が不可欠であるとの考えの下、幅広く、柔軟なデータ連携を可能とする環境の構築に向けた取組を進めている。

（2）量子技術

　量子科学技術（光・量子技術）は、例えば、

近年爆発的に増加しているデータの超高速処理を可能とするなど、新たな価値創出の中核となる強みを有する基盤技術である。近年、量子科学技術に関する世界的な研究開発が激化しており、米欧中を中心に海外では、政府主導で研究開発戦略を策定し、研究開発投資額を増加させている。さらに、世界各国の大手ＩＴ企業も積極的な投資を進め、ベンチャー企業の設立・資金調達も進んでいる。

こうした量子科学技術の先進性やあらゆる科学技術を支える基盤性と、国際的な動向に鑑み、政府は令和２年１月に「量子技術イノベーション戦略」を策定し、同戦略に基づき、令和３年２月に整備した国内８拠点から成る「量子技術イノベーション拠点」を中心として戦略的な研究開発等に取り組んできた。量子産業を巡る国際競争の激化など外部環境が変化する中で、将来の量子技術の社会実装や量子産業の強化を実現するため、令和４年４月に「量子未来社会ビジョン」を打ち出し、量子技術の国内利用者1,000万人などの2030年に目指すべき状況を示した。この達成に向け、量子技術と従来型技術システムの融合、量子コンピュータ・通信等の試験可能な環境（テストベッド）の整備、量子技術の研究開発及び活用促進、新産業・スタートアップ企業の創出・活性化を推進している。量子技術の実用化・産業化に当たっては、持続可能な社会経済への取組に対して柔軟に対応していくことが求められている中で、「量子未来社会ビジョン」で掲げられた目標を実現していくため、産学官の連携の下、量子技術の実用化・産業化に向けて、重点的・優先的に取り組むべき具体的な取組の方向性を示すべく、内閣府が開催している量子技術の実用化推進ワーキンググループにおいて新しい戦略策定に向けた議論を進めている。

内閣府では、平成30年度から実施している「戦略的イノベーション創造プログラム（ＳＩＰ）第２期」課題において、①レーザー加工、②光・量子通信、③光電子情報処理と、これらを統合したネットワーク型製造システムの研究開発及び社会実装を推進している。中でも①におけるフォトニック結晶レーザー（ＰＣＳＥＬ[1]）の研究開発では、従来の1/3の体積という、クラス最小のＬｉＤＡＲ[2]システムの開発に成功するとともに、超小型レーザー加工システムに向けた更なる高輝度・高性能化に取り組んでいる。また、令和２年６月、「官民研究開発投資拡大プログラム（ＰＲＩＳＭ）」に「量子技術領域」を設置し、官民の研究開発投資の拡大に資する研究開発を支援している。さらに、令和２年１月にムーンショット型研究開発制度において、「2050年までに、経済・産業・安全保障を飛躍的に発展させる誤り耐性型汎用量子コンピュータを実現」するというムーンショット目標を設定し、挑戦的な研究開発を推進している。

総務省及び情報通信研究機構は、計算機では解読不可能な量子暗号技術や単一光子から情報を取り出す量子信号処理に基づく量子通信技術の研究開発に取り組んでいる。また、総務省では、将来の社会インフラとして期待されている量子インターネット実現に向けた要素技術の研究開発や、地上系の量子暗号通信の更なる長距離化技術（長距離リンク技術及び中継技術）の研究開発を推進している。さらに、地上系で開発が進められている量子暗号技術を衛星通信に導入するため、宇宙空間という制約の多い環境下でも動作可能なシステムの構築、高速移動している人工衛星からの光を地上局で正確に受信できる技術及び超小型衛星にも搭載できる技術の研究開発に取り組んでいる。加えて、令和３年度より地上系及び衛星系ネットワークを統合したグローバル規模の量子暗号通信網構築に向けた研究開発を実施している。これらとともに、５Ｇ等の高度化を見据えつつ、大規模量子コンピュータ等に解読されないように、超高速・大容量に対応する共通鍵暗号方

1　Photonic Crystal Surface Emitting Lasers
2　Light Detection And Ranging

式及び耐量子計算機暗号（ＰＱＣ）への機能付加技術等の研究開発を実施している。

文部科学省では、平成30年度から実施している「光・量子飛躍フラッグシッププログラム（Ｑ−ＬＥＡＰ）」において、①量子情報処理（主に量子シミュレータ・量子コンピュータ）、②量子計測・センシング、③次世代レーザーを対象とし、プロトタイプによる実証を目指す研究開発を行うFlagshipプロジェクトや基礎基盤研究及び人材育成プログラム開発を推進している。平成30年度から同事業において国産量子コンピュータ（超伝導方式）の開発を行い、令和5年3月27日に、理化学研究所において初号機がクラウド公開された。今後、次世代機（100量子ビット級）の令和7年度公開に向けて、研究開発を推進していく。

量子科学技術研究開発機構では、量子技術イノベーション拠点として、量子生命拠点（令和3年2月発足）において、量子計測・センシング等の量子技術と生命・医療等に関する技術を融合した量子生命科学の研究開発に取り組むとともに、量子機能創製拠点（令和4年5月発足）において、高度な量子機能を発揮する量子マテリアルの研究開発に取り組んでいる。また、重粒子線がん治療装置の小型化・高度化などの研究を実施している。

経済産業省では、平成30年度より開始した「高効率・高速処理を可能とするＡＩチップ・次世代コンピューティングの技術開発事業」において、社会に広範に存在している「組合せ最適化問題」に特化した量子コンピュータ（量子アニーリングマシン）の当該技術の開発領域を拡大し、量子アニーリングマシンのハードウェアからソフトウェア、アプリケーションに至るまで、一体的な開発を進めており、令和元年度からは新たに、共通ソフトとハードをつなぐインターフェイス集積回路の開発を開始した。また、令和3年度からはこれらの量子アニーリング3テーマ（ハードウェア、ソフトウェア、インターフェイス）を「量子計算及びイジング計算システムの総合型研究開発」として統合し、

より一体的に実用化を見据えた研究開発を実施している。

また、量子技術の産業利用を加速化するため、令和4年度第二次補正予算により、量子コンピュータとそのデバイス・部素材等の研究開発・性能評価設備を備えたグローバル産業化拠点を産業技術総合研究所に創設することとし、整備を開始した。

（3）マテリアル

マテリアル分野は、我が国が産学で高い競争力を有するとともに、広範で多様な研究領域・応用分野を支え、その横串的な性格から、異分野融合・技術融合により不連続なイノベーションをもたらす鍵として広範な社会的課題の解決に資する、未来の社会における新たな価値創出のコアとなる基盤技術である。

当該分野の重要性に鑑み、政府は令和3年4月、2030年の社会像・産業像を見据え、Society 5.0の実現、ＳＤＧｓの達成、資源・環境制約の克服、強靭な社会・産業の構築等に重要な役割を果たす「マテリアル・イノベーションを創出する力」、すなわち「マテリアル革新力」を強化するための戦略（「マテリアル革新力強化戦略」）を、統合イノベーション戦略推進会議において決定した。同戦略では、国内に多様な研究者や企業が数多く存在し、世界最高レベルの研究開発基盤を有する我が国の強みを活かし、産学官関係者の共通ビジョンの下、①革新的マテリアルの開発と迅速な社会実装、②マテリアルデータと製造技術を活用したデータ駆動型研究開発の促進、③国際競争力の持続的強化等を強力に推進することとしている。

文部科学省は、当該分野に係る基礎的・先導的な研究から実用化を展望した技術開発までを戦略的に推進するとともに、研究開発拠点の形成等への支援を実施している。具体的には、大学等において産学官が連携した体制を構築し、革新的な機能を有するもののプロセス技術の確立が必要となる革新的材料を社会実装につなげるため、プロセス上の課題を解決するた

めの学理・サイエンス基盤の構築を目指す「材料の社会実装に向けたプロセスサイエンス構築事業（Materealize）」を実施している。

また、「マテリアル革新力強化戦略」において、データを基軸とした研究開発プラットフォームの整備とマテリアルデータの利活用促進の必要性が掲げられていることも踏まえ、文部科学省では、「ナノテクノロジープラットフォーム」の先端設備共用体制を基盤として、多様な研究設備を持つハブと特徴的な技術・装置を持つスポークから成るハブ＆スポーク体制を新たに構築し、高品質なデータを創出することが可能な最先端設備の共用体制基盤を全国的に整備する「マテリアル先端リサーチインフラ（ARIM）」を令和3年度から開始した。本事業は、物質・材料研究機構が設備するデータ中核拠点を介し、産学のマテリアルデータを戦略的に収集・蓄積・構造化して全国で利活用するためのプラットフォームの整備を進めている。加えて、「データ創出・活用型マテリアル研究開発プロジェクト（DxMT）」においては、データ活用により超高速で革新的な材料研究手法の開拓と、その全国への展開を目指し

ている。令和3年度に実施したフィージビリティ・スタディを踏まえ、令和4年度からは本格研究を開始し、研究データの創出から統合・共有、利活用までを一貫して扱う研究開発を推進している。

さらに、物質・材料研究機構は、新物質・新材料の創製に向けたブレークスルーを目指し、物質・材料科学技術に関する基礎研究及び基盤的研究開発を行っている。量子やカーボンニュートラル、バイオ等、政府の重点分野に貢献する革新的マテリアルの研究開発を推進するほか、マテリアル分野のイノベーション創出を強力に推進するため、基礎研究と産業界のニーズの融合による革新的材料創出の場や世界中の研究者が集うグローバル拠点を構築するとともに、これらの活動を最大化するための研究基盤の整備を行う事業として「革新的材料開発力強化プログラム～M3（M－cube）～」を実施している。令和2年度から、データ中核拠点として全国の先端共用設備から創出されたマテリアルデータの戦略的な収集・蓄積・AI解析までを含む利活用を可能とするシステムの構築に取り組み、マテリアル革新力強化戦

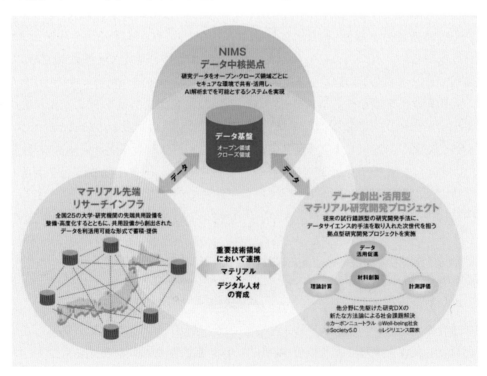

「マテリアルDXプラットフォーム」の全体イメージ
資料：ARIMパンフレット

略にも掲げられている令和5年度からの試験運用開始に向けて整備を進めている。

経済産業省では、日本が強みを有する分野の製造プロセス技術の更なる高度化に向け、データを活用したプロセス技術開発等を加速化するマテリアル・プロセスイノベーションプラットフォームを産業技術総合研究所のつくばセンター、中部センター、中国センターの3拠点に整備し、令和4年度から本格的な運用を開始している。

内閣府は、令和5年度から開始するSIP第3期課題候補の1つに「マテリアルプロセスイノベーション基盤技術の整備」を選定し、令和4年度にフィージビリティ・スタディを実施した。その中で、長期のマクロトレンドにおいてマテリアルが中心となる有望な市場が多くあること、他国にないマテリアルの多種・広範囲なデータ・評価分析基盤が国内に多数分散して存在していること、国によるマテリアル分野のデータ駆動開発への投資で大幅に開発スピードを短縮できた事例等を明らかにした。これらの結果を踏まえ、SIP第3期の課題「マテリアル事業化イノベーション・育成エコシステムの構築」では、ネットワーク化したプラットフォームを構築し、ベンチャー等による革新的事業構築に必要なアプリケーション作成の基盤として活用、その結果、ユニコーンを次々に生み出すエコシステムを形成することに取り組むこととしている。

経済産業省は、次世代自動車や風力発電等に必要不可欠な原料であるレアアース・レアメタル等の希少元素の調達制約の克服や、省エネルギーを図るため、両省で連携しつつ、材料の研究開発を行っている。

また、「輸送機器の抜本的な軽量化に資する新構造材料等の技術開発事業」により、軽量化による輸送機器の省エネルギー化を目指し、レ

アメタルを極力使用しない安価な炭素を活用した薄鋼板及び強度、加工性等の複数の機能を向上した鋼板、アルミニウム、マグネシウム、チタン、炭素繊維、炭素繊維複合材料等の開発と、複数の材料を適材適所に複合的に用いるマルチマテリアル化技術の開発を行っている。加えて「資源循環システム高度化促進事業」により、我が国の都市鉱山の有効利用を促進し、資源の安定供給及び省資源・省エネルギー化を実現するため、廃製品・廃部品の自動選別技術、高効率製錬技術及び動静脈情報連携システムの開発を行っている。さらに、「サプライチェーン強靱化に資する技術開発・実証」により、供給途絶リスクの高いレアアースのサプライチェーン強靱化につなげるため、レアアースの使用を極力減らす、又は使用しない高性能磁石の開発や不純物等が多く利用が難しい低品位レアアースを利用するための技術開発等を行っている。

（4）健康・医療

健康・医療分野は、国民が健康な生活及び長寿を享受することのできる社会の形成に資するため、世界最高水準の医療の提供に資する医療分野の研究開発及び当該社会の形成に資する新たな産業活動の創出等を総合的かつ計画的に推進すべく、健康・医療戦略推進本部の主導の下、令和2年度より第2期となった新たな「健康・医療戦略」（令和2年3月27日閣議決定。令和3年4月9日一部変更。）及び「医療分野研究開発推進計画」（令和2年3月27日健康・医療戦略推進本部決定。令和3年4月6日一部変更。）に基づく取組を進めている[1]。

従来、関係省庁がそれぞれに運用していた医療分野の研究開発予算を日本医療研究開発機構に一元的に計上した上で、ア①〜⑥に示す六つの統合プロジェクトを編成し、日本医療研究

1　健康・医療戦略推進本部
　　https://www.kantei.go.jp/jp/singi/kenkouiryou/senryaku/index.html

開発機構を中核として、基礎から実用化まで一貫した研究開発を推進している。また、「医療分野の研究開発に資するための匿名加工医療情報に関する法律」（平成29年法律第28号）に基づき、認定事業者の事業運営が軌道に乗るよう、医療機関や地方公共団体等に向け認定事業者に対する医療情報の提供に関する協力を要請するなど、環境の整備を進めている。

ア　6つの統合プロジェクト
❶　医薬品プロジェクト

　医療現場のニーズに応える医薬品の実用化を推進するため、創薬標的の探索から臨床研究に至るまで、モダリティの特徴や性質を考慮した研究開発を行うこととしている。

　令和4年度においては、例えば、新規モダリティ開発において課題となっている送達技術研究の医工連携による推進、国際競争力のある次世代抗体医薬品の製造技術開発、クライオ電子顕微鏡の実験操作の自動化・遠隔化の推進による創薬支援基盤の強化等を行った。またシーズ実用化を加速化する取り組みとして、アカデミア研究者と企業有識者の意見交換の場としてアカデミア医薬品シーズ開発推進会議（AMED-FluX）を令和3年度より継続して開催している。

❷　医療機器・ヘルスケアプロジェクト

　ＡＩ・ＩｏＴ技術、計測技術、ロボティクス技術等を融合的に活用し、診断・治療の高度化や、予防・ＱＯＬ向上に資する医療機器・ヘルスケアに関する研究開発を行うこととしている。なお、本プロジェクトは日本医療研究開発機構を中核に、経済産業省、文部科学省、厚生労働省及び総務省の連携により支援を実施している。

　令和4年度においては、将来の医療・福祉分野のニーズを踏まえた、ＡＩやロボット等の技術を活用した革新的な医療機器等の開発の強化や、疾患の特性に応じた早期診断・予防や低侵襲治療等のための医療機器等の開発の推進

を行った。

❸　再生・細胞医療・遺伝子治療プロジェクト

　再生・細胞医療の実用化に向け、細胞培養・分化誘導等に関する基礎研究、疾患・組織別の非臨床・臨床研究や製造基盤技術の開発、疾患特異的ｉＰＳ細胞等を活用した難病等の病態解明・創薬研究及び必要な基盤構築を行うほか、遺伝子治療について、遺伝子導入技術や遺伝子編集技術に関する研究開発を行う。さらに、これらの分野融合的な研究開発を推進することとしている。

　令和4年度においては、文部科学省の再生医療実現拠点ネットワークプログラムにおいて、ｉＰＳ細胞や体性幹細胞等を用いた再生・細胞医療の実用化を目指した基礎研究や遺伝子治療との融合研究、ｉＰＳ細胞等を用いた病態メカニズム理解に基づく創薬研究を行うとともに、厚生労働省の再生医療実用化研究事業における臨床研究・治験の推進や経済産業省の再生医療・遺伝子治療の産業化に向けた基盤技術開発事業における製造技術の開発とも連携し、基礎から実用化に向けて一体的に研究開発を推進した。

❹　ゲノム・データ基盤プロジェクト

　ゲノム・データ基盤の整備・利活用を促進し、ライフステージを俯瞰した疾患の発症・重症化予防、診断、治療等に資する研究開発を推進することで個別化予防・医療の実現を目指すこととしている。

　令和4年度は、健康・医療研究開発データ統合利活用プラットフォーム事業が開始され、健康・医療分野におけるデータ連携の基盤として、ＡＭＥＤ事業全体から生み出される複数のデータベース等を連携し、横断検索機能を有するとともに、産業界も含めた研究開発にデータを持ち込み扱えるセキュリティが担保されたVisiting利用環境を広く提供するために、まずは先行的に既に収集されているゲノムデータ

をつなぐための開発を進めた。また、厚生労働省の革新的がん医療実用化研究事業等において、「全ゲノム解析等実行計画2022」に基づき、遺伝性腫瘍の臨床像の多様化を説明する新規遺伝素因の解明等に貢献する基盤情報・体制の構築等を推進した。また、文部科学省の東北メディカル・メガバンク計画においても、一般住民10万人の全ゲノム解析を官民共同で実施するなど、ゲノム・データ基盤の一層の強化を進めている。

❺　疾患基礎研究プロジェクト

医療分野の研究開発への応用を目指し、脳機能、免疫、老化等の生命現象の機能解明や、様々な疾患を対象にした疾患メカニズムの解明等のための基礎的な研究開発を行うこととしている。

令和4年度においては、例えば感染症については、新型コロナウイルス感染症の影響を踏まえ、国内外の感染症研究基盤の強化や基礎的研究の推進を行った。また、がんについては、効果的な治療法の開発や有望シーズの発見・開発のための研究の推進等を行った。さらに、脳機能研究では、非ヒト霊長類の高次機能を担う神経回路の全容をニューロンレベルで解明し、脳構造機能マップを作成することで、ヒトの脳の動作原理等の解明に向けた研究などを進めている。

❻　シーズ開発・研究基盤プロジェクト

アカデミアの組織・分野の枠を超えた研究体制を構築し、新規モダリティの創出に向けた画期的なシーズの創出・育成等の基礎的研究や、国際共同研究を実施するとともに、橋渡し研究支援拠点や臨床研究中核病院において、シーズの発掘・移転や質の高い臨床研究・治験の実施のための体制や仕組みを整備するとともに、リバース・トランスレーショナル・リサーチや実証研究基盤の構築を推進することとしている。

令和4年度においては、引き続き文部科学省の革新的先端研究開発支援事業において、先端

的な基礎研究を推進するとともに、研究基盤の構築として、文部科学省と厚生労働省とが連携し、橋渡し研究支援拠点におけるシーズ研究支援の強化や、臨床研究中核病院における安全で質の高い治験や臨床研究を実施・支援する体制等の整備を実施した。さらに、基金事業である先端国際共同研究推進プログラムを新たに立ち上げた。

イ　疾患領域に関連した研究開発

上記の六つの統合プロジェクトの中で、疾患領域に関連した研究開発も行うこととしている。その際、多様な疾患への対応が必要であること、感染症対策など機動的な対応が必要であることから、統合プロジェクトの中で行われる研究開発を特定の疾患ごとに柔軟にマネジメントできるように推進することとしている。令和4年度における各疾患領域に関連した主な取組としては、特に「感染症」については、新型コロナウイルス感染症の蔓延に伴い、その治療法、診断法、ワクチン開発等に対する支援を推進するとともに、「がん」や「難病」については、がんや難病等の医療の発展や、個別化医療の推進など、がんや難病等患者のより良い医療の推進のため、「全ゲノム解析等実行計画2022」に基づき、先行解析を推進した。また、「老年医学・認知症」については、認知症施策推進大綱に基づき、認知症研究開発事業において、後ろ向きコホートデータを活用した認知症性疾患の層別化と病態機構解明に資する研究等に対する支援を推進した。

ウ　ムーンショット型の研究開発

100歳まで健康不安なく人生を楽しめる社会の実現など目指すべき未来像を展望し、困難だが実現すれば大きなインパクトが期待される社会課題に対して、健康・医療分野においても貢献すべく、野心的な目標に基づくムーンショット型の研究開発を、戦略推進会議等を通じて総合科学技術・イノベーション会議で定める目標とも十分に連携しつつ、関係府省が連携

して行うこととしている。

令和4年度においては、これまで採択した5件の研究を引き続き推進するとともに、取組を更に強化すべく、炎症制御、腸内細菌制御に係る研究、及び日米共同声明を踏まえたがんムーンショットに係る研究2件を新たに採択し、研究を開始した。

エ　インハウス研究開発

関係府省が所管するインハウス研究機関が行っている医療分野のインハウス研究開発については、健康・医療戦略推進本部事務局、関係府省、インハウス研究機関及び日本医療研究開発機構の間で情報共有・連携を恒常的に確保できる仕組みを構築するとともに、各機関の特性を踏まえつつ、日本医療研究開発機構の研究開発支援との適切な連携・分担の下、全体として戦略的・体系的な研究開発を推進していくこととしている。

令和4年度においては、インハウス研究機関間での連絡調整会議を実施し、情報共有等を行うとともに、創薬支援ネットワーク（強固な連携体制を構築し、大学や公的研究機関の成果から革新的新薬の創出を目指した実用化研究の支援）を実施するなど連携して研究を行った。具体的なインハウス研究機関の取組としては、例えば、理化学研究所においては、ヒトの生物学的理解を通した健康長寿の実現等を目指して、基盤的な技術開発を行うとともに、ライフサイエンス分野の研究開発を戦略的に推進した。医薬基盤・健康・栄養研究所においては、ＡＩ創薬等に係る基盤的技術に関する研究及び創薬等支援に取り組んだ。産業技術総合研究所においては、創薬支援ネットワークにおける医薬品候補化合物のスクリーニングの支援に活用するため、細胞単離に資する技術の開発等に取り組んだ。他のインハウス研究機関においても、世界最高水準の研究開発・医療を目指して新たなイノベーションを創出するために、新たなニーズに対応した研究開発や効果的な研究開発が期待される領域等について積極的に

取り組んだ。

（5）フュージョンエネルギー（核融合エネルギー）

フュージョンエネルギーは、①カーボンニュートラル、②豊富な燃料、③固有の安全性、④環境保全性という特徴を有することから、エネルギー問題と地球環境問題を同時に解決する世界の次世代のエネルギーとして期待されている。また、技術さえ保有していれば多くの国が海水から燃料を生成することが可能となることから、エネルギーの覇権が資源を保有するものから技術を保有する者へと移るため、技術の獲得によるエネルギー安全保障の確保が重要な課題になっている。

2022年12月に、米国ローレンスリバモア国立研究所において、実際の燃料を用いた核融合反応により、史上初めて入力エネルギーを上回る出力エネルギーを発生させることに成功する等、科学的・技術的進展もあり、諸外国においては民間投資が増加している。その民間投資は様々な企業に共同研究や機器調達という形で投じられ、海外ではサプライチェーンが構築されつつある。米国や英国の政府は、フュージョンエネルギーの産業化を目標とした国家戦略を策定し、自国への技術の囲い込みを開始しており、発電の実現を待たずして産業化への競争が既に生じている。

我が国は、これまでの研究開発を通じて培った技術的優位性とものづくり産業における信頼性等を有しており、他国との連携による相乗効果により、他国の技術を国内開発に活かすとともに海外市場を獲得するチャンスである。一方で、このままでは、我が国は技術を提供するだけで産業化に遅れ、結果的に市場競争に敗れるというリスクに晒（さら）されている。

そのような背景から、政府は「世界の次世代エネルギーであるフュージョンエネルギーの実用化に向け、技術的優位性を生かして、市場の勝ち筋を掴む、フュージョンエネルギーの産業化」を国家戦略ビジョンとして掲げ、令和5

年4月に「フュージョンエネルギー・イノベーション戦略」を策定した。今後、ビジョンを達成するため、①フュージョンインダストリーの育成戦略、②フュージョンテクノロジーの開発戦略、③フュージョンエネルギー・イノベーション戦略の推進体制等を強力に推進していく。

コラム6　日本医療研究開発大賞

「日本医療研究開発大賞」は、我が国のみならず世界の医療の発展に向けて、医療分野の研究開発の推進に多大な貢献をした事例の功績を称えるため、平成29年度より内閣総理大臣、健康・医療戦略担当大臣、文部科学大臣、厚生労働大臣、経済産業大臣、日本医療研究開発機構（AMED）理事長から表彰を行っています。

疾患原因の究明や創薬に貢献した生命科学の研究、医療現場で幅広く使われている画期的な医薬品や医療機器の開発などの優れた事例がこれまでに表彰されています。

令和3年12月の第5回内閣総理大臣賞では、テルモ株式会社及び竹田晋浩・NPO法人日本ECMOnet理事長が、心肺機能を補助する医療機器ECMOを、研究開発を通じて長期使用に応えるため耐久性を追求した改良を継続し、また医療現場の人材支援を行い、新型コロナウイルス感染症重症患者の救命率向上を実現した功績で受賞されました。

第6回の表彰からは対象を拡大し、医療分野の研究開発において将来性が期待されるスタートアップ企業等を表彰するスタートアップ枠も新たに設け、公募により幅広く募集を行いました。有識者による選考を経て、令和5年夏頃を目途に受賞者を決定し、表彰を行う予定です。

今後も優れた医療研究の成果や、スタートアップ企業から生み出される成果が社会に実装され、国民の皆様に還元されることを後押しするために、日本医療研究開発大賞を進めていきます。

第5回日本医療研究開発大賞表彰式の様子
資料：首相官邸HP
https://www.kantei.go.jp/jp/singi/kenkouiryou/suisin/amed/dai5/index.html

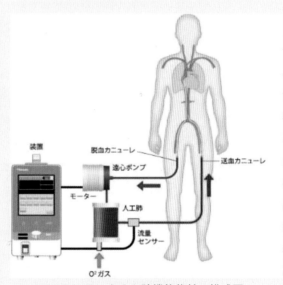

ECMOによる心肺機能代替の模式図
提供：テルモ株式会社
https://www.kantei.go.jp/jp/singi/kenkouiryou/suisin/amed/dai5/pdf/prime_minister_award.pdf

コラム7　医療情報の更なる利活用に向けて　～次世代医療基盤法～

　昨今の医療現場を取り巻く環境は、新型コロナウイルス感染症の拡大やデジタル化の進展などと相まって大きく変化しつつあり、電子カルテをはじめとした医療情報の利活用がより一層重要になっています。

　一方、我が国における医療情報の活用については、全国規模で利活用が可能なデータは診療報酬明細書（レセプト）データが基本であり、診療行為の実施結果（アウトカム）に関するデータの利活用は十分に進んでいませんでした。また、民間の医療機関が中心の我が国では、保険制度等が分立していることもあり、医療情報が分散して保有されてきました。

　こうした状況を踏まえ、質の高い医療情報の利活用を推進し、研究開発に活かしていくための法律が、「次世代医療基盤法」（正式名称：医療分野の研究開発に資するための匿名加工医療情報に関する法律）（平成29年法律第28号）です。

　健康・医療に関する先端的な研究開発や新産業創出を促進し、もって健康長寿社会の形成に資するという法の目的を達成するため、令和4年末現在、全国108の医療機関等から、患者への通知に基づいて、国が認定する3つの認定事業者に計約260万人分の医療情報が収集されています。これらの医療情報は認定事業者によって個人の特定ができないように匿名加工された上で、製薬企業や大学の研究者などに提供され、これまで21件の利活用実績につながるなど、制度の活用が徐々に進んできています。

　一方で、特定の個人が識別されないように加工する匿名加工ならではの制約として、特異な数値や希少な症例についてのデータが加工されてしまう、継続的・発展的なデータ提供に対応できない、元データに立ち返った検証が難しいなどの課題も指摘されてきました。また、医療機関等の協力の下多様な医療情報をどのように収集していくかも引き続き課題となっています。

　こうした課題を踏まえつつ、多様な有識者による議論を経て、新たに仮名加工医療情報の利活用に係る仕組みの創設（図）や、NDB[1]等の公的データベースの情報と匿名加工医療情報との連結解析の可能化を軸とした、本法律の改正法案が国会に提出されました。その後、令和5年5月17日に可決・成立しました。

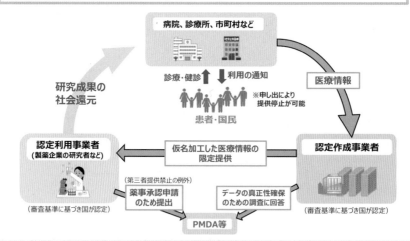

仮名加工医療情報の利活用に係る仕組みの創設
資料：内閣府作成

　今般の改正により、薬事承認申請への利活用を含めた有用性の高いデータの提供や、匿名加工医療情報と他の公的データベースとの連結解析などが実現され、医療分野の研究開発がより一層発展することが期待されます。個人の権利利益をしっかりと守りながら、創薬など研究現場のニーズに応え、医療情報の更なる利活用を促進します。

1　高齢者の医療の確保に関する法律に基づき、国民の特定健診や特定保健指導情報、レセプト情報を管理するデータベース

3．エビデンスに基づく戦略策定、未来社会を具体化した政策の立案・推進

　未来社会像の検討に向けた長期的な変化の探索・分析の一環として、文部科学省科学技術・学術政策研究所は、5年ごとに科学技術予測調査（昭和46年当初は科学技術庁にて実施）を行っている。次回の第12回調査の実施に向けて、令和2年度からは、科学技術や社会の早期の兆しを捉えるホライズン・スキャニングとして、毎年、専門家に注目する科学技術等をアンケートし、専門家の知見を幅広く収集・蓄積している。令和4年度からは、第12回調査の一環として、将来想定される個人・社会の価値観の変化や「ありたい」将来像を把握・分析する、ビジョニング調査を実施している。

　内閣府は、重要科学技術領域の探索・特定に資するよう、注目する技術に関する世界の研究動向や日本の強み・弱み等を論文情報に基づき把握するツールを開発し、政策検討への活用を進めている。また、府省共通研究開発管理システム（e-Rad）を通じて分析に必要となる各種データを収集している。これらのデータも活用し、エビデンスシステム（e-CSTI[1]）において、研究費と研究アウトプットに関する分析、研究設備・機器の共用や外部資金の獲得状況に関する分析、産業界の人材育成ニーズと学生の履修状況に関する分析等を実施している。

　文部科学省科学技術・学術政策研究所は、科学技術・イノベーションに関する政策形成及び調査・分析・研究に活用するデータ等を体系的かつ継続的に整備・蓄積していくためのデータ・情報基盤を構築し、また、調査・分析・研究を行っている。当該基盤を活用した調査研究の成果は、科学技術・イノベーション基本計画の検討をはじめ、文部科学省及び内閣府の各種政策審議会等に提供・活用されている。

　また、科学技術振興機構 研究開発戦略センターは、国内外の科学技術・イノベーションや関連する社会の動向の把握・俯瞰・分析を行い、研究開発成果の最大化に向けた研究開発戦略を検討し、科学技術・イノベーション政策立案に資する提言等を行っている。

　技術の高度化・複雑化の進展に伴い技術革新の重要性が増す中、限られたリソースを戦略的に投じていくことが一層求められている。こうした観点から、新エネルギー・産業技術総合開発機構技術戦略研究センターは、産業技術政策の策定に必要なエビデンスや知見を提供する重要なプレイヤーとして、グローバルかつ多様な視点で技術・産業・政策動向を把握・分析し、産業技術やエネルギー・環境技術分野の技術戦略の策定及びこれに基づく重要なプロジェクトの構想に政策当局と一体となって取り組んでいる。

　文部科学省は、我が国で日常摂取される食品の成分を収載した「日本食品標準成分表」を公表している。日本食品標準成分表の充実・利活用を含めた在り方等を検討するとともに、現代型の食生活に対応した質の高い情報の集積が求められていることを踏まえた食品成分分析等の調査を行った。

4．半導体の技術的優位性確保と安定供給に向けた取組

　半導体は、デジタル化や脱炭素化、経済安全保障の確保を支えるキーテクノロジーであり、その技術的優位性の確保と安定供給体制の構築に向け、諸外国に比肩する国策としての取組が必要である。経済産業省としては、半導体・デジタル産業戦略検討会議を開催し、令和3年6月には半導体・デジタル産業戦略を打ち出し、同年11月には「我が国の半導体産業の復活に向けた基本戦略」として更なる具体化を行っている。基本戦略においては、3段階にわたる取組方針を示しており、具体的には、ステップ1として、半導体の国内製造基盤の整備に取り組み、ステップ2として、令和7年以降に実用化が見込まれる次世代半導体の製造技術開発を

1　　Evidence data platform constructed by Council for Science, Technology and Innovation

国際連携にて進めるとともに、ステップ3として、令和12年以降を睨みゲームチェンジとなり得る光電融合などの将来技術の開発などにも着手していくことを掲げている。

この戦略に基づき、令和4年度第2次補正予算においては、先端半導体から部素材まで含めた半導体サプライチェーン強靱化のために約8,000億円、次世代半導体の製造技術開発で約5,000億円と、合計1.3兆円の予算を措置した。さらに、この戦略を実現していく上で不可欠な半導体産業を担う人材の育成・確保についても、九州地域を皮切りに地域単位・国での産学官連携の取組が進んでおり、今後全国に展開していく。引き続き、戦略に基づき、必要な施策を講じていく。

5．ロボット開発に関する取組等

経済産業省では、令和元年7月にロボットによる社会変革推進会議が取りまとめた「ロボットによる社会変革推進計画」に基づき、「①ロボットフレンドリーな環境の構築」、「②人材育成の枠組みの構築」、「③中長期的課題に対応する研究開発体制の構築」、「④社会実装を加速するオープンイノベーション」に関する取組を進めている。「ロボットフレンドリーな環境の構築」については、施設管理、小売、食品製造、物流倉庫の分野での研究開発を進め、ユーザー視点のロボット開発や、データ連携、通信、施設設計等に係る規格化・標準化を推進している。「人材育成の枠組みの構築」については、ロボットメーカー・システムインテグレーターといった産業界と教育機関が参画するかたちで令和2年6月に設立した「未来ロボティクスエンジニア育成協議会（CHERSI[1]）」が、教員や学生を対象とする現場実習や教育カリキュラム等の策定に関する支援を実施している。「中長期的課題に対応する研究開発体制の構築」については、中長期的な視点で次世代産業用ロボットの実現に向けて、異分野の技術シーズをも取り込みつつ基礎・応用研究を実施している。「社会実装を加速するオープンイノベーション」については、世界のロボットの叡智を集めて開催する競演会として、令和3年度に「World Robot Summit 2020」を開催した（愛知大会（9月）、福島大会（10月））。

6．地理空間情報の整備

内閣官房地理空間情報活用推進室は、第4期地理空間情報活用推進基本計画に基づき、産学官民が連携し、多様なサービスの創出・提供の実現を目指して、地理空間情報のポテンシャルを最大限に活用した技術の社会実装を推進するため、令和4年6月に「G空間行動プラン2022」を決定した。

❷ 社会課題解決のためのミッションオリエンテッド型の研究開発の推進

1．SIP

SIP第3期に向けては、「第6期科学技術・イノベーション基本計画」（令和3年3月26日閣議決定）に基づき、令和3年末に我が国が目指す将来像（Society 5.0）の実現に向けた15の課題候補を決定し、公募で決定したPD候補が座長となり、サブ課題等に関する有識者、関係省庁、研究推進法人等で構成する検討タスクフォース（TF）を設置し、フィージビリティスタディ（FS）を行ってきた。

FS結果に基づき、事前評価を実施したところ、令和5年1月26日の総合科学技術・イノベーション会議のガバニングボードにおいて14の課題を決定し、課題ごとに「社会実装に向けた戦略及び研究開発計画」（戦略及び計画）（案）を策定した。策定した「戦略及び計画」（案）は、令和5年2月にパブリックコメントを行い、併

1　The Consortium of Human Education for Future Robot System Integration

せてプログラムディレクター（ＰＤ）の公募を行い、令和5年3月に決定した。[1]

2．ムーンショット型研究開発制度

ムーンショット型研究開発制度は、超高齢化社会や地球温暖化問題など重要な社会課題に対し、人々を魅了する野心的な目標（ムーンショット目標）を国が設定し、挑戦的な研究開発を推進するものである。令和4年度は、令和3年度に決定した新たな2つのムーンショット目標（目標8、目標9）の研究開発を開始した。また、運用・評価指針に基づき、研究開始後3年目を迎えた目標4、目標5に関して、外部評価を実施し、ポートフォリオの見直しを行った。

コラム8　レーザー光による害虫撃墜技術の開発

農林水産省では、我が国の食料・農林水産業の生産力向上と持続性の両立をイノベーションで実現する「みどりの食料システム戦略（令和3年5月）」を策定し、2050年までの目標として化学農薬使用量（リスク換算）の50％低減等を掲げている。

世界で生産される農作物の4割以上が、病害虫・雑草などの有害生物によって失われており、薬剤抵抗性の有害生物の出現や農薬散布の重労働を踏まえ、化学合成農薬に依存しない画期的な技術への転換が求められている。

そのため、ムーンショット型農林水産研究開発事業における、研究開発プロジェクトの1つとして、先端的な物理手法と未利用の生物機能を駆使した化学合成農薬に依存しない持続的な害虫防除技術の開発を進めている。

これまでに、本プロジェクトにより、物理的害虫駆除技術として、野菜や果樹などの農作物に甚大な被害をもたらすハスモンヨトウ（蛾の一種）を画像検出して追尾し、レーザー光を照射して撃ち落とす技術が開発された。

レーザー光による害虫撃墜技術システム（イメージ）
提供：農業・食品産業技術総合研究機構

今後は、2030年までに、レーザー光による殺虫技術をはじめとする物理的手法と、害虫を大量に捕食する新規天敵の育種をはじめとする生物的手法を駆使した、新たな害虫防除技術のプロトタイプを開発・実証することとしている。

1　ＳＩＰ第3期のプログラムディレクター（ＰＤ）の決定
　　https://www8.cao.go.jp/cstp/stmain/20230317sip_pd.html

3．社会技術研究開発センター

科学技術振興機構 社会技術研究開発センターは、少子高齢化、環境・エネルギー、安全安心、防災・減災に代表されるSDGsを含む様々な社会課題の解決や新たな科学技術の社会実装に関して生じる倫理的・法制度的・社会的課題（ELSI）への対応を行うために、自然科学及び人文・社会科学の知見を活用し、多様なステークホルダーとの共創による研究開発を実施している。令和4年度には、SDGsの達成への貢献に向けた地域課題解決、社会的孤立・孤独の予防、ライフサイエンスや情報技術等のELSI対応、虐待やDV等の私的な空間・関係性で起きる諸問題の予防と低減、エビデンスに基づく科学技術イノベーション政策形成等に関して、令和3年度までに採択された66件に加え、新たに28件を採択し、研究開発を推進した。このうち、社会的孤立・孤独の予防のプログラムに関しては、令和4年12月に孤独・孤立対策推進会議で改訂された「孤独・孤立対策の重点計画」における施策の1つとして位置付けられた。

コラム9　データサイエンス技術による劣化予測と科学的エビデンスに基づく政策形成で我が国の社会インフラを守る！

　道路、橋梁、トンネル、上下水道などに代表されるインフラの老朽化が顕在化し社会問題化する中で、インフラの補修や更新に関するマネジメント政策は、ベテラン技術者の長年の経験・勘と知識に大きく依存している現状があり、財源や人員等が限られる中、補修や更新に向けてのリソース配分に大きな課題があります。科学的エビデンスに基づく政策形成のための方法論を確立させ、経済的合理化を図ると同時にインフラ利用者の安全・安心を確保していくことが重要です。

　JST－RISTEX（社会技術研究開発センター）の「科学技術イノベーション政策のための科学研究開発プログラム」で、令和元年度～４年度に実施された「科学的エビデンスに基づく社会インフラのマネジメント政策形成プロセスの研究」プロジェクト（研究代表者：貝戸清之・大阪大学大学院工学研究科准教授）では、ベテラン技術者が蓄積してきた点検ビッグデータを用いたデータサイエンス技術によって、橋梁・舗装・下水道・斜面・法面などの老朽化インフラの補修・更新時期を予測するための方法論を開発しました。また、劣化予測結果とそれに基づくライフサイクル費用評価を活用することによって、老朽化インフラに対するマネジメント政策を形成するためのプロセスを構築しました。

　例えば、大阪市と連携し実施した下水道コンクリート管渠の更新計画立案においては、約５万か所の目視点検ビッグデータを基に、大阪市内の全コンクリート管渠11万5,050本の統計的劣化予測を行いました。これにより、コンクリート管の期待寿命が約82.2年と判明したほか、管ごとのばらつきが大きいことも判明。海に近い地域から劣化が進んでおり、その地域から補修していけば現状の機能を維持できることを示しました。さらに大阪市全域のコンクリート管渠の劣化状況の経時的変化を予測するマッピング技術を開発し、大阪市の施策判断のための客観的根拠を提示するなど、科学的エビデンスに基づく政策形成に貢献しました。

下水道管渠健全度分布　　　デュアルカーネル密度推定結果

下水道管渠の更新対象エリアを特定・可視化したことにより、
「エリア単位での補修計画の優先順位を付けやすくなった」
と行政側が評価

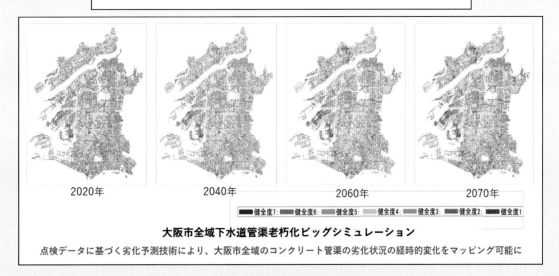

2020年　　　　　2040年　　　　　2060年　　　　　2070年

| 健全度7: | 健全度6: | 健全度5: | 健全度4: | 健全度3: | 健全度2: | 健全度1: |

大阪市全域下水道管渠老朽化ビッグシミュレーション

点検データに基づく劣化予測技術により、大阪市全域のコンクリート管渠の劣化状況の経時的変化をマッピング可能に

提供：貝戸清之プロジェクト

　次に、ベテランの目をもってしてもその劣化を予測しきれず、想定外のところが崩落するなど、これまで多くの事故につながってきた山間部の道路脇を取り囲む斜面・法面の点検については、国土交通省近畿地方整備局との連携の下、目視点検データではなく、自動車に搭載したレーザースキャナで法面の点群データを収集し、それをビッグデータとしてＡＩ技術なども活用しつつ分析することで、斜面・法面の局所的な異常を検知する手法を開発し、有効性を検証しました。手法の社会実装に向けて「3次元点群データの道路土工構造物の維持管理への活用マニュアル」を制作しており、令和5年上半期に公表する予定です。

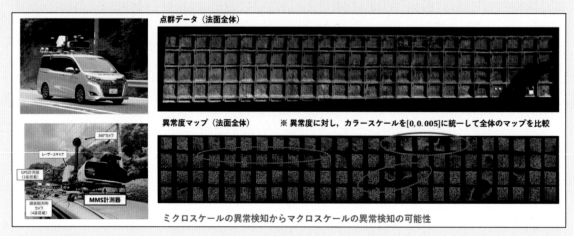

提供：貝戸清之プロジェクト

　研究開発の成果は、国際協力機構（ＪＩＣＡ）との連携により、ミャンマーにおける地域間の貧困格差を是正するための生活基盤インフラ整備プロジェクトにおいて、低廉な簡易舗装道路の劣化予測などに活用されているほか、エチオピアやネパールなどのアフリカ・東南アジア諸国での活用が検討されています。また、本プロジェクトでは、下水道（国土交通省）、上水道（厚生労働省）、工業用水・電気・ガス（経済産業省）、通信（総務省）など、省庁ごとに管轄が分かれている「地下埋設インフラ」の統合的マネジメントを検討するためのプラットフォームを令和4年度に構築するなど、研究成果の更なる社会展開に向けてセクター横断的な取組を推進しています。

文部科学省・科学技術イノベーション政策における「政策のための科学」推進事業（SciREX事業）
https://scirex.grips.ac.jp/

JST-RISTEX「科学技術イノベーション政策のための科学研究開発プログラム」
https://www.jst.go.jp/ristex/funding/stipolicy/index.html

「科学的エビデンスに基づく社会インフラのマネジメント政策形成プロセスの研究」
（研究代表者：貝戸清之・大阪大学大学院准教授）
https://www.jst.go.jp/ristex/output/example/needs/02/stipolicy_kaito.html

4．福島国際研究教育機構

　福島をはじめ東北の復興を実現するための夢や希望となるとともに、我が国の科学技術力・産業競争力の強化を牽引（けんいん）する、世界に冠（かん）たる「創造的復興の中核拠点」を目指す福島国際研究教育機構の新設に向けて、令和4年5月には、福島国際研究教育機構の設立に係る規定を新設した「福島復興再生特別措置法の一部を改正する法律」（令和4年5月27日法律第54号）が成立し、同年8月に、同法に基づく新産業創出等研究開発基本計画を策定した。また、同年9月、福島国際研究教育機構の立地を浪江町（なみえまち）とするとともに、福島国際研究教育機構の設置の効果が広域的に波及するよう取組を進めることを復興推進会議において決定した。さらに、同年12月には、福島国際研究教育機構の長期・安定的な運営に必要な施策の調整を進めるため、「福島国際研究教育機構に関する関係閣僚会議」の開催を復興推進会議において決定するなど、令和5年4月の設立に向けて取組を進めた。

❸　社会課題解決のための先進的な科学技術の社会実装

1．次期SIPでの取組

　令和5年度から開始するSIP第3期では、技術開発のみならず、それに係る社会システム改革も含め社会実装につなげる計画や体制を整備することとしている。このため、「科学技術イノベーション創造推進費に関する基本方針」における「研究開発計画」を、「社会実装に向けた戦略及び研究開発計画」に変更し、プログラムディレクター（PD）の下で、府省連携・産学官連携により、5つの視点（技術、制度、事業、社会的受容性、人材）から必要な取組を推進。5つの視点の取組を測る指標として、TRL（技術成熟度レベル）に加え、新たにBRL（事業成熟度レベル）、GRL（制度成熟度レベル）、SRL（社会的受容性成熟度レベ

ル）、HRL（人材成熟度レベル）を導入した。

2．官民研究開発投資拡大プログラム（PRISM）の推進と研究開発とSociety5.0との橋渡しプログラム（BRIDGE[1]）による社会実装の促進

　PRISMは、民間投資の誘発効果の高い領域や研究開発成果の活用による政府支出の効率化が期待される領域[2]に各府省庁施策を誘導すること等を目的に平成30年度に創設したプログラムである。総合科学技術・イノベーション会議が策定した各種戦略等を踏まえ、AI技術領域、革新的建設・インフラ維持管理技術／革新的防災・減災技術領域、バイオ技術領域、量子技術領域に重点化し配分を行ってきており、令和4年度においては、これら4領域の33施策に追加配分を実施した。令和4年度に、これまでのPRISMの枠組みを活かしながら、技術開発にとどまらず、社会実装に向けた各府省庁の施策を強化することを目的に見直しを行い、社会実装への橋渡しということで名称もBRIDGEに変更した。今後もBRIDGEにおいて、総合科学技術・イノベーション会議が策定する又は改正された各種戦略のみならず、総合科学技術・イノベーション会議が毎年設定する、事業環境整備、スタートアップ創出といった重点課題を踏まえた、革新技術等の社会課題解決や新技術の創出等、各府省庁のイノベーション化を推進すること等により、官民の研究開発投資の拡大を目指す（第1章第2節 [2] 参照）。

3．政府事業への先進的な技術の導入

　科学技術・イノベーションの成果の社会実装を加速させるよう、政府において率先して先進的な技術の導入を図る政府事業のイノベーション化を推進していくことが重要である。このため、内閣府においては、関係省庁と連携して、公共事業をはじめとして幅広い分野の政府

1　　Biomedical Research Innovation Data Governing Enterprise
2　　令和元年度はAI技術、建設・インフラ維持管理／防災・減災技術、バイオ技術。令和2年度は量子技術を追加

事業のイノベーション化等を推進している。

❹ 知的財産・標準の国際的・戦略的な活用による社会課題の解決・国際市場の獲得等の推進

１．知的財産戦略及び国際標準戦略の推進

　経済のグローバル化が進展するとともに、経済成長の源泉である様々な知的な活動の重要性が高まる中、我が国の産業競争力強化と国民生活の向上のためには、我が国が高度な技術や豊かな文化を創造し、それをビジネスの創出や拡大に結び付けていくことが重要となっている。その基盤となるのが知的財産戦略である。

　令和4年6月、知的財産戦略本部は、「知的財産推進計画2022」を決定した。同計画は、デジタル化とグリーン化の競争に対応し、我が国が勝ち抜くため、冒頭部「基本認識」において知財戦略を考える上で踏まえるべき我が国の置かれた状況について整理した上で、「スタートアップ・大学の知財エコシステムの強化」、「知財・無形資産の投資・活用促進メカニズムの強化」、「標準の戦略的活用の推進」、「デジタル社会の実現に向けたデータ流通・利活用環境の整備」、「デジタル時代のコンテンツ戦略」、「中小企業／地方（地域）／農林水産業分野の知財活用強化」、「知財活用を支える制度・運用・人材基盤の強化」、「アフターコロナを見据えたクールジャパン（CJ）の再起動」の重点8施策に整理されており、同計画に沿って、知的財産戦略本部の主導の下、関係府省とともに知的財産戦略を推進している。

２．国際標準の戦略的活用への積極的対応

　グローバル市場における我が国産業の国際競争力強化のため、我が国官民による国際標準の戦略的な活用を推進する必要がある。このため、まず政府全体として、司令塔機能及び体制を整備し、「統合イノベーション戦略推進会議」に設置した「標準活用推進タスクフォース」の下、関係省庁連携で重点的に取り組むべき施策を推進している。具体的には、関係省庁による

重要施策がより進展するよう、PRISMの枠組みを活用した標準活用加速化支援事業を通じて、予算追加配分による支援を行った。また、スマートシティ、スマート農業等、社会課題の解決や国際市場の獲得等の点で重要な分野等における国際標準の戦略的な活用について、海外政府・企業動向や国際市場環境等を踏まえて推進するとともに、必要な分野を包括的に特定・整理して対応する仕組みの整備を進めている。

　また、政府の支援する研究開発事業において、民間事業者等が社会実装戦略、国際競争戦略及び国際標準戦略の明確な提示と、その達成に向けた取組への企業経営層のコミットメントを求める事業運営やフォローアップ等の仕組みを導入し、企業による国際標準の戦略的な活用を担保する仕組みの浸透を図っている。

　また、経済産業省は省エネルギー等に関する国際標準の獲得・普及促進事業委託費（省エネルギー等国際標準開発（国際電気標準分野））制度の1つとして、ウェアラブルセンサ信号のコンテナフォーマットに関する国際標準化を実施している。広島市立大学が中心となり、複数の民間企業が参画し、一般社団法人電子情報技術産業協会と連携して国際標準化を推進している。そのほか、戦略的に重要な研究開発テーマや産業横断的なテーマについて、国立研究開発法人や民間企業と連携して国際標準化活動を推進している。また、経済産業省における技術評価制度において、「経済産業省研究開発評価指針に基づく標準的評価項目・評価基準」の改訂（令和4年12月）に際し、社会実装を見据え、「知的財産・標準化戦略」の観点でも適切な評価がなされるよう、「オープン・クローズ戦略策定」や「規格制定の計画」等、評価項目・評価基準の充実を図った。人材育成施策としては、「標準化人材を育成する3つのアクションプラン」（平成28年度公表）に基づき、国際標準化をリードする若手人材を育成するための研修を実施するとともに、標準化教育に関する大学教員向けの教材等の公開や大学に

おける標準化講義への経済産業省職員派遣などを通じて標準化人材育成を支援するほか、一般財団法人日本規格協会による標準化資格制度を設けている。

海外との協力においては、国際標準化活動における欧州及びアジア諸国との連携や、アジア諸国の積極的な参加を促進することを目的とした技術協力を行っている。令和４年度は、アジア太平洋地域の25か国・地域の標準化機関が集まる会議や、日中韓三か国の標準化機関が参加する会議及びアジア諸国の標準化機関等との二国間会議に参加し、標準化協力分野について議論を行った。また、国際標準化機構（ISO[1]）と連携し、アフリカ向けの能力構築提携プロジェクトを実施したほか、国際電気標準会議（IEC[2]）と連携したアジア地域向けの人材育成セミナーを実施した。さらに、アジア太平洋経済協力（APEC[3]）基準・適合性小委員会において、国際整合化や規格開発・普及のためのプロジェクトを進めるなど、国際標準化活動におけるアジア太平洋地域との連携強化に取り組んでいる。

総務省は、情報通信審議会等の提言を踏まえ、我が国の情報通信技術（ICT）の国際標準への反映を目指して、研究開発等も実施しながら、国際電気通信連合（ITU[4]）等のデジュール標準化機関や、フォーラム標準化機関における標準化活動を推進している。「Beyond 5G 推進戦略」（令和２年６月策定）等を踏まえ、産学官の主要プレイヤーが結集した「Beyond 5G 新経営戦略センター」（令和２年12月18日設立）の下、研究開発初期段階からの戦略的な知財の取得や標準化活動の推進に取り組んでいる。

国土交通省及び厚生労働省は、上下水道分野で国際展開を目指す我が国の企業が、高い競争

性を発揮できる国際市場を形成することを目的として、戦略的な国際標準化を推進している。

令和４年度、「飲料水、汚水及び雨水に関するシステムとサービス」（ISO／TC[5]224）、「汚泥の回収、再生利用、処理及び廃棄」（ISO／TC275）、「水の再利用」（ISO／TC 282）等へ積極的・主導的に参画している。

３．特許審査の国際的な取組

日本企業がグローバルな事業展開を円滑に行うことができるよう、国際的な知財インフラの整備が重要である。このため、特許庁は、ある国で最初に特許可能と判断された出願に基づいて、他国において早期に審査が受けられる制度である「特許審査ハイウェイ（PPH[6]）」を44か国・地域との間で実施している（令和５年１月時点）。また、我が国の特許庁と米国特許商標庁は、日米両国に特許出願した発明について、日米の特許審査官がそれぞれ先行技術文献調査を実施し、その調査結果及び見解を共有した後に最初の審査結果を送付する日米協働調査試行プログラムを平成27年８月１日から実施している。さらに、PCT[7]国際出願について、日米欧中韓の５庁が協働して国際調査報告を作成するPCT協働調査試行プログラムを令和２年６月30日まで実施した。令和４年度は評価期間として、国際段階の評価及び国内段階に移行された案件の評価を行った。

４．国の研究開発プロジェクトにおける知的財産（知的財産権・研究開発データ）マネジメント
（１）特許権等の知的財産権に関する取組

経済産業省は、国の研究開発の成果を最大限事業化に結び付けるため、「委託研究開発における知的財産マネジメントに関する運用ガイ

1　International Organization for Standardization
2　International Electrotechnical Commission
3　Asia Pacific Economic Cooperation
4　International Telecommunication Union
5　Technical Committee
6　Patent Prosecution Highway
7　Patent Cooperation Treaty

ドライン」（平成27年5月）に基づき、国の委託による研究開発プロジェクトごとに適切な知的財産マネジメントを実施している。

　農林水産省は、農林水産分野に係る国の研究開発において、「農林水産研究における知的財産に関する方針」（平成28年2月策定、令和4年12月改訂）に基づき、研究の開始段階から研究成果の社会実装を想定した知的財産マネジメントに取り組んでいる。

（2）研究開発データに関する取組
　経済産業省は、研究開発データの利活用促進を通じた新たなビジネスの創出や競争力の強化を図るため「委託研究開発におけるデータマネジメントに関する運用ガイドライン」（平成29年12月）に基づき、平成30年3月より、ナショプロデータカタログ[1]に利活用可能な研究開発データを掲載している。

5．特許情報等の整備・提供
　特許庁は、工業所有権情報・研修館が運営する「特許情報プラットフォーム（J−PlatPat[2]）」や、「外国特許情報サービス（FOPISER[3]）」を通じて、我が国の特許情報及び、我が国のユーザーからのニーズが大きい諸外国の特許情報を提供している。

　そのほか、工業所有権情報・研修館では、企業や大学、公的試験研究機関等が実施許諾又は権利譲渡の意思を持つ「開放特許」、「リサーチツール特許」の情報を収録したデータベースサービスを提供している。

6．早期審査の実施
　特許庁は、特許の権利化のタイミングに対する出願人の多様なニーズに応えるため、一定の要件の下に、早期に審査を行う「早期審査」を実施している。

7．特許審査体制の整備・強化
　特許庁は、令和4年度においても、任期満了を迎えた任期付審査官の一部を再採用するなど、審査処理能力の維持・向上のため、引き続き審査体制の整備・強化を図った。

8．事業戦略対応まとめ審査の実施
　特許庁は、知的財産戦略に基づいた出願に対応するための審査体制について検討を進め、事業で活用される知的財産の包括的な取得を支援するため、国内外の事業に結び付く複数の知的財産（特許・意匠・商標）を対象として、分野横断的に事業展開の時期に合わせて審査・権利化を行う「事業戦略対応まとめ審査」を実施している。

　令和4年7月には、ユーザーがより活用しやすいように事業戦略対応まとめ審査の運用を見直し、ガイドラインを改訂した。

9．特許出願技術動向調査の実施・公表
　特許庁は、新市場の創出が期待される分野、国の政策として推進すべき技術分野を中心に、研究開発戦略の立案に資するよう、さらには各企業等において自社の経営情報等と併せて参照されることで特許戦略や事業戦略を立案する際の一助となるよう特許出願動向等を調査

1　https://www.meti.go.jp/policy/innovation_policy/datamanagement.html

2　https://www.j-platpat.inpit.go.jp/

3　Foreign Patent Information Service　https://www.foreignsearch2.jpo.go.jp/

し、その結果を公表している。

　また、令和4年6月には、グリーン・トランスフォーメーション（GX）に関する技術を俯瞰(ふかん)するためのグリーン・トランスフォーメーション技術区分表（GXTI[1]）を、各技術区分に含まれる特許文献を検索するための特許検索式と併せて公表した。

10．専門家による知財活用の支援

　特許庁は、大学において権利化されていない優れた研究成果の発掘等を支援する「知財戦略デザイナー派遣事業」を実施している。また、工業所有権情報・研修館を通じて、競争的な公的資金が投入された研究開発プロジェクトを推進する大学や研究開発コンソーシアム等を支援する「知的財産プロデューサー派遣事業」や、大学の研究成果の迅速な社会実装を支援する「産学連携・スタートアップアドバイザー事業」も実施している。令和4年度は、知財戦略デザイナー16名を22大学に、知的財産プロデューサー23名を53プロジェクトに、産学連携・スタートアップアドバイザー9名を20プロジェクトに派遣した。

　農林水産省は、「産学連携支援事業」により、知的財産の戦略的活用など技術経営（MOT[2]）的視点からの助言等を行うことができ、農林水産・食品分野を専門とするコーディネーターを全国に約140名配置し、大学、国立研究開発法人、公設試等が連携して研究開発に取り組む際の研究計画作成を支援している。また、公益社団法人農林水産・食品産業技術振興協会[3]において農業知財勉強会等を実施している。

11．技術情報の管理に関する取組

　産業競争力強化法に基づき、事業者が技術情報の管理体制等について国が認定した機関から認証を受けることができる「技術情報管理認証制度」を実施した（令和5年3月末現在、8件の認証機関を認定）。令和4年度は、認証取得するプロセスの簡素化、技術情報の漏えい防止の取組を始める事業者を対象とした自己チェックリストの整備等を実施した。また、技術情報管理体制の構築に向けた支援等を行う専門家の派遣（97回派遣）や、制度の改善に向けた有識者会議等（検討会3回、ワーキンググループ3回）を開催した。

12．研究成果の権利化支援と活用促進

　科学技術振興機構は、優れた研究成果の発掘・特許化を支援するために、「知財活用支援事業」において、大学等における研究成果の戦略的な外国特許取得の支援、各大学等に散在している特許権等の集約・パッケージ化による活用促進を実施するなど、大学等の知的財産の総合的活用を支援している。

❺ 科学技術外交の戦略的な推進

1．科学技術外交の戦略的な推進

　グローバル化が進展する中で、我が国の科学技術・イノベーションを推進するとともに、その成果を活用し、国際社会における我が国の存在感や信頼性を向上させるため、科学技術・イノベーションの国際活動と外務省参与（外務大臣科学技術顧問）を通じた取組を含む科学技術外交を一体的に推進していくことが必要である。

（1）国際的な枠組みの活用

　ア　主要国首脳会議（サミット）関連活動

　2008年（平成20年）、当時のG8議長国であった我が国の発案により、G8科学技術大臣会合が当時の岸田文雄・内閣府特命担当大臣（科学技術政策）の主催で開催された。同会合は、内閣府特命担当大臣（科学技術政策）と諸外国の閣僚との政策協議等を通じて、科学技術を活用した地球規模の諸問題等への対処、諸外

1　Green Transformation Technologies Inventory
2　Management of Technology
3　Japan Association for Techno-innovation in Agriculture, Forestry and Fisheries

国と連携した科学技術政策をめぐる国際的な議論への主体的な貢献等を目的としている。2022年（令和4年）6月には、G7議長国のドイツ主催により8回目となる大臣会合が対面開催され、科学と研究における自由、研究セキュリティ・インテグリティの推進と確保、気候変動に関する研究、新型コロナウイルス感染症罹患後症状（りかん）に関する研究等について議論が行われ、これら直面する課題について連携して取り組んでいくことを確認した。2023年（令和5年）には我が国がG7議長国となり、G7広島サミットの関係閣僚会議として、令和5年（2023年）5月12日から14日まで仙台市秋保地区においてG7仙台科学技術大臣会合が開催された。高市内閣府特命担当大臣（科学技術政策）が大臣会合の議長をつとめ、「信頼に基づく、オープンで発展性のある研究エコシステムの実現」をメインテーマとし、①科学研究における自由と包摂性の尊重及びオープン・サイエンスの推進、②研究セキュリティと研究インテグリティ対策による信頼ある科学研究の促進、③地球規模課題を解決するための科学技術に関する国際協力を中心に議論し、「G7科学技術大臣コミュニケ」を発出した。また、G7の科学技術大臣や代表団は、12日に大臣会合の会場の施設内において仙台市をはじめとする東北六県の科学技術の展示や、最先端のロボットの実演などを見学し、13日のエクスカーションでは被災地である「震災遺構仙台市立荒浜小学校」や「東北大学災害科学国際研究所」を訪問した。さらに、14日に次世代放射光施設「NanoTerasu」を視察するとともに、ハイレベル会合「量子技術が切り拓く未来」に出席した。

なお、現在、G7科学技術大臣会合の下には、国際的研究施設に関する高級実務者会合（GSO[1]）、海洋の未来作業部会、オープン・サイエンス作業部会、研究セキュリティ・インテグリ

ティ作業部会の4つの作業部会が設置されており、2022年（令和4年）には、ドイツから新たに「科学コミュニケーション作業部会」の設置が提案され、2023年（令和5年）のG7仙台科学技術大臣会合において、その設置が承認された。気候中立社会実現のための戦略研究ネットワーク（2021年、低炭素社会国際研究ネットワークから名称変更）は、2021年（令和3年）12月、「気候中立で持続可能な社会実現に向けた行動を加速する」をテーマに年次会合を開催した。同年次会合では2つの基調講演と、産業の脱炭素化、雇用、国際協力、ファイナンスについて4つのテーマ別セッションが実施され、2日間で23か国・地域から延べ140名の専門家・研究者が参加した。なお、同ネットワークには、2023年（令和5年）現在、我が国を含む7か国17の研究機関が参加している。

イ　アジア・太平洋経済協力（APEC）

APEC科学技術イノベーション政策パートナーシップ（PPSTI[2]）会合は、共同プロジェクトやワークショップ等を通じたAPEC地域の科学技術・イノベーション推進を目的に開催されており、2022年（令和4年）8月に第20回会合が、2023年（令和5年）2月に第21回会合がハイブリッドで開催され、PPSTIの活動計画やプロジェクトの実施等について議論が行われた。

ウ　東南アジア諸国連合（ASEAN）

我が国とASEAN科学技術イノベーション委員会（COSTI[3]）の協力枠組みとして、日・ASEAN科学技術協力委員会（AJCCST[4]）がおおむね毎年開催されており、我が国では文部科学省を中心として対応している。2018年（平成30年）のAJCCST－9で合意された「日ASEAN STI for

---

1　The meeting of the Group of Senior Officials
2　Policy Partnership on Science, Technology and Innovation
3　Cooperation on Science, Technology and Innovation
4　ASEAN-Japan Cooperation Committee on Science and Technology

SDGsブリッジングイニシアティブ」の下、日ASEAN共同研究成果の社会実装を強化するための協力を継続している。

エ　その他
ⅰ）アジア・太平洋地域宇宙機関会議（APRSAF[1]）

我が国は、アジア・太平洋地域での宇宙活動、利用に関する情報交換並びに多国間協力推進の場として、1993年（平成５年）から毎年１回程度、APRSAFを主催しており、13か国60名が参加した第１回から、第28回（2022年（令和４年））には36か国・地域から380名が参加登録する同地域最大規模の宇宙関連会議となっている。第28回は、「持続可能で豊かな未来への架け橋宇宙イノベーション」をテーマに、ベトナム・ハノイ市で開催し、各分科会やワークショップでは、官民・国際・異業種交流が行われ、宇宙イノベーションの機会創出に向けて多様な観点で活発な議論が行われた。

ⅱ）生物多様性及び生態系サービスに関する政府間科学‐政策プラットフォーム（IPBES[2]）

生物多様性と生態系サービスに関する動向を科学的に評価し、科学と政策のつながりを強化する政府間のプラットフォームとして2012年（平成24年）４月に設立された政府間組織である。加盟国等の参加によるIPBES総会第９回会合が2022年（令和４年）７月にドイツ・ボンで開催された。

ⅲ）地球観測に関する政府間会合（GEO[3]）

2015年（平成27年）11月に開催された閣僚級会合で承認された「GEO戦略計画2016-2025」に基づき、「全球地球観測システム（GEOSS[4]）」の構築を推進する国際的な枠組みであり、2023年（令和５年）３月時点で258の国及び国際機関等が参加している。2022年（令和４年）９月にアジア・オセアニア地域を対象とした第15回AOGEO[5]シンポジウムを我が国主導で開催し、研究者や実務者がこれまでの取組の紹介や意見交換などを行い、アジア・オセアニア地域特有の社会課題の解決に向けた、共通認識や今後の活動を記した「アジア・オセアニアGEO宣言2022」を採択した。

ⅳ）気候変動に関する政府間パネル（IPCC）

気候変動に関する最新の科学的知見について取りまとめた報告書を作成し、各国政府の気候変動に関する政策に科学的な基礎を与えることを目的として、1988年（昭和63年）に世界気象機関（WMO[6]）と国連環境計画（UNEP[7]）により設立された。2021年（令和３年）８月に第６次評価報告書第１作業部会報告書（自然科学的根拠）、2022年（令和４年）２月に同第２作業部会報告書（影響、適応、脆弱性）、同年４月に同第３作業部会報告書（気候変動の緩和）、2023年（令和５年）３月に同統合報告書が公表された。

ⅴ）Innovation for Cool Earth Forum（ICEF）

ICEFは、地球温暖化問題を解決する鍵である「イノベーション」促進のため、世界の産学官のリーダーが議論するための知のプラットフォームとして、2014年（平成26年）から毎年開催している国際会議である。2022年（令和４年）10月５～６日、ハイブリッド形式で開催された第９回年次総会では、「Low-Carbon Innovation in a Time of Crises」をメインテーマに掲げ、2050年のカーボンニュートラルに向けたイノベーション創出を加速するアクションに焦点が置かれた。２日間の会合

1　Asia-Pacific Regional Space Agency Forum
2　The Intergovernmental Science-Policy Platform on Biodiversity and Ecosystem Services
3　Group on Earth Observations
4　Global Earth Observation System of System
5　Asia-Oceania Group on Earth Observations
6　World Meteorological Organization
7　United Nations Environment Programme

を通じ、各国政府機関、産業界、学界、国際機関等の87か国・地域から1,600名が参加した。

vi）Research and Development 20 for Clean Energy Technologies（ＲＤ20）

ＲＤ20は、二酸化炭素大幅削減に向けた非連続なイノベーション創出を目的として、G20各国・地域の研究機関からリーダーを集めた国際会議である。2022年（令和4年）10月にハイブリッド形式で開催された第4回会合では、カーボンニュートラルの実現に向けて、共同プロジェクトの創出を目指したタスクフォース活動や高度研究人材の育成を目指したサマースクールなどについて議論が行われた。議論の結果はリーダーズリコメンデーションとしてまとめられた。

vii）グローバルリサーチカウンシル（ＧＲＣ[1]）

世界各国の主要な学術振興機関の長による国際会議であるＧＲＣ第10回年次会合が、2022年（令和4年）5月31日～6月2日に、パナマ科学技術省（ＳＥＮＡＣＹＴ）と米国国立科学財団（ＮＳＦ）の共同主催によりパナマシティ（パナマ）を開催地としてオンラインと対面のハイブリッド形式で開催され、研究支援を取り巻く課題と学術振興機関が果たしていくべき役割について議論を交わした。

（2）国際機関との連携
ア　国際連合システム（ＵＮシステム）
ｉ）持続可能な開発目標のための科学技術イノベーション（「ＳＴＩ for ＳＤＧｓ」）

国連機関間タスクチーム（ＵＮ-ＩＡＴＴ[2]）が、世界各国でＳＴＩ for ＳＤＧｓロードマップの策定を促進させるために2019年（令和元年）に開始した「グローバル・パイロット・プログラム」パートナー国として、我が国は2020年度（令和2年度）より世界銀行への拠出を通じてケニアの農家へのデジタル金融サービス（ＤＦＳ[3]）の提供を推進するための支援を行い、2022年度（令和4年度）には農家への金融サービスを提供するスタートアップ企業への技術支援を実施した。

また、開発途上国での社会的課題・ニーズを把握する取組を実施している国連開発計画（ＵＮＤＰ[4]）への拠出を通じて、現地で求められるニーズを踏まえて我が国の企業等が事業化を検討する「Japan ＳＤＧｓ Innovation Challenge for ＵＮＤＰ Accelerator Labs」を2020年（令和2年）より実施し、これまで計8か国のマッチングを行い、開発課題の解決策検討と実証を行った。2022年度（令和4年）には、新たに2か国の課題について、日本のステークホルダーによる解決策と事業化の検討を開始した。

ｉｉ）国連教育科学文化機関（ＵＮＥＳＣＯ[5]、ユネスコ）

我が国は、国連の専門機関であるユネスコの多岐にわたる科学技術分野の事業活動に積極的に参加協力をしている。ユネスコでは、政府間海洋学委員会（ＩＯＣ[6]）、政府間水文学計画（ＩＨＰ[7]）、人間と生物圏（ＭＡＢ[8]）計画、ユネスコ世界ジオパーク、国際生命倫理委員会（ＩＢＣ[9]）、政府間生命倫理委員会（ＩＧＢＣ[10]）等において、地球規模課題解決のための事業や国際的なルール作り等が行われている。我が国は、ユネスコへの信託基金の拠出等を通じ、アジア・太平洋地域等における科学分野の人材育成事業や持続可能な開発のための国連海洋科学の10

1　Global Research Council
2　UN Interagenecy Task Team on STI for SDGs
3　Digital Financial Services
4　United Nations Development Programme
5　United Nations Educational, Scientific and Cultural Organization
6　Intergovernmental Oceanographic Commission
7　Intergovernmental Hydrological Programme
8　Man and the Biosphere
9　International Bioethics Committee
10　Intergovernmental Bioethics Committee

年（2021-2030）に関する支援事業等を実施しており、また、各委員会へ専門委員を派遣し、議論に参画するなど、ユネスコの活動を推進している。また、2021年（令和３年）11月の第41回ユネスコ総会で採択されたオープンサイエンスに関する勧告及びＡＩの倫理に関する勧告については、勧告策定のための諮問委員会や地域コンサルテーション、政府間委員会に我が国の専門家を派遣するなど、様々な貢献を果たした。また、2022年（令和４年）11月の閣議決定を経て、国会に報告された。

ⅲ）持続可能な開発のための国連海洋科学の10年（2021-2030）

持続可能な開発のための国連海洋科学の10年（2021-2030）とは、海洋科学の推進により、持続可能な開発目標（ＳＤＧ14等）を達成するため、2021年〜2030年（令和３年〜12年）の10年間に集中的に取組を実施する国際枠組みであり、2021年（令和３年）１月から開始されている。

実施計画では、10年間の取組で目指す社会的成果として、きれいな海、健全で回復力のある海、予測できる海、安全な海、持続的に収穫できる生産的な海、万人に開かれ誰もが平等に利用できる海、心揺さぶる魅力的な海の７つが掲げられており、そのために、海洋汚染の減少や海洋生態系の保全から、海洋リテラシーの向上と人類の行動変容まで10の挑戦課題に取り組むこととされている。我が国は、これらの社会的成果への貢献を目指し、2021年（令和３年）２月に発足した国内委員会等の枠組みを通じて関係省庁・機関を含む産官学民の連携を促進し、国内・地域間・国際レベルにおいて様々な取組を推進している。

イ　経済協力開発機構（ＯＥＣＤ[1]）

ＯＥＣＤでは、閣僚理事会、科学技術政策委員会（ＣＳＴＰ[2]）、デジタル経済政策委員会（ＣＤＥＰ[3]）、産業・イノベーション・起業委員会（ＣＩＩＥ[4]）、原子力機関（ＮＥＡ[5]）、国際エネルギー機関（ＩＥＡ[6]）等を通じ、加盟国間の意見・経験等及び情報の交換、人材の交流、統計資料等の作成をはじめとした科学技術に関する活動が行われている。

ＣＳＴＰでは、科学技術政策に関する情報交換・意見交換が行われるとともに、科学技術・イノベーションが経済成長に果たす役割、研究体制の整備強化、研究開発における政府と民間の役割、国際的な研究開発協力の在り方等について検討が行われている。また、ＣＳＴＰには、グローバル・サイエンス・フォーラム（ＧＳＦ[7]）、イノベーション・技術政策作業部会（ＴＩＰ[8]）、バイオ・ナノ・コンバージング・テクノロジー作業部会（ＢＮＣＴ[9]）及び科学技術指標各国専門家作業部会（ＮＥＳＴＩ[10]）の４つのサブグループが設置されている。

ⅰ）グローバル・サイエンス・フォーラム（ＧＳＦ）

ＧＳＦでは、地球規模課題の解決に向けた国際連携の在り方等が議論されている。2022年（令和４年）は、2021年（令和３年）から引き続き、「危機時の科学動員」、「大型研究基盤（ＶＬＲＩｓ）」、「グローバルな研究エコシステムにおけるインテグリティとセキュリティ」、「将来の研究人材」のプロジェクトを実施している。

ⅱ）イノベーション・技術政策作業部会（ＴＩＰ）

1　Organisation for Economic Co-operation and Development
2　Committee for Scientific and Technological Policy
3　Committee on Digital Economy Policy
4　Committee on Industry, Innovation and Entrepreneurship
5　Nuclear Energy Agency
6　International Energy Agency
7　OECD Global Science Forum
8　Working Party on Innovation and Technology Policy
9　Working Party on Biotechnology, Nanotechnology and Converging Technologies
10　Working Party of National Experts on Science and Technology Indicators

第2章

TIPでは、科学技術・イノベーションを政策的に経済成長に結び付けるための検討を行っており、2022年（令和4年）は、2021年（令和3年）から引き続き、「協調的な移行における共創の支援」のプロジェクトを実施した。

ⅲ）バイオ・ナノ・コンバージング・テクノロジー作業部会（BNCT）
BNCTは、"社会における、社会のための技術"をテーマに、医療系技術開発国際協調プラットフォームの実現、神経科学に関する理事会勧告の実施促進、バイオエコノミーと炭素中立社会実現などのプロジェクトを進めている。

ⅳ）科学技術指標各国専門家作業部会（NESTI）
NESTIは、統計作業に関して監督・指揮・調整等を行うとともに、科学技術・イノベーション政策の推進に資する指標や定量的分析の展開に寄与している。具体的には、研究開発費や科学技術人材等の科学技術・イノベーション関連指標について、国際比較のための枠組み、調査方法や指標の開発に関する議論等を行っている。

ウ　国際科学技術センター（ISTC[1]）
ISTCは、旧ソ連邦諸国における大量破壊兵器開発に従事していた研究者・技術者が参画する平和目的の研究開発プロジェクトを支援することを目的として、1994年（平成6年）3月に設立された国際機関である。日本、米国、EU、韓国、ノルウェー、カザフスタンが資金を拠出し、現在では、旧ソ連圏に限らず広い地域で科学者が従事するCBRN（科学・生物・放射性物質及び核）分野を中心とした平和目的の研究活動等を支援している。

（3）研究機関の活用
ア　東アジア・ASEAN経済研究センター（ERIA[2]）
ERIAは、東アジア経済統合の推進に向け政策研究・提言を行う機関であり、「経済統合の深化」、「開発格差の縮小」及び「持続可能な経済成長」を3つの柱として、イノベーション政策等を含む幅広い分野にわたり、研究事業、シンポジウム事業及び人材育成事業を実施している。また本年、東アジアにおけるデジタル技術を活用した持続可能な経済成長に貢献する「デジタルイノベーション・サステナブルエコノミーセンター」を設立する。

（4）科学技術・イノベーションに関する戦略的国際活動の推進
我が国が地球規模の問題解決において先導的役割を担い、世界の中で確たる地位を維持するためには、科学技術・イノベーション政策を国際協調及び協力の観点から戦略的に進めていく必要がある。
文部科学省は、2022年度（令和4年度）、補正予算で基金を造成し、先端国際共同研究推進事業／プログラムを創設した。欧米等先進国を対象として、国主導で設定する先端分野での国際共同研究を戦略的に支援し、国際科学トップサークルへの日本人研究者の参入促進、若手研究者の交流・ネットワークの強化を図る。
さらに、外務省とともに2008年度（平成20年度）より地球規模課題対応国際科学技術協力プログラム（SATREPS[3]）を実施し、我が国の優れた科学技術と政府開発援助（ODA）との連携により、開発途上国と、環境・エネルギー、生物資源、防災、感染症分野において地球規模の課題解決につながる国際共同研究を推進している。また、2009年度（平成21年度）より、「戦略的国際共同研究プログラム（SICORP[4]）」を実施し、戦略的な国際協力による

1　International Science and Technology Center
2　Economic Research Institute for ASEAN and East Asia
3　Science and Technology Research Partnership for Sustainable Development
4　Strategic International Collaborative Research Program

イノベーション創出を目指し、省庁間合意に基づくイコールパートナーシップ(対等な協力関係)の下、相手国・地域のポテンシャル・分野と協力フェーズに応じた多様な国際共同研究を推進している。さらに、2014年度(平成26年度)より、世界各国・各地域の青少年に対する日本の最先端科学技術への関心向上と、海外の優秀な人材の将来の獲得に資するため、科学技術分野での海外との青少年交流を促進する「国際青少年サイエンス交流事業(さくらサイエンスプログラム)」を実施している(第2章第2節 ① ❺ 参照)。

環境省は、アジア太平洋地域での研究者の能力向上、共通の問題解決を目的とする「アジア太平洋地球変動研究ネットワーク(APN[1])」を支援している。2021年(令和3年)2月には第24回政府間会合等が開催され、更なる活動の展開に向けた第5次戦略計画が採択された。また、アジア地域の低炭素成長に向け、最新の研究成果や知見の共有を目的とする「低炭素アジア研究ネットワーク(LoCARNet[2])」の第9回年次会合を2021年(令和3年)3月にオンラインで開催した。

(5)　諸外国との協力

ア　欧米諸国等との協力

我が国と欧米諸国等との協力活動については、ライフサイエンス、ナノテクノロジー・材料、環境、原子力、宇宙開発等の先端研究分野での科学技術協力を推進している。具体的には、二国間科学技術協力協定に基づく科学技術協力合同委員会の開催や、情報交換、研究者の交流、共同研究の実施等の協力を進めている。

米国との間では、1988年(昭和63年)6月に署名された日米科学技術協力協定に基づき、日米科学技術協力合同高級委員会(大臣級)や日米科学技術協力合同実務級委員会(実務級)が設置され、2021年(令和3年)6月には第16回日米科学技術協力合同実務級委員会を開催し、科学技術政策、既存の協力及び新たな協働分野に関する意見交換や、文部科学省と米国エネルギー省の間で、量子技術に係る事業取決めへの署名を行った。また、2022年(令和4年)5月の日米首脳会談で「日米競争力・強靱性(コア)パートナーシップ」の下、がん研究や宇宙等の分野において引き続き協力していくとともに、最先端半導体の開発を含む、経済安全保障の確保に向けた協力を強化していくことで一致した。

また、SICORPでは2021年(令和3年)から新型コロナウイルス感染症(COVID-19)により求められる新たな生活態様に資するデジタルサイエンス分野の研究を実施している。加えて、SICORPの新たな取組として、新たな国際頭脳循環モード促進プログラムを立ち上げ、アメリカ等とのデジタルサイエンス、AI、量子技術に関連する先端分野における研究を実施している。

EUとの間では、2022年(令和4年)5月に開催された第28回日EU定期首脳協議で、日EUデジタルパートナーシップに関する文書が発出された。また、総務省と欧州委員会の間では、2019年(令和元年)11月から第5次日EU共同公募としてeHealth分野の研究開発課題を募集し、2020年(令和2年)10月に1件を採択し、2021年度(令和3年度)も継続して研究開発を実施している。2022年(令和4年)7月にはフランス、11月にはスウェーデン、2023年(令和5年)1月にはイタリア、スイス、2月にはドイツ、ハンガリー、3月にはオランダとの間でそれぞれ科学技術協力合同委員会を開催し、双方間における科学技術協力の更なる促進について議論が行われた。

また、SICORPでは2015年(平成27年)に設立されたEUの研究・技術開発フレームワーク・プログラム(FP7)における国際協

1　Asia-Pacific Network for Global Change Research
2　Low Carbon Asia Research Network

力活動プロジェクトであるCONCERT-Japanの後継として、ＥＩＧ　ＣＯＮＣＥＲＴ-Japan[1]における日本と欧州諸国との研究を実施している。

　　イ　中国、韓国との協力
　中国とは、2018年（平成30年）8月に文部科学省と中国科学技術部との間で署名された協力覚書に基づき、ＳＩＣＯＲＰ「国際共同研究拠点」（環境・エネルギー分野）が実施されている。
　日中韓3か国の枠組みでは、文部科学省科学技術・学術政策研究所と中韓の科学技術政策研究機関が協力して日中韓科学技術政策セミナーを開催した。

　　ウ　ＡＳＥＡＮ諸国、インドとの協力
　アジアには、環境・エネルギー、食料、水、防災、感染症など、問題解決に当たって我が国の科学技術を活かせる領域が多く、このようなアジア共通の問題の解決に積極的な役割を果たし、この地域における相互信頼、相互利益の関係を構築していく必要がある。
　文部科学省は、科学技術振興機構と協力して、2012年（平成24年）6月に、研究開発力を強化するとともに、アジア諸国が共通して抱える課題の解決を目指し多国間の共同研究を行う「ｅ－ＡＳＩＡ共同研究プログラム」を発足させた。同プログラムは、ＡＳＥＡＮ諸国を含むアジア太平洋諸国等の機関が参加し、「材料(ナノテクノロジー)」、「農業（食料）」、「代替エネルギー」、「ヘルスリサーチ（感染症、がん）」、「防災」、「環境（気候変動、海洋科学）」、「イノベーションに向けた先端融合」の7分野を対象にしている。なお、ヘルスリサーチ分野については、2015年（平成27年）4月から日本医療研究開発機構において支援している。また、2020年度（令和2年度）には、新型コロナウ

イルス感染症に関する共同研究プロジェクトの緊急公募を行った。
　このほか、ＳＩＣＯＲＰ「国際共同研究拠点」として、2020年（令和2年）よりＡＳＥＡＮ地域（環境・エネルギー、生物資源、生物多様性、防災分野）、2022年（令和4年）よりインド（ＩＣＴ分野）において支援のフェーズⅡを開始した。イノベーションの創出、日本の科学技術力の向上、相手国・地域との研究協力基盤の強化を目的として、日本の「顔の見える」持続的な共同研究・協力を推進するとともにネットワークの形成や若手研究者の育成を図っている。

　　エ　その他の国との協力
　その他の国との間でも、情報交換、研究者の交流、共同研究の実施等の科学技術協力が進められている。2022年（令和4年）9月にはブラジル、10月には南アフリカ、11月にはオーストラリア、2023年（令和5年）3月にはニュージーランドとの間でそれぞれ科学技術協力合同委員会を開催し、我が国との間での科学技術協力の更なる促進について議論が行われた。
　アジア、アフリカや中南米等の開発途上国との科学技術協力については、これらの国々のニーズを踏まえ、地球規模課題の解決と将来的な社会実装に向けた国際共同研究を推進するため、文部科学省、科学技術振興機構及び日本医療研究開発機構並びに外務省及び国際協力機構が連携し、我が国の優れた科学技術と政府開発援助（ＯＤＡ[2]）を組み合わせた「地球規模課題対応国際科学技術協力プログラム（ＳＡＴＲＥＰＳ[3]）」を実施している。平成20年度から令和4年度（2008年度から2022年度）に、環境・エネルギー、生物資源、防災や感染症分野において、53か国で179件（地域別ではアジア97件、アフリカ44件、中南米27件等）を採

1　The European Interest Group Connecting and Coordinating European Research and Technology Development with Japan
2　Official Development Assistance
3　Science and Technology Research Partnership for Sustainable Development

択している。

　文部科学省は、我が国のSATREPSに参加する大学に留学を希望する者を国費外国人留学生として採用する、国際共同研究と留学生制度を組み合わせた取組を実施している。これにより、国際共同研究に参画する相手国の若手研究者等が、我が国で学位を取得することが可能になるなど、人材育成にも寄与する協力を進めている。また、2019年（令和元年）、第7回アフリカ開発会議（TICAD7[1]）の公式サイドイベントとして文部科学省が開催した「STI for SDGsについての日本アフリカ大臣対話」での議論を踏まえて開始された、日本と南アフリカを核として3か国以上の日・アフリカ多国間共同研究を行うプログラム「AJ─CORE[2]」では、2022年（令和4年）までに、環境科学分野において8件を採択している。

（6）研究活動の国際化・オープン化に伴う研究の健全性・公正性（研究インテグリティ）の自律的な確保

　研究活動の国際化、オープン化に伴う新たなリスクへ適切に対応し、必要な国際共同研究を進めていくために、令和3年4月に統合イノベーション戦略推進会議において「研究活動の国際化、オープン化に伴う新たなリスクに対する研究インテグリティの確保に係る政府としての対応方針について」が決定された。これに基づき、令和4年度に、大学・研究機関等への説明会や海外動向の調査を実施するとともに、大学・研究機関等における研修強化等の取組状況及び利益相反・責務相反に関する規程・組織の整備状況並びに研究資金配分機関等における取組状況を把握・公表した。

2．研究の公正性の確保

　研究者が社会の多様なステークホルダーと

の信頼関係を構築するためには、研究の公正性の確保が前提であり、研究不正行為に対する不断の対応が科学技術・イノベーションへの社会的な信頼や負託に応え、その推進力を向上させるものであることを、研究者及び大学等の研究機関は十分に認識する必要がある。

　公正な研究活動の推進については、文部科学省では、「研究活動における不正行為への対応等に関するガイドライン」（平成26年8月26日文部科学大臣決定）に基づき、研究機関における体制整備等の取組の徹底を図るとともに、日本学術振興会、科学技術振興機構及び日本医療研究開発機構と連携し、研究機関による研究倫理教育の実施等を支援するなどの取組を行っている。

　研究費の不正使用の防止については、文部科学省では、「研究機関における公的研究費の管理・監査のガイドライン（実施基準）」（平成19年2月15日文部科学大臣決定。以下「ガイドライン」という。）に基づき、研究機関における公的研究費の適正な管理を促すとともに、研究機関の取組を支援するための指導・助言を行っている。さらに、令和3年2月にガイドラインを改正し、研究費不正防止対策の強化を図っている。経済産業省では、「研究活動の不正行為への対応に関する指針」（平成27年1月15日改正）及び「公的研究費の不正な使用等の対応に関する指針」（平成27年1月15日改正）により対応を行うなど、関係府省においてもそれぞれの指針等に基づき対応を行っている。

　また、不正行為等に関与した者等の情報を関係府省で共有し、「競争的研究費の適正な執行に関する指針」（令和3年12月17日改正競争的研究費に関する関係府省連絡会申し合わせ）に基づき、関係府省全ての競争的研究費への応募資格制限等を行っている。

1　　Tokyo International Conference on African Development
2　　Africa-Japan Collaborative Research

第2節　知のフロンティアを開拓し価値創造の源泉となる研究力の強化

研究者の内在的な動機に基づく研究が、人類の知識の領域を開拓し、その積み重ねが人類の繁栄を支えてきた。人材の育成や研究インフラの整備、多様な研究に挑戦できる文化を実現し、「知」を育む研究環境を整備するために行っている政府の施策を報告する。

1 多様で卓越した研究を生み出す環境の再構築

知のフロンティアを開拓する多様で卓越した研究成果を生み出すため、研究者が一人ひとりに内在する多様性に富む問題意識に基づき、その能力をいかんなく発揮し、課題解決へのあくなき挑戦を続けられる環境の実現を目指している。

❶ 博士後期課程学生の処遇向上とキャリアパスの拡大

文部科学省では、優秀で志のある博士後期課程学生が研究に専念するための経済的支援及び博士人材が産業界等を含め幅広く活躍するためのキャリアパス整備を一体として行う実力と意欲のある大学を支援するため、令和3年度より「科学技術イノベーション創出に向けた大学フェローシップ創設事業」を開始したほか、科学技術振興機構を中心に、新たに「次世代研究者挑戦的研究プログラム（ＳＰＲＩＮＧ[1]）」にも取り組んでいる。

また、日本学術振興会は、我が国の学術研究の将来を担う優秀な博士後期課程の学生に対して研究奨励金を支給する「特別研究員（ＤＣ[2]）事業」を実施している。

日本学生支援機構は、意欲と能力があるにもかかわらず、経済的な理由により進学等が困難な学生に対する奨学金事業を実施しており、大学院で無利子奨学金の貸与を受けた学生のうち、在学中に特に優れた業績を上げた学生の奨学金について返還免除を行っている。なお、平成30年度入学者より、博士課程の大学院業績優秀者免除制度の拡充を行い、博士後期課程学生の経済的負担を軽減することによって、進学を促進している。

これらの事業などにより、「研究力強化・若手研究者支援総合パッケージ（令和2年1月23日総合科学技術・イノベーション会議）」において示された政府目標である約1万5,000人の博士後期課程学生への経済的支援の実現が見込まれており、今後は第6期基本計画の目標である約2万2,500人規模の支援を目指していく。

また、博士課程学生の処遇向上に向けて、第6期基本計画や「ポストドクター等の雇用・育成に関するガイドライン」（令和2年12月3日科学技術・学術審議会人材委員会）を踏まえ、競争的研究費制度において、博士課程学生の積極的なリサーチアシスタント（ＲＡ）等としての活用と、それに伴うＲＡ経費等の適正な支出を促進している。

文部科学省は、産業界と大学が連携して大学院教育を行い、博士後期課程において研究力に裏打ちされた実践力を養成する長期・有給のインターンシップをジョブ型研究インターンシップ（先行的・試行的取組）として令和3年度から大学院博士後期課程学生を対象に開始し、多様なキャリアパスの実現に向けて取組を進めている。

また、国家公務員の博士課程修了者の待遇改善について、人事院は、令和4年11月に人事院規則を改正し、博士課程修了者の有する専門性を適切に評価してより高い初任給の決定ができる仕組みを整備した（令和5年4月1日施行）。加えて内閣官房内閣人事局、内閣府科学

1　Support for Pioneering Research Initiated by the Next Generation
2　Doctoral course

技術・イノベーション推進事務局、文部科学省の連名で各府省等における博士課程修了者の活用に関する検討に向けた調査結果を令和5年1月に公表した。これらを通じて更なる国家公務員における博士課程修了者の活用方策を検討する。加えて「公的機関における博士号取得者の雇用・活用状況に関する調査研究」により、国内外の公的機関における博士号取得者の採用状況や期待される役割、高い専門性や汎用的な研究力を活かした職務内容の好事例等に関する調査・検証を進めている。

❷　大学等において若手研究者が活躍できる環境の整備

令和元年6月21日に閣議決定した「統合イノベーション戦略2019」に基づき、研究機関において適切に執行される体制の構築を前提として、研究活動に従事するエフォートに応じ、研究代表者本人の希望により、競争的研究費の直接経費から研究代表者（PI[1]）への人件費を支出可能とした。これにより、研究機関において、適切な費用負担に基づき、確保した財源により、研究に集中できる環境整備等による研究代表者の研究パフォーマンス向上、若手研究者をはじめとした多様かつ優秀な人材の確保等を通じた機関の研究力強化に資する取組に活用することができ、研究者及び研究機関双方の研究力の向上が期待される。

文部科学省は、雇用財源に外部資金（競争的研究費、共同研究費、寄附金等）を活用することで捻出された学内財源を若手ポスト増設や研究支援体制の整備などに充てる取組や、シニア研究者に対する年俸制やクロスアポイントメント制度の活用、外部資金による任期付き雇用への転換の促進などを通じて、組織全体で若手研究者のポストの確保と、若手の育成・活躍促進を後押しし、持続可能な研究体制を構築する取組の優良事例を盛り込んだ、国立大学法人等人事給与マネジメント改革に関するガイドライン（追補版）を作成し、令和3年12月21日に公表した。

また、研究者の研究環境の整備に向けては、リサーチ・アドミニストレーター（URA）等の研究マネジメント人材の育成・活躍促進も重要であり、大学等におけるURAの更なる充実を図るため、その知識・能力の向上と実務能力の可視化に資するものとして令和3年度に「リサーチ・アドミニストレーター等のマネジメント人材に係る質保証制度の実施」事業において、URAの質保証（認定）制度の運用が開始され、令和4年度は引き続き質保証制度を行う機関の運営補助を実施している。

また、平成25年度より世界水準の優れた研究大学群を増強するため、「研究大学強化促進事業」を実施し、定量的な指標（エビデンス）に基づき採択した22の大学等研究機関に対する研究マネジメント人材（URAを含む。）群の確実な配置や集中的な研究環境改革の支援を通じて、我が国全体の研究力強化を図っている（第2章第2節 ❻参照）。

我が国の研究生産性の向上を図るため国内外の先進事例の知見を取り入れ、世界トップクラスの研究者育成に向けたプログラムを開発し、トップジャーナルへの論文掲載や海外資金の獲得等に向けた支援体制など、研究室単位ではなく組織的な研究者育成システムの構築を目指す「世界で活躍できる研究者戦略育成事業」を令和元年度より実施し、令和4年度においては5機関を支援している。

また、優れた若手研究者が産学官の研究機関において、安定かつ自立した研究環境を得て自主的・自立的な研究に専念できるよう研究者及び研究機関に対して支援を行う「卓越研究員事業」を平成28年度より実施している。令和4年度までに、本事業を通じて創出されたポストにおいて、少なくとも480名（令和5年2月1日現在）の若手研究者が安定かつ自立した研究環境を確保している。

1　Principal Investigator

　そのほかにも、若手研究者等の流動性を高めつつ安定的な雇用を確保することによって、キャリアアップを図るとともに、キャリアパスの多様化を進める仕組みを構築する大学等を支援する「科学技術人材育成のコンソーシアムの構築事業」を実施し、令和4年度においては10拠点が取組を行っている。

　科学技術振興機構は、産学官で連携し、研究者や研究支援人材を対象とした求人・求職情報など、当該人材のキャリア開発に資する情報の提供及び活用支援を行うため、「研究人材のキャリア支援ポータルサイト（JREC-IN

Portal[1]）」を運営している。

　文部科学省科学技術・学術政策研究所では、博士課程の前段階である修士課程修了予定者に対し、博士課程への進学予定や経済状況、キャリア意識等の調査を実施し、令和3年度修了者分の報告書として令和5年1月に公表した。また、博士人材の活躍状況を把握する情報基盤である博士人材データベース（JGRAD[2]）について、個々の博士（後期）課程学生等から直接JGRADへの登録ができるように令和4年度に運用を変更し、登録者数の増大を図った。

コラム10　活躍する博士人材　～民間企業の研究者～

　科学技術指標2022によると、2021年度の大学院（博士課程）への社会人入学者数は6,000人であり、その全体に占める割合は41.7%にも及びます。日本の博士人材の半数ほどを占める社会人博士入学者である江川さんにそのきっかけ等を伺いました。

江川　麻里子
株式会社資生堂　みらい開発研究所　エグゼクティブスペシャリスト
博士（工学）　専門：分光学・生体分光計測

　江川さんは、「近赤外およびラマン分光法によるヒト皮膚成分分布解析の研究」で、複数の分光技術により、従来技術では観察が難しかった「生きたまま」の状態の皮膚の構成成分の分布とその変化挙動を、非侵襲的に評価することを可能にしたことが評価され、令和4年度科学技術分野の文部科学大臣表彰で科学技術賞（研究部門）を受賞しました。

　学生時代の江川さんですが、学士課程の研究には興味が持てなかったそうです。しかし、大学を卒業して現在の会社で働くうちに、改めて研究に強い興味を持ち、社会人生活と並行しながら、自費で新潟大学の博士課程に入って研究を行うことで3年の歳月をかけて博士（工学）を取得しました。その後、母校の筑波大学でも博士号を取得したいという思いの下、再度、博士（工学）を取得しています。企業の研究者である以上、研究によって生まれる成果が利益に結び付くことは意識せざるを得ませんが、江川さんの会社は、研究活動に寛容で研究者のアイディアを大事にしてくれるため、江川さんは博士としてアカデミックな学会にも所属しつつ、大学などとも連携して研究しています。

　江川さんは社会人として博士課程に進学しましたが、学業と仕事の両立は厳しいものでした。しかし、研究活動を通じてたくさんの論文を書くことで物事をやり遂げる力や、研究者として欠かせない基礎的なものの考え方を養うことができました。これが、博士課程に進学して良かった点だったと振り返ります。

　社会人から博士課程に進学することを考えている方に一言お願いしたところ、次のように答えてくれました。
　「学士課程や修士課程を終えた時点では好きなことを見つけられないこともあります。社会人になってから好きなことを見つけ、博士号を目指したくなったときに、社会人だからということで一歩を踏み出せない方がいたら、ぜひ博士課程にチャレンジして欲しいです。きっといい未来が待っています。」

1　https://jrecin.jst.go.jp

2　Japan Graduates Database

❸ 女性研究者の活躍促進

女性研究者がその能力を発揮し、活躍できる環境を整えることは、我が国の科学技術・イノベーションの活発化や男女共同参画の推進に寄与するものである。我が国では、女性研究者の登用や活躍支援を進めることにより、女性研究者の割合は年々増加傾向にあるものの、令和4年3月31日現在で17.8%であり、先進諸国と比較すると依然として低い水準にある（第2-2-4図）。第6期基本計画では、大学の研究者の採用に占める女性の割合に関する成果目標として、2025年までに理学系20%、工学系15%、農学系30%、医学・歯学・薬学系合わせて30%、人文科学系45%、社会科学系30%を目指すとしている。

内閣府は、ウェブサイト「理工チャレンジ（リコチャレ）[1]」において、理工系分野での女性の活躍を推進している大学や企業等の取組やイベント等の情報を提供している。また、令和4年度オンラインシンポジウムを同ウェブサイト上に掲載し、全国の女子中高生とその保護者・教員へ向けて、理工系で活躍する多様なロールモデルからのメッセージを配信した。さらに、学校や公共団体が実施するイベント等にSTEM Girls Ambassadorsの派遣を行った。

文部科学省は、出産・育児等のライフイベントと研究との両立や女性研究者の研究力向上を通じたリーダーの育成を一体的に推進するダイバーシティの実現に向けた大学等の取組を支援するため、「ダイバーシティ研究環境実現イニシアティブ」を実施しており、令和4年度までに延べ139機関を支援している。

日本学術振興会は、出産・育児により研究を中断した研究者に対して、研究奨励金を支給し、研究復帰を支援する「特別研究員（RPD[2]）事業」を実施している。

科学技術振興機構は、科学技術分野で活躍する女性研究者・技術者、女子学生などと女子中高生の交流機会の提供や実験教室、出前授業の実施などを通して女子中高生の理系分野に対する興味・関心を喚起し、理系進路選択を支援する「女子中高生の理系進路選択支援プログラム」を実施している。

産業技術総合研究所は、全国20の大学や研究機関から成る組織（ダイバーシティ・サポート・オフィス）の運営に携わり、参加機関と連携してダイバーシティ推進に関する情報共有や意見交換を行っている。また、大学・企業との連携・協働で女性活躍推進法行動計画を実践し、より広いネットワークの下、相互に研究者等のワーク・ライフ・バランスの実現やキャリア形成を支援し、意識啓発を進めるなどダイバーシティ推進に努めている。

■第2-2-4図／各国における女性研究者の割合

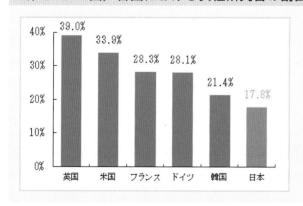

注：1. 韓国は2020年、英国、米国、ドイツは2019年、フランスは2017年時点のデータ
　　2. 米国については、研究者ではなく、科学専門職（科学工学の学士レベル以上を保有し、科学に関する専門的職業に従事している者。ただし科学には社会科学を含む。）を対象としている。
資料：総務省統計局「2022年（令和4年）科学技術研究調査報告」、OECD "Main Science and Technology Indicators"、NSF "Science and Engineering Indicators"を基に文部科学省作成

1　https://www.gender.go.jp/c-challenge/

2　Restart Postdoctoral Fellowship：研究活動を再開（Restart）する博士取得後の研究者の意味

コラム11　活躍する博士人材　～人文・社会科学の研究者～

　科学技術指標2022によると、2021年度の人文・社会科学分野での博士課程入学者数は1,629名と、博士課程入学者数全体のうち約11％を占めています。大変貴重かつ重要な人材である人文・社会科学分野の研究者の方に研究者を志すきっかけ等を伺いました。

古宮　路子
東京大学大学院　人文社会系研究科　助教
博士（文学）　専門：20世紀ロシア文学

　古宮さんは、ロシア文学研究ではほとんど手が付けられていないといわれるユーリー・オレーシャの代表作『羨望』(1927) について膨大な草稿を丹念に整理・分析しその創作過程を解明する緻密で高水準な研究を行い、令和４年度に第19回日本学術振興会賞を受賞しています。

　古宮さんがロシア文学を研究するきっかけは「読書」です。子供のころから読書好きで、小学生の時には読む本のジャンルは世界文学に及び、中学生で目にしたロシア文学に心から惹かれ、ロシア文学のことをもっと知りたいと思うようになりました。そして、将来はロシア文学を研究したい、そんな思いを胸に青春時代を過ごしています。博士課程でロシア文学を研究してから、日本学生支援機構の奨学金を得て、モスクワ大学に進学し、３年間で博士号を取得しました。博士課程では、第一線で活躍しているたくさんの海外の研究者と交流する機会があることが最も楽しいところだと言います。古宮さんは研究成果を国内外の雑誌や論集に投稿していて、古宮さんの研究はロシア本国でも高く評価され、著書のロシア語版も出版される予定です。研究は楽しく、休暇には図書館で希少な文献の数々に触れていることが多いそうです。

村上　祐子
立教大学大学院　人工知能科学研究科　教授
インディアナ大学でPh.D.を取得

　村上さんは、現在、人工知能の哲学をテーマに研究を行っています。既存の哲学理論がどこまでＡＩの人格や責任問題などに適用できるのかについて研究されているほか、哲学・論理学の歴史や情報教育についても研究しています。また、2019年（令和元年）には、第28回欧州経営・ビジネス経済アカデミー国際学会において高い評価を得られた論文に与えられる、ベスト論文を受賞しています。

　村上さんは文系で大学に入学しましたが、数学の勉強がしたくなったこともあり、科学史・科学哲学研究室に進学し、人間の善悪の問題を数理モデルで解くという、学際分野での研究に取り掛かりました。日本で修士号まで取得した後、米国のフルブライト奨学金を得て留学し、帰国してからも様々な大学や研究機関に所属されていますが、研究テーマが哲学と数学の学際分野であることから、所属する学部も文系、理系と様々でした。

　村上さんに学際分野の研究の難しさや博士課程学生の印象について聞くと次のように答えてくれました。「自らの研究について視野を広げていくためには、異なる分野の研究者と腹を割って話すことがとても大切。また、社会人として博士課程で学んでいる方々のモチベーションの高さが、修士課程からストレートで進学してきた学生のみならず、教員に対して良い刺激になっている。」

　忙しい研究生活と家庭を両立させつつ、運動をしたり、大学の図書館などで研究とは異なった分野の本を読んだり、オペラを鑑賞したり、時間を見つけてできる限りの気分転換を図っているそうです。

❹　基礎研究・学術研究の振興

１．科学研究費助成事業の改革・強化

　文部科学省及び日本学術振興会は科学研究費助成事業（科研費）を実施している。科研費は、人文学・社会科学から自然科学までの全ての分野にわたり、あらゆる学術研究を対象とする競争的研究費であり、研究の多様性を確保しつつ独創的な研究活動を支援することにより、

研究活動の裾野の拡大を図り、持続的な研究の発展と重厚な知的蓄積の形成に資する役割を果たしている。令和4年度は、主な研究種目全体で約9万件の新たな応募のうち、ピアレビュー（研究者コミュニティから選ばれた研究者による審査）によって約2万6,000件を採択し、数年間継続する研究課題を含めて約8万3,000件を支援している（令和4年度当初予算額2,377億円）。

科研費は、これまでも制度を不断に見直し、基金化の導入や、審査システムの見直し、若手支援プランの充実をはじめとする抜本的な改革を進めてきた。令和4年度においては、若手研究者の挑戦を促し、トップレベル研究者が率いる優れた研究チームの国際共同研究を強力に推進するため、「国際先導研究」による支援を開始したほか、「特別研究員奨励費」の基金化などの若手研究者支援を行った。今後も、更なる学術研究の振興に向け、科研費制度の不断の見直しを行い支援の充実を図っていく。

2．戦略的創造研究推進事業

科学技術振興機構が実施している「戦略的創造研究推進事業（新技術シーズ創出）」及び日本医療研究開発機構が実施している「革新的先端研究開発支援事業」では、国が戦略的に定めた目標の下、大学等の研究者から提案を募り、組織・分野の枠を超えた時限的な研究体制を構築して、戦略的な基礎研究を推進するとともに、有望な成果について研究を加速・深化している。研究者の独創的・挑戦的なアイディアを喚起し、多様な分野の研究者による異分野融合研究を促すため、戦略目標等を大括り化する等の制度改革を進めており、令和4年度目標として、文部科学省では以下の6つを設定した。

（1）戦略的創造研究推進事業（新技術シーズ創出）
・社会課題解決を志向した計測・解析プロセスの革新
・量子情報と量子物性の融合による革新的量子制御技術の創成
・文理融合による社会変革に向けた人・社会解析基盤の創出
・「総合知」で切り拓く物質変換システムによる資源化技術
・老化に伴う生体ロバストネスの変容と加齢性疾患の制御に係る機序等の解明※

（2）革新的先端研究開発支援事業
・免疫細胞に宿る記憶の理解とその制御に資する医療シーズの創出
・老化に伴う生体ロバストネスの変容と加齢性疾患の制御に係る機序等の解明※

※戦略的創造研究推進事業（新技術シーズ創出）と革新的先端研究開発支援事業の共通の目標

3．創発的研究の推進

若手を中心とした独立前後の研究者に対し、自らの野心的な構想に専念できる環境を長期的に提供することで、破壊的イノベーションをもたらし得る成果の創出を目指す「創発的研究支援事業」を科学技術振興機構に造成した基金により実施している。令和4年度には、研究者のネットワーク形成や知の融合を促進する「融合の場」の開催等の取組を行うなど、支援の充実・強化を図った。また第3回目の公募を行い、新たに263件の研究課題を採択した。令和4年度第2次補正予算においては、第4回目以降の公募を可能とする予算を計上し、支援の充実に取り組んでいる。

4．大学・大学共同利用機関における共同利用・共同研究の推進

我が国の学術研究の発展には、最先端の大型装置や貴重な資料・データ等を、個々の大学の枠を越えて全国の研究者が利用し、共同研究を行う「共同利用・共同研究体制」が大きく貢献しており、主に大学共同利用機関や、文部科学

大臣の認定を受けた国公私立大学の共同利用・共同研究拠点[1]によって担われている。

　学術研究の大型プロジェクト[2]は、最先端の大型研究装置等により人類未踏の研究課題に挑み世界の学術研究を先導し、また、国内外の優れた研究者を結集し、国際的な研究拠点を形成するとともに、国内外の研究機関に対し研究活動の共通基盤を提供しており、文部科学省では「大規模学術フロンティア促進事業」としてこうしたプロジェクトを支援している。例として、小柴昌俊博士及び梶田隆章博士の各ノーベル賞受賞に代表されるニュートリノ研究においては、現在、我が国が世界を先導する次世代の「ハイパーカミオカンデ計画」（東京大学宇宙線研究所等）が進行中であり、ニュートリノの性質の全容解明や陽子崩壊の探索などにより、新たな物理法則の発見や宇宙の謎を解き明かすことを目指している。

　また、学術研究の大型プロジェクトのうち、基盤性が高く長期的なマネジメントが必要な事業については、「学術研究基盤事業」として支援を行っている。中でも、情報・システム研究機構国立情報学研究所の「学術研究プラットフォーム」は、最先端のネットワーク基盤「SINET[3]」と研究データ基盤「NII RDC[4]」を整備することにより、基幹的ネットワークとして大学等の学術研究や教育活動全般を支える

とともに、データ駆動型研究の実現に貢献している。

❺　国際共同研究・国際頭脳循環の推進
１．国際研究ネットワークの充実
（１）我が国の研究者の国際流動の現状

　令和5年度に公表した「国際研究交流の概況」によれば、我が国における研究者の短期派遣者数は、調査開始以降、増加傾向が見られた。しかしながら令和2年度には著しい減少が見られ、令和3年度も引き続き低水準となった。また、中・長期派遣者数は平成20年度以降、おおむね4,000から5,000人の水準で推移しており、令和2年度に著しい減少が見られ、令和3年度は少し増加傾向となった（第2-2-5図）。

　我が国の大学や独立行政法人等の外国人研究者の短期受入者数は、平成21年度まで増加傾向であったところ、東日本大震災等の影響により平成23年度にかけて減少し、その後回復したが、令和2年度に著しい減少が見られ、令和3年度は引き続き低水準となった。また、中・長期受入者数は、平成12年度以降、おおむね1万2,000から1万5,000人の水準で推移していたが、令和2年度に大きく減少し、令和3年度は引き続き低水準となった（第2-2-6図）。

　これら指標の低水準は、新型コロナウイルス感染症の影響によるものと考えられる。

1　令和5年4月現在、59大学108拠点（国際共同利用・共同研究拠点5大学7拠点を含む。）が認定を受けて活動している。
2　学術研究の大型プロジェクトについて
　　https://www.mext.go.jp/a_menu/kyoten/20230209-mxt_kouhou02-1.pdf

3　Science Information NETwork
4　NII Research Data Cloud：データ管理基盤GakuNin RDM、データ公開基盤JAIRO Cloud、データ検索基盤CiNii Researchの3基盤から構成される。

■第2-2-5図／海外への派遣研究者数（短期／中・長期）の推移

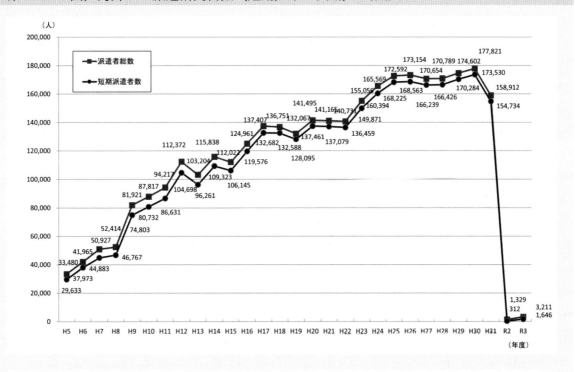

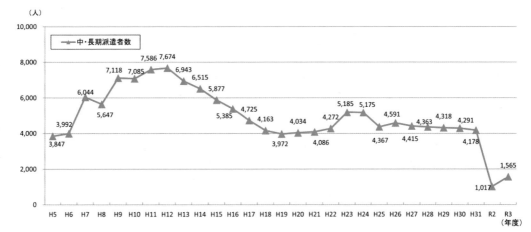

注：1．本調査では、30日以内の期間を「短期」とし、30日を超える期間を「中・長期」としている。
　　2．平成22年度調査からポストドクター・特別研究員等を対象に含めている。
資料：文部科学省「国際研究交流の概況」（令和5年度公表）

■第２-２-６図／海外からの受入研究者数（短期／中・長期）の推移

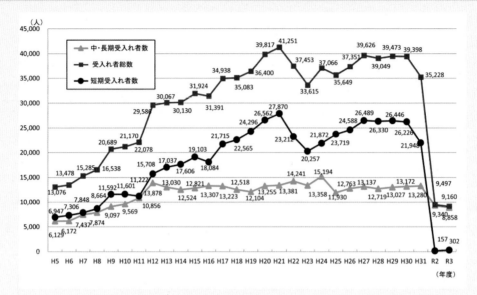

注：1．本調査では、30日以内の期間を「短期」とし、30日を超える期間を「中・長期」としている。
　　2．平成22年度調査からポストドクター・特別研究員等を対象に含めている。
　　3．平成25年度調査から、同一年度内で同一研究者を日本国内の複数機関で受け入れた場合の重複は排除している。
資料：文部科学省「国際研究交流の概況」（令和5年度公表）

（2）研究者の国際交流を促進するための取組
　世界規模で進む頭脳循環の流れの中において、我が国の研究者及び研究グループが国際的研究・人材ネットワークの中心に位置付けられ、またそれを維持していくことができるように、取組を進めている。
　日本学術振興会は、国際舞台で活躍できる我が国の若手研究者の育成を図るため、若手研究者を海外に派遣する諸事業や諸外国の優秀な研究者を招聘する事業を実施するほか、科学研究費助成事業（科研費）において、令和3年度に創設した「国際先導研究」においては高い研究実績と国際ネットワークを有するトップレベル研究者が率いる優秀な研究チームの下、若手（ポスドク・博士課程学生）の参画を要件とし、国際共同研究を通じて長期の海外派遣・交流や自立支援を行うことにより、世界と戦える優秀な若手研究者の育成を推進している。
　また、我が国における学術の将来を担う国際的視野に富む有能な研究者を養成・確保するため、優れた若手研究者が海外の特定の大学等研究機関において長期間研究に専念できるよう支援する「海外特別研究員事業」や、博士後期課程学生等の海外渡航支援として「若手研究者海外挑戦プログラム」等を実施している。
　さらに、国際コミュニティの中核に位置する一流の大学・研究機関において挑戦的な研究に取り組みながら、著名な研究者等とのネットワーク形成に取り組む優れた若手研究者に対して研究奨励金を支給する「国際競争力強化研究員事業（特別研究員（ＣＰＤ[1]））」を令和元年度より実施している。
　優れた外国人研究者に対し、我が国の大学等において研究活動に従事する機会を提供するとともに、我が国の大学等の研究環境の国際化に資するため、「外国人研究者招へい事業」により外国人特別研究員等の受入れを実施しているほか、「二国間交流事業」により我が国と諸外国の研究チームの持続的ネットワーク形成を支援している。
　また、アジア・太平洋・アフリカ地域の若手研究者の育成と相互のネットワーク形成の

1　Cross-border Postdoctoral Fellow

ため「ＨＯＰＥミーティング」を開催し、同地域から選抜された大学院生等とノーベル賞受賞者をはじめとする世界の著名研究者が交流する機会を提供している。

　科学技術振興機構は、海外の優秀な人材の獲得につなげるため、世界各国・各地域から青少年を短期で我が国に招聘する「国際青少年サイエンス交流事業（さくらサイエンスプログラム）」を平成26年度から実施している。

コラム12　活躍する博士人材　～海外で活躍する研究者～／様々な場所で活躍する博士人材　～留学中の博士編～

　日本での博士課程、助手時代の後に、海外へとその活躍の場を移した高久さんに、ご自身のこれまでの御経験及びこれから海外を目指す方々へのメッセージなどを伺いました。

高久　誉大
ノースダコタ大学 アシスタントプロフェッサー
博士（理学）

　高久さんは、乳がんなどのがんの原因解明から早期診断や新規治療法の開発を目指し、細胞がDNA変異や環境の変化などを通してどのように変化していくのか、分子メカニズムの研究を行っています。日本で博士号を取得した後、日本学術振興会の海外特別研究員として渡米し、6年間のポストドクターの経験を経て2019年から現在の職で研究室主宰者として研究を続けています。

　高久さんは、修士課程時代にどこに就職しようかと悩んでいたところ、「博士号を持っていれば、ポストドクターとして海外で研究をすることもできる」とのアドバイスを受けて、博士課程に進むことを決意しました。博士課程では、実験技術や知識に加え、論理的に話す力、調べる力、解決力などが身に付き、思考の仕方が鍛えられたと言います。異文化での生活では特に英語でのコミュニケーションで苦労しましたが、家族が一緒だったことで救われたことが多々あるそうです。

　日本と米国の相違について聞くと次のように語ってくれました。「米国では大学に入ってからが勝負で、大学で勉強することが非常にポジティブに捉えられる。また、米国の大学院生は自分の未来を、そしてどこで人と差を付けるかを常に考えなければならない状況に置かれている。博士号を持つ米国人は誇りを持っており、博士号があればすぐに職が見つかる。そして、何より、一般の人が科学や研究の話が好きで幅広い知識を持っている。」

　科学技術指標2022によると、2019年の高等教育レベル（ISCED 2011レベル5～8）における日本の留学者数は3万2,501人であり、海外へ留学する博士課程学生の数も多くはありません。ここでは、海外で博士課程在籍中である塚本さんにインタビューを行いました。

塚本　真悟
カリフォルニア大学バークレー校大学院機械工学専攻博士課程
修士（機械システム）　専門：機械工学

　塚本さんは機械システム工学域の修士号を取得した後、日本学生支援機構の海外留学支援制度を利用して、米国のカリフォルニア大学バークレー校で、細胞に働く物理的な力がDNA構造、遺伝子発現に関与するメカニズムについて研究し、細胞の応答理解及びがんや自己免疫疾患の原因解明、治療法確立を目指しています。

　塚本さんは大学3年生の時に国が難病指定している（治療法のない）「好酸球性消化管疾患」と宣告され、この宣告をきっかけに「同じ病に苦しむ人の力になりたい」という思いを持ち、修士課程から機械システム工学を医療に活かす道を志しました。現在は難病の症状は出ていないことから完治したとの診断を受けていますが、難病の宣告によってどれだけ苦しく絶望的な気持ちになるのかを知っているからこそ、初心を忘れることなく研究に打ち込んでいます。

　海外の博士課程に進学したきっかけは、修士課程の時に留学した際、その圧倒的な研究設備と世界中の研究者が集まり共同研究が次々に生まれていく場に感銘を受けたことだそうです。

　「バークレー校はやる気のある学生で満ち溢れていて、授業で積極的な議論が展開されています。そして、様々な分野の有名な研究者の講演を聴き議論を交わすと世界の中心はここだという実感が込み上げてきます。ある意味自由で何もしなくても誰も何も言わないし助けてくれない、一方、やる気があれば物事はどんどん進む。今は休みなんて関係ない、研究をやりたいからずっと研究をしている」と、塚本さんは言います。

　バークレー校では、皆、就職する感覚でスタートアップを語っているとのことで、塚本さんは研究、教授職や起業など、あらゆる選択肢を視野に入れて活動しています。

２．国際的な研究助成プログラム

ヒューマン・フロンティア・サイエンス・プログラム（HFSP）は、1987年（昭和62年）6月のベネチア・サミットにおいて我が国が提唱した国際的な研究助成プログラムで、生体の持つ複雑な機能の解明のための基礎的な国際共同研究などを推進し、またその成果を広く人類全体の利益に供することを目的としている。現在、日本・オーストラリア・カナダ・EU・フランス・ドイツ・インド・イスラエル・イタリア・韓国・ニュージーランド・ノルウェー・シンガポール・南アフリカ・スイス・英国・米国の計17か国・極が加盟し、フランス・ストラスブールに置かれた国際ヒューマン・フロンティア・サイエンス・プログラム機構（HFSPO、理事長：長田重一大阪大学栄誉教授）により運営されている。我が国は本プログラム創設以来積極的な支援を行い、プログラム運営において重要な役割を担っている。

本プログラムでは、国際共同研究チームへの研究費助成（研究グラント）、若手研究者が国外で研究を行うための旅費、滞在費等の助成（フェローシップ）及び受賞者会合の開催等が実施されている。1990年度の事業開始から30年以上が経過し、この間、HFSPOは約1,200件の研究課題、約4,400名の世界の研究者に対して研究グラントを支援するとともに、約3,400名の若手研究者に対してフェローシップの助成を実施してきた。国際的協力による、独創的・野心的・学際的な研究を支援する本プログラムでは、過去に研究グラントに採択された受賞者の中から、2018年（平成30年）にノーベル生理学・医学賞を受賞された本庶佑京都大学特別教授をはじめ28名のノーベル賞受賞者を輩出するなど、世界的に高く評価されている。

３．国際共同研究の推進と世界トップレベルの研究拠点の形成

我が国が世界の研究ネットワークの主要な一角に位置付けられ、世界の中で存在感を発揮していくためには、国際共同研究を戦略的に推進するとともに、国内に国際頭脳循環の中核となる研究拠点を形成することが重要である。

（1）諸外国との国際共同研究

ア　ITER（イーター）計画等

ITER計画は、核融合エネルギーの実現に向け、世界7極35か国の国際協力により実施されており、近い時期での運転開始を目指し、フランス／サンポール・レ・デュランスにおいてITERの建設作業が本格化している。我が国は、ITERの主要な機器である超伝導コイルの製作等を進めている（第2章第1節 ②❷参照）。また、日欧協力によりITER計画を補完・支援し、原型炉に必要な技術基盤を確立するための先進的核融合研究開発である幅広いアプローチ（BA[1]）活動を青森県六ヶ所村及び茨城県那珂市で推進している。

イ　国際宇宙ステーション（ISS）

我が国は、日本実験棟「きぼう」及び宇宙ステーション補給機「こうのとり」（HTV[2]）の運用、日本人宇宙飛行士のISS[3]長期滞在等によりISS計画に参加している。2022年（令和4年）1月、米国航空宇宙局（NASA）が米国としてISSの運用期間を2030年まで延長することを発表し、我が国も、同年11月、米国以外の参加極の中で最初に運用延長への参加を表明した（第2章第1節 ③❺参照）。

ウ　国際宇宙探査

我が国は、2019年（令和元年）10月、宇宙開発戦略本部において、国際宇宙探査（アルテミス計画）への参画を決定した。2020年（令

1　Broader Approach
2　H-II Transfer Vehicle
3　International Space Station

和2年）12月には、日本政府とNASAとの間で、「月周回有人拠点ゲートウェイのための協力に関する了解覚書」に署名し、2022年（令和4年）11月には、文部科学省とNASAとの間で、了解覚書に基づく「ゲートウェイのための協力に関する実施取決め」に署名した。また、2023年（令和5年）1月には、外務大臣と米国国務長官との間で、「日・米宇宙協力に関する枠組協定」に署名した（第2章第1節 ③ ❺ 参照）。

エ　国際深海科学掘削計画（IODP）

IODP[1]は、地球環境変動、地球内部構造や地殻内生命圏等の解明を目的とした日米欧主導の多国間国際共同プログラムで、2013年（平成25年）10月から実施されている。我が国が提供し、科学掘削船としては世界最高レベルの性能を有する地球深部探査船「ちきゅう」及び米国が提供する掘削船を主力掘削船とし、欧州が提供する特定任務掘削船を加えた複数の掘削船を用いて世界各地の深海底の掘削を行っている。2020年（令和2年）10月、更に2050年までの2050 Science Frameworkを策定、今後の活動に向けて科学的目標を明らかにしている。

オ　大型ハドロン衝突型加速器（LHC）

現在、LHC計画[2]においては、LHCの高輝度化（HL－LHC[3]計画）が進められている。

カ　その他

国際リニアコライダー（ILC[4]）計画につ

いては、ヒッグス粒子の性質をより詳細に解明することを目指した国際プロジェクトであり、国際研究者コミュニティで検討されている。

（2）世界トップレベル研究拠点の形成に向けた取組

文部科学省は、「世界トップレベル研究拠点プログラム（WPI[5]）」により、高度に国際化された研究環境と世界トップレベルの研究水準を誇る「国際頭脳循環のハブ」となる拠点の充実・強化を進めている。具体的には、国内外のトップサイエンティストらによるきめ細やかな進捗管理の下で、1拠点当たり7億円程度を10年間支援し、令和4年度末時点で17拠点が活動している（https://www.jsps.go.jp/j-toplevel/04_saitaku.html）。令和2年には、これまでのミッションを高度化し、「次代を先導する価値創造」を加えた新たなミッションを策定し、この新たなミッションの下、段階的な拠点形成を推進することとしている。

（3）その他の研究大学等に関する取組

世界水準の優れた研究大学群を増強するため、研究マネジメント人材の確保・活用と大学改革・集中的な研究環境改革の一体的な推進を支援・促進し、我が国全体の研究力強化を図るため、「研究大学強化促進事業」を実施している。

内閣府は、沖縄科学技術大学院大学（OIST[6]）について、世界最高水準の教育・研究を行うための規模拡充に向けた取組を支援している。令和4年には、OISTのスバンテ・ペーボ教授がノーベル生理学・医学賞を受賞した。

1　International Ocean Discovery Program
2　Large Hadron Collider：欧州合同原子核研究機関（CERN）の巨大な円形加速器を用いて、宇宙創成時（ビッグバン直後）の状態を再現し、未知の粒子の発見や、物質の究極の内部構造の探索を行う実験計画であり、CERN加盟国と日本、米国等による国際協力の下で進められている。
3　High Luminosity-Large Hadron Collider
4　International Linear Collider
5　World Premier International Research Center Initiative
　　https://www.jsps.go.jp/j-toplevel/04_saitaku.html

6　Okinawa Institute of Science and Technology Graduate University

コラム13　活躍する博士人材　～自然科学の研究者（地域の大学）～

　理工系分野においては、博士課程修了後のキャリアパスとして、アカデミアに在籍しながら様々な研究活動に従事される研究者の方々が多くいらっしゃいます。ここでは、そんな理工系博士の若手研究者の方に、大学での研究内容や分野横断の魅力を伺いました。

南川 丈夫
徳島大学 ポストLEDフォトニクス研究所 准教授
博士（工学）（大阪大学）
博士（医学）（京都府立医科大学）

　南川さんは、光を使いこなすことで体内の分子を観察し、病気の診断や治療法を探る「光を駆使した顕微計測学に関する研究」について、令和4年度科学技術分野の文部科学大臣表彰で若手科学者賞を受賞しています。

　さらに社会人になって医学博士号も取得しています。高専時代は物を作ることが楽しかったけど、人間を凌駕する自然の世界を見てみたい、そんな思いから大学院で医学分野の研究を始めたそうです。医学の専門家が思いつかないことを発想できる、そして、工学では失敗の中に成功があり、医学では失敗は許されない、当然のように聞こえるかもしれませんが、この違いを身をもって経験していることは研究者として大きな強みです。

　南川さんは地方や都市圏の大学で研究した経験がありますが、それらの相違について、大規模な大学だと異分野の研究者と気軽に話せる機会が多く研究の参考にもできるが、地方の大学だとそういった機会が少ない一方で、余計な干渉が少なく研究に専念しやすいなど、それぞれに特色があるようです。

　南川さんは言います。「「独立自尊」、博士になれば福沢諭吉のこの名言を実現できる。博士課程での研究を通して、基礎的な考え方が身につき、あらゆる物事の流れが理解できるようになった、今なら専門外の別の科学をやれと言われても、サイエンスライターになれと言われても、やっていける自信がある。」

戸田　聡
金沢大学ナノ生命科学研究所　助教
博士（医科学）　専門：合成生物学

　戸田さんは、生体内の細胞間コミュニケーションの仕組みを解明するため、人工の受容体（細胞が持つセンサー）を組み込んだ細胞を作って、細胞集団が自発的に組織構造を形成する条件を検証し、その研究成果について令和4年度科学技術分野の文部科学大臣表彰で若手科学者賞を受賞しました。

　戸田さんは大学で機械工学を学んでいましたが、教養科目で受講した生物科学の講義を受ける中で、人は機械は作れるが細胞を作れない、それにもかかわらず、生物体内の仕組みは精密にコントロールされているのはなぜかという疑問を持ち、生物化学の先生に質問にいくうちに、学部3年生の頃から休暇期間などを利用して生物関係の研究室に入り浸るようになりました。その後、大学院で生命科学を専攻し博士号を取得した後、米国に留学し現在の研究内容を開始しました。

　戸田さんは「大学院から専攻を大きく変更したことについて、博士課程に進むことで研究の進め方や生化学的な感覚を身に付けることができた、また、学部時代に機械工学で学んだ微小領域における保存則の考え方などは生命現象の解明でも役に立っている、やりたいことがあればいつでも変えられる」と言います。そして、米国の著名なノーベル物理学賞受賞者のリチャード・ファインマンの「私は自分に作れないものは理解できない」、この言葉を胸に研究に励んでいます。

　今後も様々な分野の先生方と共同研究をしながら現在の研究を続けていきたいとのことです。

❻　研究時間の確保
1．URAの活用

　研究者のみならず、多様な人材の育成・活躍促進が重要であり、文部科学省では、研究者の研究活動活性化のための環境整備、大学等の研究開発マネジメント強化及び科学技術人材の研究職以外への多様なキャリアパスの確立を図る観点も含め、リサーチ・アドミニストレーター（URA）の支援方策について調査研究等を実施している。

平成25年度より世界水準の優れた研究大学群を増強するため、「研究大学強化促進事業」を実施し、定量的な指標（エビデンス）に基づき採択した22の大学等研究機関に対する研究マネジメント人材（ＵＲＡを含む。）群の確実な配置や集中的な研究環境改革の支援を通じて、我が国全体の研究力強化を図っている。また、大学等におけるＵＲＡの更なる充実を図る

ため、令和３年度には「リサーチ・アドミニストレーター等のマネジメント人材に係る質保証制度の実施」事業において、ＵＲＡの質保証（認定）制度の運用が開始され、令和４年度は引き続き質保証制度を行う機関の運営補助を実施している（第２章第２節 1 ❷参照）。

コラム14　大学での研究を支える研究支援人材

　大学における研究開発は多くの研究者によって行われていますが、研究者だけで全ての研究業務を遂行できるわけではありません。技術職員はその深い専門知識や技能によって大学の研究基盤を支えており、最先端の研究開発を行う上で、なくてはならない存在となっています。本コラムでは、大学研究の縁の下の力持ちである技術職員の方にインタビューを行いました。

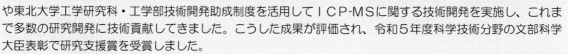

東北大学技術支援機構総合技術部　技術専門職員
中野　陽子さん　髙橋　真司さん

　中野さんと髙橋さんは、誘導結合プラズマ質量分析計（以下ＩCP-MS）による無機元素分析を行うことで、東北大学内外からの分析依頼に対応し、幅広い研究分野の多様な分析試料について無機元素分析を行うほか、科学研究費助成事業（奨励研究）や東北大学工学研究科・工学部技術開発助成制度を活用してＩCP-MSに関する技術開発を実施し、これまで多数の研究開発に技術貢献してきました。こうした成果が評価され、令和５年度科学技術分野の文部科学大臣表彰で研究支援賞を受賞しました。

Ｑ．技術専門職員になろうとしたのは何故ですか。
中野さん：大学卒業後、研究支援業務とは異なる職種に就職しましたが、技術を追求するような業務に関心があったため、技術職員として研究者や社会に貢献する職種に携わりたいと感じ、現在の仕事に進みました。
髙橋さん：修士課程を卒業後、そのまま技術職員になりました。修士学生の時に研究活動を行う中で化学分析に興味を持ち、職員になってからも分析を通して研究に携わりたいと思い、今の仕事をしています。

Ｑ．技術専門職員として、面白いことややりがいのあることを教えてください。
中野さん：技術職員は特定の研究テーマに限定された業務ではないため、半導体や金属、環境試料等様々な研究分野の分析依頼に対応できるよう日々研鑽しています。また、自身のスキルアップに繋がりながら多種多様な研究試料に対応できることに新鮮とやりがいを感じます。
髙橋さん：様々な研究室の最先端の研究支援に携わりつつ、研究成果の一端を担えることはとても興味深く、やりがいを感じます。今回、文部科学大臣表彰をいただきましたが、令和３年度に東北大学の方でも二人で総長研究支援技術賞を受賞しました。私達は共通機器を管理する部署に所属しているので特定のテーマに特化した成果は出にくいのですが、私達の様な研究支援業務が評価されたということは大変嬉しく、仕事に対するやりがいを感じます。

Ｑ．技術専門職員に進むことを選択肢に入れている方々に一言メッセージをお願いします。
中野さん：研究者の研究支援と並行しながら、自身で技術開発テーマに取り組み、業務にフィードバックすることも可能なので、ぜひチャレンジしてみてください。
髙橋さん：技術職員の魅力は学内外の数多くの研究者及び研究テーマと触れ合うことが出来ることと、大きな研究プロジェクトに携われるチャンスがあることです。そして、研究支援を通して幅広い意味でレベルアップできると思います。ぜひ、技術職員も進路の一つとして検討してみてください。

2．研究支援サービス・パートナーシップ認定制度（A−PRAS）

　文部科学省は、令和元年10月に、民間事業者が行う研究支援サービスのうち、一定の要件を満たすサービスを「研究支援サービス・パートナーシップ」として認定する「研究支援サービス・パートナーシップ認定制度（A−PRAS[1]）」を創設した。認定することを通じ、研究者の研究時間確保を含めた研究環境を向上させ、我が国における科学技術の推進及びイノベーションの創出を加速するとともに、研究支援サービスに関する多様な取組の発展を支援することを目的とし、令和2年度までに9件のサービスを認定した。令和4年度は現在認定されているサービスに加えて、それ以外のほかに優れた特徴を有しているサービスを開拓すべく、それら研究支援サービスの利活用状況についての調査を実施した。

3．大学の事務処理の簡素化、デジタル化

　文部科学省は、各大学、高等専門学校及び大学共同利用機関に対して、事務処理手続の簡素化、デジタル化を図るべく、公募申請する教員等の希望に応じて電子的な手続を認めるなど柔軟な対応を求めてきている。令和3年6月には、各大学等の求人公募書類の作成に係る応募者の負担軽減の観点から、各大学等が指定する様式以外の様式で作成された履歴書や業績リスト等の書類を応募書類として活用することを可能とする等、柔軟な対応の検討を各大学等に対して促しており、その後、各大学等の教務担当者向け会議等で累次にわたり周知している。

4．競争的研究費の事務手続に係るルールの統一化・簡素化

　政府全体として、研究者の事務負担軽減によ

る研究時間の確保及び研究費の効果的・効率的な使用のため、研究費の使い勝手の向上を目的とした制度改善に取り組んでいる。研究者の事務負担を軽減し、研究時間の確保を図る観点から、従来の「競争的資金」に該当する事業とそれ以外の公募型の研究費である各事業を「競争的研究費」として一本化し、これまで競争的資金の使用に関して統一化・簡素化したルールについて、競争的資金以外の研究資金にも適用を拡大した。さらに、各事業が個別に定めていた応募様式を統一し、府省共通研究開発管理システム（e−Rad）を通じて、統一した様式による申請が可能となるよう対応を進めている。

5．研究時間の質・量の向上に関するガイドライン

　内閣府は「研究力強化・若手研究者支援総合パッケージ」に示された取組について、進捗状況や今後の方針についてフォローアップを実施している。令和4年度には、「研究に専念する時間の確保」を取り上げ、関連する8つのテーマについて検討を行った。そのうち大学が取り組むべき7つのテーマについて、研究に専

■第2-2-7図／研究時間の確保に必要な取組図

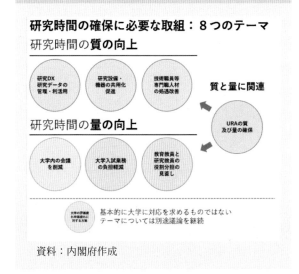

資料：内閣府作成

1　Accreditation of Partnership on Research Assistance Service
　　研究支援サービス・パートナーシップ認定制度　https://www.mext.go.jp/a_menu/kagaku/kihon/1422215_00001.htm

念する時間を増やすという「量」的な性質のものと、研究の効率化や高度化などといった「質」的な性質のものに分類し議論した。これらの議論を大学等のマネジメント層へ向け、行動変容を促すためのガイドラインとして取りまとめた。このガイドラインは改定された「地域中核・特色ある研究大学総合振興パッケージ」（第2章第2節 3 ❸参照）とも連動し、各大学の研究環境やマネジメント体制に対する指針となっている。

❼　人文・社会科学の振興と総合知の創出

科研費は、人文学・社会科学から自然科学までの全ての分野にわたり、あらゆる学術研究を対象とする競争的研究費であり、研究の多様性を確保しつつ独創的な研究活動を支援することにより、研究活動の裾野の拡大を図り、持続的な研究の発展と重厚な知的蓄積の形成に資する役割を果たしている。

令和2年度より、文部科学省において「人文学・社会科学を軸とした学術知共創プロジェクト」を開始し、未来社会が直面するであろう諸問題（①将来の人口動態を見据えた社会・人間の在り方、②分断社会の超克、③新たな人類社会を形成する価値の創造）の下で、人文・社会科学分野の研究者が中心となって、自然科学分野の研究者はもとより、産業界や市民社会などの多様なステークホルダー（利害関係者）が知見を寄せ合って、研究課題及び研究チームを創り上げていくための環境を構築する取組を進めている。

また、日本学術振興会が実施している「課題設定による先導的人文学・社会科学研究推進事業」において、科学技術・学術審議会 学術分科会 人文学・社会科学特別委員会審議のまとめ等を踏まえ、令和3年度より、「学術知共創プログラム」を開始し、人文学・社会科学に固有

の本質的・根源的な問いを追究する研究を推進している。

文部科学省は、客観的根拠（エビデンス）に基づいた合理的なプロセスによる科学技術・イノベーション政策の形成の実現を目指し、「科学技術イノベーション政策における『政策のための科学』推進事業」を実施している。本事業では、科学技術・イノベーション政策を科学的に進めるための研究人材や同政策の形成を支える人材の育成を行う拠点（大学）に対して支援を行うとともに、これらの複数の拠点をネットワークによって結び、我が国全体で体系的な人材育成が可能となる仕組みを構築している。さらにこれらの拠点を中心として、課題設定の段階から行政官と研究者が政策研究・分析を協働して行う研究プロジェクトの実施を進めている。

中央教育審議会大学分科会大学院部会では、「人文科学・社会科学系における大学院教育改革の方向性」（中間とりまとめ）（令和4年8月3日）を取りまとめ、公表した。

内閣府では、人間や社会の総合的理解と課題解決に貢献する「総合知」に関する基本的な考え方、さらに戦略的な推進方策を検討し、令和4年3月に中間取りまとめとして取りまとめ、その普及啓発のため総合知ポータルサイトの開設やキャラバンの実施等を推進している（第2章第1節 6 ❶参照）。

文部科学省科学技術・学術政策研究所では、総合知に関する意識の変化をモニタリングするため、基本計画と連動して毎年実施しているＮＩＳＴＥＰ定点調査について、第6期基本計画初年度となる令和3年度から「総合知」に関連する質問を盛り込んでいる。

❽　競争的研究費制度の一体的改革

競争的研究費制度[1]は、競争的な研究環境を

1　競争的研究費制度　https://www.8.cao.go.jp/cstp/compefund/

形成し、研究者が多様で独創的な研究に継続的・発展的に取り組む上で基幹的な研究資金制度であり、これまでも予算の確保や制度の改善及び充実に努めてきた（令和4年度当初予算額6,471億円）。

「統合イノベーション戦略2019」（令和元年6月21日閣議決定）及び「統合イノベーション戦略2020」（令和2年7月17日閣議決定）に基づき、我が国の研究力強化のため、令和2年度以降順次、研究者の研究時間の確保のため、競争的研究費の直接経費から研究以外の業務の代行に係る経費の支出を可能とすることや、競争的研究費の直接経費から研究代表者への人件費を支出することにより確保された財源を、研究機関において研究力向上のために活用することを可能としている。

さらに、博士課程学生の処遇向上に向けて、競争的研究費における博士課程学生の活用に伴うRA経費等の適正な支出を促進している（第2章第2節 [1]❶参照）。

また、女性研究者の更なる活躍と男女共同参画等を促進するため、第6期基本計画や「男女共同参画基本計画」（令和2年12月25日閣議決定）、「Society 5.0の実現に向けた教育・人材育成に関する政策パッケージ」（令和4年6月2日総合科学技術・イノベーション会議決定）に基づき、競争的研究費制度において、各事業の性格等を考慮しつつ、男女共同参画や性差の視点を踏まえた研究の促進、出産・育児・介護等のライフイベントが生じても男女の研究者が共に働き続けやすい研究環境の整備の推進、次代を担う理工系分野の人材育成の促進に向けて研究者等が研究活動の成果をデジタルも活用しながら子供たちにアウトリーチ活動を行う取組の促進等について、令和5年度より統一ルールとして適用することとしている。

研究者の事務負担を軽減し、研究時間の確保を図る観点から、従来の「競争的資金」に該当する事業とそれ以外の公募型の研究費である各事業を「競争的研究費」として一本化し、統一的なルールの下で各種事務手続の簡素化・デジタル化・迅速化に係る取組等の改善を図っている（第2章第2節 [1]❻参照）。併せて競争的研究費における間接経費についても、直接経費に対する割合等を含め「競争的研究費」として扱いを一本化するとともに、間接経費に係る使途報告、証拠書類の簡素化に係る取組を令和4年度より実施している。また、各制度では、公正かつ透明で質の高い審査及び評価を行うため、審査員の年齢や性別及び所属等の多様性の確保、利害関係者の排除、審査員の評価システムの整備、審査及び採択の方法や基準の明確化並びに審査結果の開示を行っている。

例えば、科研費では、8,000人以上の研究者によるピアレビューにより審査が実施されている。日本学術振興会は、審査委員候補者データベース（令和4年度末、登録者数約14万8,000人）を活用し、研究機関のバランスや若手研究者、女性研究者の積極的な登用等に配慮しながら、審査委員を選考している。また、応募者本人に対する審査結果の開示については、内容を順次充実してきており、例えば、不採択課題全体の中でのおよその順位や評定要素ごとの平均点等の数値情報のほか、応募者により詳しく評価内容を伝えるために、審査委員が不十分であると評価した評定要素ごとの具体的な項目についても、「科研費電子申請システム」により開示している。

競争的研究費をはじめとする公的研究費の不正使用の防止に向けた取組については、「公的研究費の不正使用等の防止に関する取組について（共通的な指針）」（平成18年8月31日総合科学技術会議）や「研究機関における公的研究費の管理・監査のガイドライン（実施基準）」（平成19年2月15日文部科学大臣決定。以下「ガイドライン」という。）等の指針を策定してきた。また、研究機関における不正防止に向けた体制整備の状況を調査するなどモニタリングを徹底するとともに、必要に応じ、改善に向けた指導・措置を講じることで、適切な管理・監査体制の整備を促してきた。さらに、文部科学省では、令和3年2月に改正したガイドライ

ンに基づく研究機関での具体的な取組事例を情報発信し、公的研究費の不正使用の防止に取り組んでいる。

② 新たな研究システムの構築（オープンサイエンスとデータ駆動型研究等の推進）

昨今、ビッグデータ等の多様なデータ収集や分析等が容易となる中、シミュレーションやAIを活用したデータ駆動型の研究手法が拡大している。このことは、社会全体のデジタル化や世界的なオープンサイエンスの潮流により、研究そのもののデジタルトランスフォーメーション（研究DX）が求められているといえる。さらには、新型コロナウイルス感染症を契機として世界的にも研究DXの進展が加速しており、我が国においても重要なキーワードとなる研究データの管理・利活用促進や研究DXを支えるインフラストラクチャーの整備を進めるなど、研究DXがもたらす新たな社会の実現に向けた研究システムの構築に取り組んでいる。

❶ 信頼性のある研究データの適切な管理・利活用促進のための環境整備

様々な研究活動によって創出される研究データは、我が国のみならず世界にとって重要な知的資産といえる。一方で、産業競争力や科学技術・学術上の優位性の確保等の重要な情報を含むものもあることから、国際的な貢献と国益の双方を考慮するためオープン・アンド・クローズ戦略に基づく研究データの管理・利活用を実行することが重要である。これらのことから、我が国のナショナルポリシーとして「公的資金による研究データの管理・利活用に関する基本的な考え方」（令和3年4月27日統合イノベーション推進会議決定）が定められ、研究データの管理・利活用を図るため、メタデータを検索可能とする研究データ基盤の構築等環境整備を進めている。

国立情報学研究所（NII[1]）では、イノベーション創出に必要な学術情報を適切に管理・保存し、そして、利用者に提供するための様々なサービスを実施している。研究データの管理・利活用促進のため、クラウド上で大学等が共同利用できる研究データの管理・共有・公開・検索を促進するシステム（NII RDC）の運用を継続しており、これを用いて、機能高度化やガイドラインの作成等の取組を推進する、「AI等の活用を推進する研究データエコシステム構築事業」を令和4年度から、理化学研究所、東京大学、名古屋大学、大阪大学とともに開始している。

科学技術振興機構では、「オープンサイエンス促進に向けた研究成果の取扱いに関するJSTの基本方針」において、研究プロジェクトの成果に基づく研究成果論文のオープンアクセス化、研究データのデータマネジメントプランに基づく保存・管理等を原則とすることで、オープンサイエンス促進に向けた環境整備を図っており、令和4年4月には、オープンサイエンスの更なる推進のため同方針を改訂した。また、文献・特許等、10種の科学技術情報をつなぎ、幅広い分野や業種で活用できる情報を提供するサービス（J-GLOBAL）や、国内外の科学技術関係の文献データを網羅的に検索・分析できる科学技術文献データベース検索サービス（JDreamⅢ）、研究者自身が業績を管理・発信できる研究者総覧データベース（researchmap）、国内の学協会等における科学技術刊行物の発行を支援する電子ジャーナルプラットフォーム（J-STAGE[2]）、未発表の査読前論文をオープンアクセスで公開する、日本で初めての本格的なプレプリントサーバ（Jxiv）等を通じた科学技術情報基盤の環境整備により、公的機関・民間企業と連携した科学技術情報の収集・保存・公開等、研究開発活動を支えている。　さらに、同機構NBDC事業推進部では、「ライフサイエンスデータ

1　National Institute of Informatics
2　Japan Science and Technology information Aggregator, Electronic

ベース統合推進事業」を実施し、統合データベース構築支援や統合のための技術開発、文部科学省、厚生労働省、農林水産省及び経済産業省との連携を通して、生命科学系データベースを統合的に活用するための情報基盤を整備することにより、オープンサイエンスの推進に寄与している。

　農林水産省は、国内で発行されている農林水産関係学術誌の論文等の書誌データベース（JASI[1]）など、農林水産関係の文献情報や図書資料類の所在情報を構築・提供している。また、研究開発型の独立行政法人、国公立試験研究機関や大学の農林水産分野の研究報告等をデジタル化した全文情報データベース、試験研究機関で実施中の研究課題データベース等を構築・提供している。

　環境省は、生物多様性情報システム（J-IBIS[2]）において、全国の自然環境及び生物多様性に関する情報の収集・管理・提供をしている。

　理化学研究所、物質・材料研究機構や防災科学技術研究所は、我が国が強みを活かせるライフサイエンス、マテリアルや防災分野で、膨大・高品質な研究データを利活用しやすい形で集積し、産学官で共有・解析することにより、新たな価値の創出につなげる取組を進めている。

　日本学術振興会は、オープンアクセスに係る取組について方針を示し、科研費等による論文のオープンアクセス化を進めている。

❷ 研究DXを支えるインフラ整備と高付加価値な研究の加速

　研究DXを推進するため、ネットワーク、データインフラや計算資源について世界最高水準の研究基盤を形成・維持するとともに、時間や距離の制約を超えて、研究を遂行できるよう、遠隔から活用するリモート研究や、実験の自動化等を実現するスマートラボの普及に取り組んでいる。また、最先端のデータ駆動型研究、AI駆動型研究の実施を促進するとともに、これらの新たな研究手法を支える情報科学技術の研究を進めている。

1．SINETの整備、運用

　国立情報学研究所は、大学等の学術研究や教育活動全般を支える基幹的ネットワークとして学術情報ネットワーク（SINET）を整備・運用しており、令和4年度からは、全都道府県にわたり400Gbps[3]（沖縄は200Gbps）での運用を開始した。また、国際的な先端研究プロジェクトで必要とされる国際間の研究情報流通を円滑に進めるため、米国や欧州等多くの海外研究ネットワークとの連携を進めているほか、国立大学等と連携して、セキュリティ強化に向けて引き続き対応を進めている。

2．研究施設・設備の整備・共用、ネットワーク化の促進

　科学技術の振興のための基盤である研究施設・設備は、整備や効果的な利用を図ることが重要である。また、「科学技術・イノベーション創出の活性化に関する法律」（平成20年法律第63号）においても、国立大学法人及び研究開発法人等が保有する研究開発施設・設備及び知的基盤の共用の促進を図るため、国が必要な施策を講じる旨が規定されている。

　このため、政府は科学技術に関する広範な研究開発領域や産学官の多様な研究機関に用いられる共通的、基盤的な施設・設備に関し、その有効利用や活用を促進するとともに、施設・設備の相互のネットワーク化を図り、利便性、相互補完性、緊急時の対応力等を向上させるための取組を進めている。

（1）特定先端大型研究施設

　「特定先端大型研究施設の共用の促進に関

1　Japanese Agricultural Sciences Index
2　Japan Integrated Biodiversity Information System
3　Giga bit per second：ビットパーセカンド（bps）はデータ伝送速度の単位の1つで1秒間に何ビットのデータを伝送できるかを表す。毎秒10億ビット（1ギガビット）のデータを伝送できるのが1Gbpsである。

する法律」（平成6年法律第78号）（以下「共用法」という。）においては、特に重要な大規模研究施設は特定先端大型研究施設と位置付けられ、計画的な整備及び運用並びに中立・公正な共用が規定されている。

ア　大型放射光施設（SPring-8）
SPring-8[1]は、光速近くまで加速した電子の進行方向を曲げたときに発生する極めて明るい光である「放射光」を用いて、物質の原子・分子レベルの構造や機能を解析できる世界最高性能の研究基盤施設である。平成9年の供用開始以降、生命科学、環境・エネルギー、新材料開発など、我が国の経済成長を牽引する様々な分野で革新的な研究開発に貢献している。

近年では計測装置等の自動化を推進し、自動測定や来所不要の遠隔実験も可能とするなど、研究開発支援体制を強化している。また、大容量の高精度計測データを有効に活用するため、令和4年度からはデータインフラ整備にも取り組んでいる。

**大型放射光施設（SPring-8）及び
X線自由電子レーザー施設（SACLA）**
提供：理化学研究所

イ　X線自由電子レーザー施設（SACLA）
SACLA[2]は、レーザーと放射光の特長を併せ持つ究極の光を発振し、原子レベルの超微細構造の解析や化学反応の超高速動態・変化の観察ができる世界最先端の研究基盤施設であ

る。平成24年3月に供用を開始し、平成29年度より、世界初となる電子ビームの振り分け運転[3]による2本の硬X線自由電子レーザービームラインの同時供用が開始されるなど、更なる高インパクト成果の創出に向けた利用環境を整備している。令和2年度からはSPring-8へ電子ビームを供給する入射器としてもSACLAを利用しており、省エネ化を達成すると同時に、SPring-8における、より高品質で安定した放射光の提供にも貢献している。また令和4年度には、利用環境のDX化を推進するために開発を進めているリモートシステムを用いて、一部の実験基盤でユーザー実験を実施した。

ウ　スーパーコンピュータ「富岳」
スーパーコンピュータを用いたシミュレーションは、理論、実験と並ぶ、現代の科学技術の第3の手法として最先端の科学技術や産業競争力の強化に不可欠なものとなっている。スーパーコンピュータ「富岳」は、我が国が直面する社会的・科学的課題の解決に貢献するため、「京」（平成24年9月〜令和元年8月）の後継機として、平成26年度より開発を開始した。システムとアプリケーションの協調的開発（co-design）により、世界最高水準の計算性能と汎用性を有するスーパーコンピュータの

スーパーコンピュータ「富岳」
提供：理化学研究所計算科学研究センター

1　Super Photon ring-8 GeV
2　SPring-8 Angstrom Compact free electron LAser
3　線形加速器からの電子ビームをパルスごとに複数のビームラインに振り分けることで、複数のビームラインを同時に利用可能

実現に向けて開発を進め、令和３年３月に共用を開始した。

　令和４年度からは、気象庁による線状降水帯予測の高度化研究におけるリアルタイムシミュレーションへの活用や、企業コンソーシアムとの連携によるＡＩを活用した創薬研究が新たに開始されるなど、防災・減災、ものづくり、ライフサイエンス、環境・エネルギーといった幅広い分野で「富岳」の活用が広がっている。さらに、共用計算基盤として、「富岳」も含めた国内の大学や研究機関などのスーパーコンピュータやストレージを学術情報ネットワーク（ＳＩＮＥＴ）でつなぎ、多様な利用者のニーズに対応する革新的ハイパフォーマンス・コンピューティング・インフラ（ＨＰＣＩ）の構築を進め、様々な分野でのスーパーコンピュータの利用を推進している。加えて、ポスト「富岳」を見据えた我が国の計算基盤の在り方について、科学技術・学術審議会情報委員会の下に設置された部会で検討を進めた。令和４年８月より、「次世代計算基盤に係る調査研究」を開始し、ポスト「富岳」時代の次世代計算基盤を国として戦略的に整備するため、我が国として独自に開発・維持すべき技術を特定しつつ、具体的な性能・機能等について検討を行っている。

エ　大強度陽子加速器施設（Ｊ－ＰＡＲＣ）

大強度陽子加速器施設（Ｊ－ＰＡＲＣ）
提供：Ｊ－ＰＡＲＣセンター

　Ｊ－ＰＡＲＣ[1]は、平成21年度に全施設が稼働し、世界最高レベルのビーム強度を持つ陽子加速器を利用して生成される中性子、ミュオン、ニュートリノ[2]等の多彩な二次粒子を利用して、幅広い分野における基礎研究から産業応用まで様々な研究開発に貢献している。物質・生命科学実験施設（特定中性子線施設）では、革新的な材料や新しい薬の開発につながる構造解析等の研究が行われ、多くの成果が創出されている。令和４年度には、ＤＸを活用した成果創出の効率性向上に関する予算が措置され、12月以降オンラインデータ解析等による実験効率化に向けたデータセンターの整備等を進めている。原子核・素粒子実験施設（ハドロン実験施設）やニュートリノ実験施設は、共用法の対象外の施設であるが、国内外の大学等の研究者との共同利用が進められている。特に、ニュートリノ実験施設では、2015年（平成27年）にノーベル物理学賞を受賞したニュートリノ振動の研究に続き、その更なる詳細解明を目指して、Ｔ２Ｋ（Tokai to Kamioka）実験が行われている。

（２）３GeV高輝度放射光施設（NanoTerasu）

　ＮａｎｏＴｅｒａｓｕは、軽元素を感度良く観察できる高輝度な軟Ｘ線を用いて、従来の物質構造に加え、物質の機能に影響を与える電子状態の可視化が可能な次世代の研究基盤施設で、学術研究だけでなく触媒化学や生命科学、

３GeV高輝度放射光施設
（NanoTerasu）
（整備中）
提供：（一財）光科学イノベーションセンター

1　　Japan Proton Accelerator Research Complex
2　　素粒子の一つ。電気的に中性で物質を通り抜けるため検出が難しく、質量などその性質は未知の部分が多い。

磁性・スピントロニクス材料、高分子材料等の産業利用も含めた広範な分野での利用が期待されている。文部科学省は、本施設について官民地域パートナーシップにより推進することとしており、量子科学技術研究開発機構を施設の整備・運用を進める国の主体とし、さらに平成30年７月、一般財団法人光科学イノベーションセンターを代表とする、宮城県、仙台市、東北大学及び一般社団法人東北経済連合会の５者を地域・産業界のパートナーとして選定した。令和４年度には加速器等の主要機器の据付け等が完了し、令和５年度の放射光発生、令和６年度の運用開始を目指して着実に整備が進められている。

また、本施設の利活用の在り方について、次世代放射光施設（NanoTerasu）の利活用の在り方に関する有識者会議を令和４年８月から計７回開催し、令和５年２月には検討結果を取りまとめている。

さらに、令和５年２月には、NanoTerasuを新たに「特定先端大型研究施設」に追加するとともに量子科学技術研究開発機構に本施設の共用に関する業務を行わせること等の措置を講ずる「特定先端大型研究施設の共用の促進に関する法律の一部を改正する法律案」を閣議決定した。

（3）研究施設・設備間のネットワーク構築 先端研究基盤共用促進事業（先端研究設備プラットフォームプログラム）

文部科学省では、国内有数の先端的な研究施設・設備について、その整備・運用を含めた研究施設・設備間のネットワークを構築し、遠隔利用・自動化を図りつつ、ワンストップサービスによる利便性向上を図り、全ての研究者への高度な利用支援体制を有する全国的なプラットフォームを形成する取組を進めている。

（4）研究機関全体の研究基盤として戦略的に研究設備・機器を導入・更新・共用する仕組みの強化

文部科学省は、研究機関全体で設備のマネジメントを担う統括部局の機能を強化し、学部・学科・研究科等の各研究組織での管理が進みつつある研究設備・機器を、研究機関全体の研究基盤として戦略的に導入・更新・共用する仕組みを強化（コアファシリティ化）する取組を進めている。

また、大学等における研究設備・機器の戦略的な整備・運用を推進すべく、令和４年３月に「研究設備・機器の共用促進に向けたガイドライン[1]」を策定し、大学等への周知活動を進めている。

3．知的基盤の整備・共用、ネットワーク化の促進

文部科学省は、ライフサイエンス研究の基盤となる研究用動植物等のバイオリソースのうち、国が戦略的に整備することが重要なものについて、体系的に収集、保存、提供等を行うための体制を整備することを目的として、「ナショナルバイオリソースプロジェクト」を実施している。

経済産業省は、我が国の研究開発力を強化するため、産業構造審議会 産業技術環境分科会知的基盤整備特別小委員会・日本産業標準調査会基本政策部会知的基盤整備専門委員会 合同会議において審議した第３期知的基盤整備計画を令和３年５月に取りまとめ、公表した。これまでの第３期知的基盤整備計画における各分野の進捗は以下のとおりである。

計量標準・計測については、産業技術総合研

1　研究設備・機器の共用推進に向けたガイドライン
　　https://www.mext.go.jp/content/20220329-mxt_kibanken01-000021605_2.pdf

究所が、各種取組を実施した。将来的な秒の定義改定を目指し、光格子時計の不確かさの大幅な軽減やリモート制御機構の導入により、更に高い精度での継続的な国際原子時のオンタイム校正を実施し、年間稼働率75％を達成した。グリーン社会実現に貢献すべく、水素ステーションで用いられる水素ディスペンサー評価のためのマスターメーター法による計量精度検査装置の実証試験結果に基づき、自動車充塡用の水素燃料計量システムの産業規格であるJIS B 8576改正最終原案を提出するとともに、更なる高精度化へ向け、水素大流量試験室を整備した。老朽化したインフラ設備の迅速・正確な健全性診断のため、３次元Ｘ線画像診断システムの構築を目指し、ＡＩを利用して３次元画像を構成する技術を開発し、電柱検査で内部鉄筋の破断状況を容易に観察できることを実証した（第2-2-8図）。また、臨床検査の精度向上を目的とした、アルツハイマー病の診断バイオマーカの１つに指定されているアミロイドβの標準物質、地球環境保全や気候変動問題解決を目的とした、二酸化炭素観測に必要な大気組成の二酸化炭素標準ガスを開発した。さらに、計量標準における国際的なＤＸ推進の動向を踏まえ、デジタル校正証明書を発行するための体制整備を進めた。また、効果的・効率的な普及啓発・人材育成、一般の幅広い年齢層に計量標準を知ってもらうための、講演会等のオンラインと対面を組み合わせたハイブリッド開催、ウェブサイトやＳＮＳの活用などの情報発信にも取り組んだ。

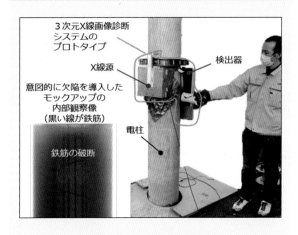

■第2-2-8図／開発した3次元X線画像診断システムによる電柱検査

提供：産業技術総合研究所

　微生物遺伝資源については、製品評価技術基盤機構が、微生物遺伝資源の収集・保存・分譲を行うとともに、これらの資源に関する情報（系統的位置付け、遺伝子に関する情報等）を整備・拡充し、幅広く提供している（令和４年４月から12月末までの分譲株数は5,894株）。また、微生物遺伝資源の保存と持続可能な利用を目指した14か国・地域の29機関のネットワーク活動（アジア・コンソーシアム、平成16年設立）への参加を通じて、アジア各国との協力関係を構築し、生物多様性条約や名古屋議定書を踏まえたアジア諸国の微生物遺伝資源の利用を支援している。

　地質情報については、産業技術総合研究所が、５万の１地質図幅２区画（「磐梯山」及び「川越」）の出版、20万の１地質図幅「宮津（第２版）」の出版、海洋地質図３図（「久米島周辺海底地質図」、「久米島周辺海域表層堆積図」、「野間岬沖海底地質図」）の出版、20万分の１日本シームレス地質図Ｖ２の更新を行っている。沿岸域地質では、特殊地質図として多摩川低地での沖積層分布及び成り立ちを明らかにした「多摩川低地の沖積層アトラス」をウェブ公開した。火山地質では、「日光白根及び三岳火山地質図」（第2-2-9図）を出版した。また、低頻度大規模噴火災害に対応する大規模火砕流分布図「支笏（しこつ）カルデラ支笏火砕流堆積物分

布図」を出版した。そのほか、データ統合に向けて、地球科学図類のデジタルデータ化を加速化し、一部の既存データベースの連携利用のためのＡＰＩ[1]を着実に整備して総合ポータルシステム「地質図Navi」で公開した。

■第2-2-9図／日光白根及び三岳火山地質図

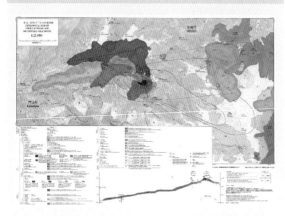

提供：産業技術総合研究所

ゲノム・データ基盤プロジェクトでは、ゲノム・データ基盤の整備・利活用を促進し、ライフステージを俯瞰した疾患の発症・重症化予防、診断、治療等に資する研究開発を推進することで個別化予防・医療の実現を目指すこととしている。令和4年度においては、厚生労働省の臨床ゲノム情報公開データベース支援事業において臨床情報とゲノム情報等を集積・統合するデータベース（ＭＧｅＮＤ[2]）への更なるデータ登録と公開を行った。また、同省の革新的がん医療実用化研究事業等において、2022年9月に策定された「全ゲノム解析等実行計画2022」に基づき、がん・難病領域の約4,500症例の全ゲノム解析等を行い、解析結果を活用した医療の提供を推進するとともに、臨床情報と全ゲノム解析の結果等の情報を連携させ搭載する情報基盤の構築や、その利活用に係る環境整備に取り組んでいる。また、文部科学省の東北メディカル・メガバンク計画においても、一般住民10万人の全ゲノム解析を官民共同で実施するなど、ゲノム・データ基盤の一層の強化を進めている。

4．数理・情報科学技術に係る研究

文部科学省は、Society 5.0の実現に向けた数理科学の展開に当たって、5つの重要課題（学際・異分野との連携、社会との連携等）を整理し、その重要課題への取組を「2030年に向けた数理科学の展開－数理科学への期待と重要課題－」として令和4年7月に策定した。産学官にて数理科学の目指す姿を共有した上で、数学・数理科学の知的資産としての価値が正しく評価され、諸科学・産業界との共同研究等の取組を加速することによって、新産業や社会変革を伴うイノベーションを創造し、得られた成果が学問へ再投資される機能拡張モデルの構築を目指している。

また、理化学研究所では数理創造プログラム（ｉＴＨＥＭＳ[3]）において、数学・理論科学・計算科学を軸とした諸科学の統合的解明、社会における課題発掘及び解決、さらに民間との共同出資により設立された株式会社理研数理との連携によるイノベーションの創出等に向け取り組んでいる。

情報科学技術を用い新たなプラットフォームを構築し、Society 5.0の先導事例を実現するため、平成30年度より、知恵・情報・技術・人材が高い水準でそろう大学等において、情報科学技術を核として様々な研究成果を統合しつつ、産業界、公共団体や他の研究機関等と連携して社会実装を目指す「Society 5.0実現化研究拠点支援事業」を実施している。

5．ＤＸによる研究活動の変化等に関する分析

文部科学省科学技術・学術政策研究所では、ＤＸによる研究活動の変化等に関する新たな分析手法・指標の開発の一環として、研究データの公開・共用やプレプリントの利用状況等の

1　Application Programming Interface
2　Medical genomics Japan Variant Database
3　Interdisciplinary Theoretical and Mathematical Sciences Program

オープンサイエンスに係る実態調査を実施し、経年比較を行ったほか、分野別プレプリントサーバのコンテンツ調査や、英国の競争的資金に基づく多様な研究成果の公開状況の調査を実施した。

❸ 研究ＤＸが開拓する新しい研究コミュニティ・環境の醸成

地方公共団体、ＮＰＯやＮＧＯ、中小・スタートアップ、フリーランス型の研究者、更には市民参加など、多様な主体と共創しながら、知の創出・融合といった研究活動を促進する。また、例えば、研究者単独では実現できない、多くのサンプルの収集や、科学実験の実施など多くの市民の参画（１万人規模、令和４年度までの着手を想定）を見込むシチズンサイエンスの研究プロジェクトの立ち上げなど、産学官の関係者のボトムアップ型の取組として、多様な主体の参画を促す環境整備を、新たな科学技術・イノベーション政策形成プロセスとして実践する。

科学技術振興機構は、「サイエンスアゴラ」や、地方公共団体や大学等と連携して行うサイエンスアゴラ連携企画、未来社会デザインオープンプラットフォーム（ＣＨＡＮＣＥ）等を通じ、多様な主体との対話・協働（共創）の場を構築し、知の創出・融合等を通じた研究活動の推進や社会における科学技術リテラシーの向上に寄与している。

また、福岡大学が令和３年に設立したシチズンサイエンス研究センターでは、市民と連携したシチズンサイエンスの推進の在り方について検討が行われている。

③ 大学改革の促進と戦略的経営に向けた機能拡張

多様な知の結節点であり、最大かつ最先端の知の基盤である大学はSociety 5.0を牽引（けんいん）する役割を求められている。不確実性の高い社会を豊かな知識基盤を活用することで乗りきるた

め、個々の強みを伸ばし、各大学にふさわしいミッションを明確化することで、多様な大学群の形成を目指している。

❶ 国立大学法人の真の経営体への転換

文部科学省は、第４期中期目標期間に向けて、中期目標の在り方の見直しを行い、国が総体としての国立大学法人に求める役割・機能に関する基本的事項を「国立大学法人中期目標大綱」として提示し、各法人がそれを踏まえた上で中期目標の原案を策定する取扱いとした。

また、令和３年通常国会において、「国立大学法人法」（平成15年法律第112号）を改正し、年度評価を廃止し、原則として６年間を通した業務実績を評価することとした。さらに、各国立大学法人が「国立大学法人ガバナンス・コード」への適合状況等の報告を公表しており、関係者への説明責任を果たしている。

❷ 戦略的経営を支援する規制緩和

令和３年５月に成立した「国立大学法人法の一部を改正する法律」（令和３年法律第41号）により、学長選考会議への学長の関与の排除や学長選考会議の持つ牽制（けんせい）機能の明確化を行った。また、令和４年度開設の案件から国立大学における組織の再編手続を簡素化している。

さらに、累次の税制改正によって国立大学法人に対する寄附の促進を図っているほか、国立大学法人会計基準については、損益均衡会計の廃止等、多様なステークホルダーからも理解しやすくするとともに、目的積立金を含む繰越しに関連する制度の在り方について検討し、施設設備の取替更新のための資金を積み立てることを可能とする改正を行った。

内閣府では、大学関係者、産業界及び政府による「大学支援フォーラムＰＥＡＫＳ[1]」を令和元年５月に設立し、大学における経営課題や解決策等の議論や規制緩和等の検討、大学経営層の育成を進めている。令和４年度からは、我

1　Leaders' Forum on Promoting the Evolution of Academia for Knowledge Society

が国の大学の成長モデルの構築及び大学経営人材の確保・育成を目的とした実証事業を実施している。

❸　我が国の大学の研究力強化
1．10兆円規模の大学ファンドの創設

近年、我が国の研究力は、諸外国と比較して相対的に低下している状況にあり、その一因は、特に欧米のトップレベル大学において、数兆円規模のファンドの運用益を活用し、研究基盤や若手研究員への投資を充実していることにあると指摘されている。このため、我が国においても、世界最高水準の研究大学を実現するため、国の資金を活用して大学ファンドを創設し、令和3年度末からその運用を開始した。現在、令和6年度の支援開始に向けた準備を着実に進めているところである。

大学ファンドに関する具体的な制度設計については、令和4年5月に成立した「国際卓越研究大学の研究及び研究成果の活用のための体制の強化に関する法律」（令和4年法律第51号）に基づき、令和4年11月に制度の意義、大学ファンドの支援対象大学の認定等に関する基本的な事項を定める「基本的な方針」を決定した。

大学ファンドの支援対象となる国際卓越研究大学の選定に当たっては、この「基本的な方針」等に基づき、これまでの実績や蓄積のみで判断するのではなく、世界最高水準の研究大学の実現に向けた「変革」への意思（ビジョン）とコミットメントの提示に基づき、研究現場の状況把握や大学側との丁寧な対話を実施する予定としている。これらの取組を通じ、大学自身の明確なビジョンの下、研究基盤の抜本的強化や若手研究者に対する長期的・安定的な支援を行うことにより、我が国の研究大学における研究力の抜本的な強化につなげていくこととしている。

2．地域中核・特色ある研究大学総合振興パッケージ

我が国の大学の研究力の底上げには、全国の大学が、個々の強みを伸ばし、各大学のミッションの下、多様な研究大学群を形成することも重要である。そのため、地域の中核大学や特定分野に強みを持つ大学が、"特色ある強み"を十分に発揮し、社会変革を牽引(けんいん)する取組を強力に支援すべく、令和4年2月に「地域中核・特色ある研究大学総合振興パッケージ」が決定された。令和5年2月には本パッケージの内容を更に発展・進化させるため、更なる支援の拡充に向けた「量的拡大」を図るとともに、目指すべき大学像の明確化や各府省の事業間の連携強化など「質的拡充」を図るべく改定が行われた。改定したパッケージでは、地域中核・特色ある研究大学に求められる、①多様性と卓越性、②社会実装・イノベーション、③地域貢献のそれぞれの「機能」の観点から、目指す大学像に向けた大学自身の立ち位置を振り返る「羅針盤」の基本的な考え方を示すとともに、各府省の事業を一つの政策パッケージとして取りまとめることにより、大学が、自らのミッションに応じたポートフォリオ戦略の下、選択的かつ発展段階に応じた機能強化を加速しやすくすることを目指している。

また、令和4年度第2次補正予算により、本パッケージの主な支援策の一つとして、日本学術振興会に造成した約1,500億円の基金による「地域中核・特色ある研究大学強化促進事業」等を新たに実施し、地域中核・特色ある研究大学に対し、強みや特色ある研究力を核とした戦略的経営の下、研究活動の国際展開や社会実装の加速・レベルアップの実現に必要なハードとソフト双方の環境構築の取組を支援していくこととしている。

本パッケージにより、全国に存在する我が国の様々な機能を担う多様な大学が、自らのミッションに応じて、様々な施策を選択的・段階的に活用することで強みや特色を強化し、トップレベルの研究大学とも互いに切磋琢磨(せっさたくま)できる

関係を構築することで、日本全体の研究力を向上させることを目指している[1]。

❹ 大学の基盤を支える公的資金とガバナンスの多様化

１．大学の基盤を支える公的資金

　令和４年度から国立大学法人の第４期中期目標期間が始まるに当たり、国立大学の基盤的経費である国立大学法人運営費交付金の配分に係る見直しを図っており、各大学のミッションを実現・加速化するための支援を充実するとともに、改革インセンティブの一層の向上を図っている。

　令和４年度予算においては、１兆786億円を計上している。

２．国立大学法人等の施設整備

　国立大学等の施設は、将来を担う人材の育成の場であるとともに、地方創生やイノベーション創出等教育研究活動を支える重要なインフラである。一方、昭和40～50年代に大量に整備された施設が一斉に老朽改善のタイミングを迎えている中で、老朽施設が十分に改善されていないため、安全面・機能面等で大きな課題が生じている。

　このような状況の中、文部科学省では、令和３年度から令和７年度までを計画期間とする「第５次国立大学法人等施設整備５か年計画」（令和３年３月31日文部科学大臣決定）の下、

老朽改善整備等による安全確保を着実に行いつつ、キャンパス全体をソフト・ハードが一体となり、地域や産業界等の様々なステークホルダーによる共創活動が展開される「イノベーション・コモンズ（共創拠点）[2]」の実現を目指すこととしている（第2-2-10図、第2-2-11図）。

　各国立大学等における「イノベーション・コモンズ」の実現に向けて、令和３年10月より開催されている「国立大学法人等の施設整備の推進に関する調査研究協力者会議」において、共創活動を支えるキャンパス・施設整備の事例や、取組のポイント、推進方策等を取りまとめ、『『イノベーション・コモンズ（共創拠点）』の実現に向けて』を公表した。また、2050年カーボンニュートラルの実現に向け、地球温暖化対策計画や地域脱炭素ロードマップ等において、公共施設等におけるネット・ゼロ・エネルギー・ビル（ＺＥＢ）の率先した取組が求められており、政府として2030年度以降に新築される建築物についてＺＥＢ基準の水準の省エネルギー性能の確保が目標とされている。このため、国立大学法人等における新増改築及び改修事業について、ＰＰＡ等を活用した太陽光発電設備等の再生可能エネルギー設備の設置や、徹底した省エネルギー対策を図り、他大学や地域の先導モデルとなる施設のＺＥＢ化を推進している。

第2章

1　　地域中核・特色ある研究大学総合振興パッケージ
　　　https://www.8.cao.go.jp/cstp/daigaku/index.html

2　　イノベーション・コモンズとは、教育、研究、産学連携、地域連携など様々な分野・場面において、学生、研究者、産業界、公共団体など様々なプレーヤーが対面やオンラインを通じて、交流・対話し、共創することで、新たな価値を創造できるキャンパスのこと

■第２-２-10図／国立大学等における「イノベーション・コモンズ（共創拠点）」のイメージ

資料：文部科学省作成

■第２-２-11図／共創活動を支えるキャンパス・施設整備の事例

アンダーワンルーフの大空間で
分野横断的な研究を推進

企業を含めた学内外の利用者に
多様な居場所を提供し、交流を誘発

可動間仕切や家具により
フレキシビリティを確保

＜関連サイト＞
①国立大学法人等の施設整備
https://www.mext.go.jp/a_menu/shisetu/kokuritu/index.htm

②「イノベーション・コモンズ（共創拠点）」の実現に向けて
https://www.mext.go.jp/b_menu/shingi/chousa/shisetu/062/1417904_00002.htm

❺ 国立研究開発法人の機能・財政基盤の強化

平成26年に「独立行政法人通則法」（平成11年法律第103号）が改正され、独立行政法人のうち我が国における科学技術の水準の向上を通じた国民経済の健全な発展その他の公益に資するため研究開発の最大限の成果を確保す

ることを目的とした法人を国立研究開発法人と位置付けた（令和５年３月31日現在で27法人）。さらに、平成28年には「特定国立研究開発法人による研究開発等の促進に関する特別措置法」（平成28年法律第43号）が成立し、国立研究開発法人のうち、世界最高水準の研究開発成果の創出・普及及び活用を促進し、イノ

ベーションを牽引する中核機関として、物質・材料研究機構、理化学研究所、産業技術総合研究所が特定国立研究開発法人に指定された。

　また、研究開発力強化法が平成30年に改正され、名称を「科学技術・イノベーション創出の活性化に関する法律」とするほか、出資等業務を行うことができる研究開発法人及びその対象となる事業者の拡大、研究開発法人等による法人発ベンチャー支援に際しての株式等の取得・保有の可能化等が規定された。令和２年６月には同法が改正され、成果を活用する事業者等に出資可能な研究開発法人が更に拡大す

るとともに、研究開発法人の出資先事業者において共同研究等が実施できる旨が明確化された。また、本改正を受けて、令和３年４月に内閣府及び文部科学省において「研究開発法人による出資等に係るガイドライン」（平成31年１月17日内閣府科学技術・イノベーション推進事務局統括官、文部科学省 科学技術・学術政策局長決定）を改定した。本改正により、研究開発法人等を中心とした知識・人材・資金の好循環が実現し、科学技術・イノベーション創出の活性化がより一層促進されることが期待されている。

第２章

第3節　一人ひとりの多様な幸せ（well-being）と課題への挑戦を実現する教育・人材育成

　Society 5.0を実現するためには、これを担う人材が鍵である。このため第6期基本計画では、自ら課題を発見し、解決手法を模索する、探究的な活動を通じて身に付く能力や資質が重要としており、それらを磨き高めることで、多様な幸せを追求し、課題に立ち向かう人材を育成することを目指している。その実現に向け、政府で行っている施策を報告する。

❶　ＳＴＥＡＭ教育の推進による探究力の育成強化

　文部科学省は、令和4年度から年次進行で実施されている高等学校学習指導要領に基づき、「理数探究」や「総合的な探究の時間」等における問題発見・課題解決的な学習活動の充実を図るため、その趣旨を周知している。なお、理数教育の充実に向けた取組として、「理科教育振興法」（昭和28年法律第186号）に基づく観察・実験に係る実験器具等の設備整備の補助や、理科観察・実験アシスタントの配置の支援も引き続き実施している。

　また、先進的な理数系教育を実施する高等学校等を「スーパーサイエンスハイスクール（ＳＳＨ）」に指定し、科学技術振興機構による支援を通じて、生徒の科学的な探究能力等を培い、将来、国際的に活躍し得る科学技術人材等の育成を図っている。具体的には、ＳＳＨ指定校は、大学や研究機関等と連携しながら課題研究の推進、理数系に重点を置いたカリキュラムの開発・実施等を行い、創造性豊かな人材の育成に取り組んでいる。令和4年度においては、全国217校のＳＳＨ指定校が特色ある取組を進めている。

　科学技術振興機構は、意欲・能力のある高校生を対象とした国際的な科学技術人材を育成するプログラムの開発・実施を行う大学を「グローバルサイエンスキャンパス（ＧＳＣ）」に選定し、支援している。また、理数分野で特に意欲や突出した能力を有する小中学生を対象に、その能力の更なる伸長を図るため、大学等が特別な育成プログラムを提供する大学等を「ジュニアドクター育成塾」に選定し、支援している。

　また、数学、化学、生物学、物理、情報、地学、地理の国際科学オリンピックや国際学生科学技術フェア（ＩＳＥＦ[1]）等の国際科学技術コンテストの国内大会の開催や、国際大会への日本代表選手の派遣、国際大会の日本開催に対する支援等を行っている（第2-2-12図）。

1　International Science and Engineering Fair

■第 2 - 2 -12図／令和 4 年度国際科学技術コンテスト出場選手

国際数学オリンピック（現地開催・ノルウェー大会）出場選手

写真左から

三宮　拓実さん　　福岡県立福岡高等学校 3 年（銀メダル受賞）
北山　勇次さん　　札幌市立札幌開成中等教育学校 6 年（銅メダル受賞）
沖　　祐也さん　　灘高等学校 3 年（金メダル受賞）
新井　秀斗さん　　海城高等学校 3 年（銀メダル受賞）
北村　隆之介さん　東京都立武蔵高等学校 2 年（銀メダル受賞）
井本　匡さん　　　麻布高等学校 3 年（銀メダル受賞）

資料：（公財）数学オリンピック財団

国際化学オリンピック（オンライン・中国大会）出場選手

写真左から

中地　明さん　　　立命館慶祥高等学校 3 年（金メダル受賞）
直井　勝己さん　　浅野高等学校 3 年（金メダル受賞）
柏井　史哉さん　　伊勢崎市立四ツ葉学園中等教育学校 6 年

　　　　　　　　　（金メダル受賞）
石川　貴士さん　　筑波大学附属駒場高等学校 2 年（金メダル受賞）

資料：（公財）日本化学会

国際生物学オリンピック（現地開催・アルメニア大会）出場選手

写真左から

嶋田　佐津さん　　東京都立立川高等学校 3 年（銀メダル受賞）
川上　航平さん　　久留米大学附設高等学校 3 年（銅メダル受賞）
井上　泰直さん　　東京都立小石川中等教育学校 5 年
三田村　大凱さん　灘高等学校 3 年（金メダル受賞）

※中央は現地の日本チームガイドのAni Fallさん

資料：国際生物学オリンピック日本委員会

国際物理オリンピック（オンライン・スイス大会）出場選手

写真左から

埜上　照さん　　　宮城県仙台二華高等学校 3 年（銀メダル受賞）
喜多　俊介さん　　筑波大学附属駒場中学校 3 年（銅メダル受賞）
山下　航弥さん　　大阪教育大学附属高等学校天王寺校舎 3 年

　　　　　　　　　（銅メダル受賞）
三宅　智史さん　　東海高等学校 3 年（銀メダル受賞）
大倉　晴琉さん　　埼玉県立大宮高等学校 3 年（銀メダル受賞）

資料：（公財）物理オリンピック日本委員会

国際情報オリンピック
（ハイブリッド・インドネシア大会）出場選手

写真左から

児玉　大樹さん　　灘高等学校 2 年（金メダル受賞）

田中　優希さん　　灘高等学校 2 年（金メダル受賞）

田村　唯さん　　　大阪公立大学工業高等専門学校 3 年（金メダル受賞）

渡邉　雄斗さん　　渋谷教育学園幕張高等学校 3 年（金メダル受賞）

資料：（一社）情報オリンピック日本委員会

国際地学オリンピック
（オンライン・イタリア大会）出場選手

写真左から

下河邊　太智さん　海城高等学校 2 年（金メダル受賞）

泊　あすみさん　　神戸女学院高等学部 3 年（銅メダル受賞）

塚原　大輝さん　　灘高等学校 2 年（銀メダル受賞）

北村　瑞輝さん　　千葉県立東葛飾高等学校 3 年（銀メダル受賞）

資料：特定非営利活動法人地学オリンピック日本委員会

国際地理オリンピック
（オンライン・フランス大会）出場選手

写真左から

新山　慶悟さん　　宮城県仙台二華高等学校 3 年

岩倉　治輝さん　　筑波大学附属駒場高等学校 2 年（銅メダル受賞）

佐藤　弘康さん　　栄東高等学校 3 年（銀メダル受賞）

森田　晃弘さん　　灘高等学校 3 年（銅メダル受賞）

資料：国際地理オリンピック日本委員会

※所属・学年は全て受賞当時

令和4年度は、全国の高校生等が学校対抗・チーム制で理科・数学等における筆記・実技の総合力を競う場として、中学生を対象とした「第10回科学の甲子園ジュニア全国大会」（令和4年12月2日〜12月4日）が開催され、富山県代表チームが優勝した（第2-2-13図）。また、高校生等を対象とした「第12回科学の甲子園全国大会」（令和5年3月17日〜3月19日）が開催され、神奈川県代表の栄光学園高等学校が優勝した（第2-2-14図）。

■第2-2-13図／第10回科学の甲子園ジュニア全国大会

優勝チーム　富山県代表チーム

写真左から

棚元　樹さん	富山大学教育学部附属中学校2年
川田　唯斗さん	富山大学教育学部附属中学校2年
長谷川　佳煕さん	富山大学教育学部附属中学校1年
片脇　悠翔さん	富山大学教育学部附属中学校1年
舟川　叶真さん	入善町立入善中学校2年
元秋　篤さん	砺波市立庄西中学校2年

資料：科学技術振興機構

※学年は全て受賞当時

■第2-2-14図／第12回科学の甲子園全国大会

優勝チーム
神奈川県代表　栄光学園高等学校

写真前列左から

山中　秀仁さん	栄光学園高等学校1年
加藤　奏さん	栄光学園高等学校1年
金　是佑さん	栄光学園高等学校1年
成山　優佑さん	栄光学園高等学校2年

後列左から

中村　陽斗さん	栄光学園高等学校2年
武田　恭平さん	栄光学園高等学校2年
真野　恵多さん	栄光学園高等学校1年
山口　敦史さん	栄光学園高等学校2年

資料：科学技術振興機構

※学年は全て受賞当時

文部科学省では、大学生等の研究能力や研究意欲の向上とともに、創造性豊かな科学技術人材育成を目的として「サイエンス・カンファレンス」を開催し、ポータルサイト上での自主研究の発表動画・発表ポスターの画像の掲載や交流に加え、研究者等による講演、科学コンテスト等優秀者による研究発表、トークセッション、意見交換会で構成するオンラインイベントを実施した。

文部科学省、特許庁、日本弁理士会及び工業所有権情報・研修館は、生徒・学生の知的財産に対する理解と関心を深めるため、高等学校、高等専門学校及び大学等の生徒・学生を対象としたパテントコンテスト及びデザインパテントコンテストを開催している。コンテストに応募された発明・意匠のうち優れたものについて表彰を行うとともに、表彰された生徒・学生に対して、応募作品について特許出願・意匠登録出願から権利取得までの過程を支援している。なお、応募作品のうち、身の回りにある物の科学的性質や働きから着想を得た、独創的かつ画期的な作品に対しては、文部科学省から特別賞として表彰を行っている。

内閣府では、総合科学技術・イノベーション会議に中央教育審議会、産業構造審議会の委員の参画を得た有識者会議を設置し、イノベーションの源泉となるSTEAM[1]教育の充実に向けた省庁横断的な具体策の検討を進め、政策パッケージを策定した。同パッケージを踏まえ、科学技術振興機構では、探究・STEAM教育を社会全体で支えるエコシステムの1つとして、日本科学未来館におけるSTEAM教育に資する新規常設展示の設置（令和5年度中に第1弾を予定）や科学技術振興機構サイエンスポータルにおけるSTEAM特設サイト構築（令和6年度当初に運用開始予定）等の新たな取組を行うべく準備を進めた。

❷　外部人材・資源の学びへの参画・活用

文部科学省は、高等学校が公共団体、高等教育機関、産業界等と協働して、地域課題の解決等の探究的な学びを実現する取組を推進するため、「地域との協働による高等学校教育改革推進事業」を実施し、その成果普及のための全国サミット等を実施した。

また、特別免許状や特別非常勤講師制度については、「令和の日本型学校教育」の実現に向けて多様な専門性を有する質の高い教職員集団を形成する観点から、複線化された入職ルートとして、より一層機能させていく必要があるため、中央教育審議会答申を踏まえつつ、必要な検討を行っている。

内閣府では、文部科学省の協力も得ながら、主に大学の入学者選抜の際に、探究的な活動を通じて身に付く能力・資質等の評価を適切に活用しているグッドプラクティスを調査し、積極的に横展開するための事例集を作成し、公表した。

❸　教育分野におけるDXの推進

GIGA[2]スクール構想に基づく1人1台端末の整備がおおむね完了し、本格的な活用の段階に入っている。教育現場においては、教員のICT活用を支援する「ICT支援員（情報通信技術支援員）」の配置促進に向けて、令和4年11月に「1人1台端末の利活用促進に向けた取組について（通知）」を全国の教育委員会等に発出した。教育データについては、効果的な利活用に向けてデータの標準化を推進する観点から、文部科学省では、令和2年度に公表した「教育データ標準1.0」を受け、令和3年12月に、これまでの制度に基づき学校において普遍的に活用されてきた主体情報を中心に定義し、「教育データ標準2.0」として公表した。また、令和4年12月には、主体情報の改訂を行うとともに、活動情報の一部を「教育データ標準3.0」として公表した。

1　　Science, Technology, Engineering, Art(s) and Mathematics
2　　Global and Innovation Gateway for All

全国の公立学校における、教員の業務負担の軽減を可能とする統合型校務支援システムの導入については平成30年度からの地方財政措置が講じられており、平成30年３月現在は52.5％、令和４年３月現在は81.0％と着実に増加している。ＧＩＧＡスクール構想による１人１台端末が整備されたことにより、校務でのＩＣＴ機器やシステムの利用の状況が変化してきていることもあり、令和３年12月から「ＧＩＧＡスクール構想の下での校務の情報化の在り方に関する専門家会議」での検討を始め、令和５年３月に「ＧＩＧＡスクール構想の下での校務ＤＸについて～教職員の働きやすさと教育活動の一層の高度化を目指して～」を取りまとめた。また、その議論の方向性等も踏まえ、令和４年度第２次補正予算及び令和５年度予算案に「次世代の校務デジタル化推進実証事業」を計上した。

❹ 人材流動性の促進とキャリアチェンジやキャリアアップに向けた学びの強化

厚生労働省と文部科学省は、令和４年度に「job tag（職業情報提供サイト（「日本版O-NET」））」（以下、「job tag」という。）と、大学等における社会人向けプログラムを紹介するサイト（「マナパス」）との機能面での連携を実施した。これにより、「job tag」の職業情報から「マナパス」の講座情報を検索することが可能となった（令和５年３月時点）。

文部科学省は、大学等における実践的な工学教育に向けた取組を推進しており、各大学では、例えば、連携する企業における課題を用いた課題解決型学習や、産業社会構造を見据えた分野を融合した教育など、教育内容や方法の質的充実に向けた取組が進められている。また、文部科学省は、科学技術に関する高等の専門的応用能力を持って計画や設計等の業務を行う者に対し、「技術士」の資格を付与する「技術士制度」を設けている。技術士試験は、理工系大学卒業程度の専門的学識等を確認する第一次試験（令和４年度合格者数7,251名）と技術士にふさわしい高等の専門的応用能力を確認する第二次試験（同2,632名）から成る。令和４年度第二次試験の部門別合格者は第２-２-15表のとおりである。

■第２-２-15表／技術士第二次試験の部門別合格者（令和４年度）

技術部門	受験者数（名）	合格者数（名）	合格率(%)	技術部門	受験者数（名）	合格者数（名）	合格率(%)
機械	806	141	17.5	農業	722	88	12.2
船舶・海洋	11	3	27.3	森林	277	44	15.9
航空・宇宙	40	8	20.0	水産	96	13	13.5
電気電子	1,023	99	9.7	経営工学	200	28	14.0
化学	124	23	18.5	情報工学	395	50	12.7
繊維	33	9	27.3	応用理学	551	75	13.6
金属	86	17	19.8	生物工学	29	5	17.2
資源工学	21	3	14.3	環境	415	53	12.8
建設	13,026	1,268	9.7	原子力・放射線	48	8	16.7
上下水道	1,386	142	10.2	総合技術監理	2,735	501	18.3
衛生工学	465	54	11.6				

資料：文部科学省作成

科学技術振興機構は、技術者が科学技術の基礎知識を幅広く習得することを支援するために、科学技術の各分野及び共通領域に関するインターネット自習教材[1]を提供している。

文部科学省及び経済産業省は、人材の流動性を高める上で、クロスアポイントメント制度の導入を促進している（第 2 章第 1 節 4 ❺参照）。また、平成28年11月に策定された「産学官連携による共同研究強化のためのガイドライン」、令和 2 年 6 月に取りまとめた追補版、及び令和 4 年 3 月に公表したＦＡＱにおいてもクロスアポイントメント制度の導入を促進している。

❺　学び続けることを社会や企業が促進する環境・文化の醸成

ＤＸの加速化など、企業・労働者を取り巻く環境が急速かつ広範に変化するとともに、労働者の職業人生の長期化や働き方の多様化も同時に進行する中で、個人のキャリアアップ・キャリアチェンジのため、リカレント教育を推進する必要性がますます高まっている。その際、企業における人材育成の取組の推進や教育機関におけるリカレント教育プログラムの充実など、幅広い観点から必要な施策を講じていく必要がある。このため、内閣府、文部科学省、厚生労働省及び経済産業省を構成員とした検討の場を設置し、関係府省庁の人材育成施策についての情報共有等を行っている。

文部科学省はリカレント教育を推進する社会の機運を高めるため、リカレント教育の社会人受講者数のほか、その教育効果や社会への影響を評価できる指標を開発することとし、リカレント教育に係る委託事業の取組内容や成果を踏まえるとともに、教育界、産業界等の意見を踏まえ関係省庁と連携して検討を進めている。

厚生労働省は、労働政策審議会人材開発分科会において、労使の検討・審議を経て、学び・学び直しを促進するため、企業労使が取り組むべき事項等を体系的に示した「職場における学び・学び直し促進ガイドライン」を令和 4 年 6 月に策定した。

❻　大学・高等専門学校における多様なカリキュラム、プログラムの提供

国立大学法人に対しては、「国立大学法人ガバナンス・コード」において、各国立大学法人に対し、学生が享受した教育成果を示す情報の公表を求めている。

文部科学省は、全学的な教学マネジメントの確立等を実現しつつ、今後の社会や学術の新たな変化や展開に対して柔軟に対応し得る能力を有する幅広い教養と深い専門性を両立した人材育成を支援する「知識集約型社会を支える人材育成事業」を実施している。令和 4 年度には、文理横断・学修の幅を広げる教育プログラムや、出る杭を引き出す教育プログラムの構築を行う大学の取組、授業科目を絞り込み、質と密度の高い学修の実現を目指す取組について引き続き支援した。また、令和 4 年度から「地域活性化人材育成事業〜ＳＰＡＲＣ[2]〜」を実施し、地域と大学間の連携を通じて、既存の教育プログラムを再構築し、地域を牽引する人材を育成する大学等の取組を支援している。

さらに、令和 3 年 5 月に成立した国立大学法人法の一部を改正する法律により、全ての国立大学法人が大学の研究成果を活用したコンサルティング、研修・講習等を実施する事業者へ出資することを可能としている。

高等専門学校では、中学校卒業後からの 5 年一貫の専門的・実践的な技術者教育を特徴とし、他分野との連携強化、社会ニーズを踏まえた教育、海外で活躍できる能力の向上等の取組を通

1　https://jrecin.jst.go.jp/

2　Superiment Program for Activating Regional Collaboration

じて技術者の育成を進めている。

　また、近年では、産業構造の変化に対応した、デジタル、ＡＩ、半導体といった社会的要請が高い分野の人材育成やイノベーション創出によって、社会課題の解決に貢献する人材育成を進めている。さらに、高専生が高専教育で培った「高い技術力」、「社会貢献へのモチベーション」、「自由な発想力」を活かして起業する事例が出てきている。令和４年度はアントレプレナーシップ教育に取り組む全ての高専に対して、「高等専門学校スタートアップ教育環境整備事業」を実施し、高専生が自由な発想で集中して活動にチャレンジできる取組を進めている。

❼ 市民参画など多様な主体の参画による知の共創と科学技術コミュニケーションの強化

１．公的機関等の取組

　毎年４月、科学技術に関し、広く国民の関心と理解を深め、科学技術の振興を図るため、科学技術週間が設定されている（昭和35年２月26日閣議了解）。期間中、全国で研究施設公開や講演会など、科学技術週間関連行事が多数開催されている。

　文部科学省では令和４年度科学技術週間（令和４年４月18日から24日）に合わせて、大人から子供まで、広く科学技術への関心を深めるため、学習資料「一家に１枚ガラス 〜人類と歩んできた万能材料〜」を全国の小中高校、大学、科学館・博物館等へ配布するとともに、更に学びを深めるべく特設ウェブサイトや動画を公開した。また令和５年３月には、令和５年度版学習資料「一家に１枚 ウイルス 〜小さくて大きな存在〜」（第２-２-16図）を制作し、公表した。

　農林水産省は、ゲノム編集技術等の社会実装に向け、消費者等を対象に研究者等の専門家を派遣して行う出前授業や研究施設の見学会の実施、技術を解説した動画やリーフレット等による情報発信等のアウトリーチ活動を行っている。また、所管する国立研究開発法人は、一般公開や市民講座等を実施し、国民との双方向のコミュニケーション等を意識した研究活動の紹介や成果の展示等の普及啓発に努めている。

　宇宙航空研究開発機構は、青少年の人材育成の一環として「コズミックカレッジ」や連携授業やセミナー等の宇宙を素材とした様々な教育支援活動等を行っている。

　理化学研究所は、より多くの国民に対して最新の研究成果等の理解増進を図るため、冊子の作成や動画などをウェブサイト上で公開しているほか、オンラインイベントを開催している。また、本を通じて科学の面白さ、深さ、広さを紹介する取組として「科学道100冊」を全国の中学校・高校、公共図書館等に展開するなど、様々なアウトリーチ活動を行っている。

　海洋研究開発機構は、研究開発の理解増進を図るため、オンラインコンテンツを活用したアウトリーチ活動や、将来の海洋人材の裾野拡大を目指した若年層向けの「マリン・ディスカバリー・コース」を実施している。

　産業技術総合研究所は、展示施設を常設し、バーチャルを含む各種イベントへの出展や実験教室・出前講座など、科学技術コミュニケーション事業を積極的に推進している。さらに、最新の研究成果を分かりやすく説明する動画やウェブコンテンツを作成・公開し、情報発信に努めている。

■第２-２-16図／令和５年度版学習資料「一家に１枚 ウイルス 〜小さくて大きな存在〜」

資料：文部科学省作成

＜参考ＵＲＬ＞各機関等のウェブ・動画サイト

○科学技術週間／学習資料「一家に１枚」

　　　https://www.mext.go.jp/stw/

○理研チャンネル

　　　https://www.youtube.com/user/rikenchannel

○産業技術総合研究所動画ライブラリ

　　　https://www.aist.go.jp/aist_j/media/video/video_main.html

そのほか、各大学や公的研究機関は、研究成果について広く国民に対して情報発信する取組等を行っている。

なお、総合科学技術・イノベーション会議は、1件当たり年間3,000万円以上の公的研究費の配分を受ける研究者等に対して、研究活動の内容や成果について国民との対話を行う活動を積極的に行うよう促している。

国立国会図書館は、所蔵資料のデジタル化及び全文テキストデータ化に取り組むとともに、国民共有の知識・情報資源へのアクセス向上と利活用促進のため、全国の図書館、学術研究機関等が提供する資料、デジタルコンテンツ等を統合的に検索可能なデータベース（国立国会図書館サーチ[1]）を提供している。

2．科学館・科学博物館等の活動の充実

科学技術振興機構は、科学技術・イノベーションと社会の関係の深化に向けて、多様な主体が双方向で対話・協働する「サイエンスアゴラ[2]」や「サイエンスポータル[3]」を通じた情報発信などの多層的な科学技術コミュニケーション活動を推進している（第2章第2節 2 ❸参照）。特に日本科学未来館[4]においては、先端の科学技術と社会との関わりを来館者等と共に考える活動を展開しており、IoT[5]やAI等の最先端技術も活用した展示やイベント等を通じて多層的な科学技術コミュニケーション活動を推進するとともに、全国各地域の科学館・学校等との連携を進めている。

国立科学博物館[6]は、自然史・科学技術史におけるナショナルセンターとして蓄積してきた研究成果や標本・資料などの知的・物的・人的資源を活かして、未就学児から成人まで幅広い世代に自然や科学技術の面白さを伝え、共に考える機会を提供する展示や学習支援活動を実施している。さらに研究者による研究活動や展示を解説する動画の公開、各SNSによるタイムリーな情報発信にも取り組んでいる。

1　国立国会図書館サーチ
　　https://iss.ndl.go.jp

2　【科学技術振興機構】サイエンスアゴラ
　　https://www.jst.go.jp/sis/scienceagora/

3　【科学技術振興機構】サイエンスポータル
　　https://scienceportal.jst.go.jp/index.html

4　【日本科学未来館】MiraikanChannel
　　https://www.youtube.com/channel/UCdBvq7IgL4U6u3CzeZaeoFg

5　Internet of Things
6　【国立科学博物館】かはくチャンネル
　　https://www.youtube.com/user/NMNSTOKYO

コラム15　共創的な科学技術コミュニケーション活動

■日本科学未来館における科学コミュニケーション活動の推進

　日本科学未来館（以下、未来館という。）は、「科学技術を文化として捉え、社会に対する役割と未来の可能性について考え、語り合うための、すべての人々にひらかれた場」を設立の理念に、平成13年７月９日に開館しました。令和３年４月、第２代館長に就任した浅川智恵子日本科学未来館館長は、誰一人取り残されない未来社会の実現に向けて、新しい科学館の在り方、未来館の目指すべき方向性を示した「Miraikanビジョン2030　〜あなたとともに『未来』をつくるプラットフォーム」を発表しました。これには、あらゆる人たちが立場や場所をこえてつながり、様々な科学技術を体験し、未来の社会を想像し、より良い未来に向けた行動を始めることができる、そうしたプラットフォームに未来館をしていくという思いが込められています。

　その１つの取組として、令和３年４月に未来館自らが研究室を立ち上げ、視覚障害者等のミュージアム体験を豊かにする研究開発に取り組んでいます。令和４年４月には「未来館アクセシビリティラボ」として本格運用を始め、目が見えない・見えづらい方の移動をサポートする目的で開発している自立走行型ナビゲーションロボット「AIスーツケース」などの研究を推進しています。「AIスーツケース」は、未来館等の施設内で利用者を誘導するにとどまらず、令和５年１〜２月には東京都等と連携して臨海副都心エリアの次世代モビリティの実証テストの一環として屋外でのテストも開始しており、今後も多様な主体と協働して、社会課題の解決やイノベーションの創出につながる実証テストや科学コミュニケーション活動を推進していきます。

　また、「Society 5.0の実現に向けた教育・人材育成に関する政策パッケージ」（令和４年６月２日、総合科学技術・イノベーション会議決定）等の政府の動向を踏まえ、未来館ではＳＴＥＡＭ教育に資する新たな展示開発やアクティビティの提供など、様々な取組を計画しています。

日本科学未来館

シンボル展示「Geo-Cosmos
（ジオ・コスモス）」

ＡＩスーツケースと浅川智恵子
日本科学未来館館長

提供：日本科学未来館（３枚とも）

■「サイエンスアゴラ」で対話を通じて科学と社会について考える

「サイエンスアゴラ」は、あらゆる人に開かれた科学と社会をつなぐ日本最大級のオープンフォーラムとして、科学技術振興機構主催で平成18年より毎年秋に開催しています。「アゴラ」とは古代ギリシャ語で広場を意味し、分野・セクター・年代等を超え様々な人々が集い対話を通じて科学技術にふれあいながら、私たちの身の回りの課題や、より良い未来社会の在り方など、科学と社会について考える機会を提供しています。

令和4年11月には「まぜて、こえて、つくりだそう」をテーマに掲げ、サイエンスアゴラ2022が3年ぶりに実地開催され、オンラインを併用したハイブリッド形式も含め、子どもから大人まで約1万人が参加しました。オープニングセレモニーには、山本左近・文部科学大臣政務官が来賓として祝辞を述べるとともに、最先端の科学を伝える企画、ＳＤＧｓをはじめとする社会課題解決への取組、次世代を担う中学生や高校生が自らの研究を発表するプログラムなど、140件を超える多岐にわたる企画が実施されました。

例えば、日本科学未来館と科学技術振興機構「科学と社会」推進部が共催したセッションでは、令和4年度から高校での探究学習が本格始動したことを受けて、大学、芸術家、科学館、研究者、高校教員といった異なる立場の登壇者により、教育現場での好事例の紹介や、探究・ＳＴＥＡＭ教育の発展に向けて活発な対話が行われました。

3年ぶりの実地開催となったサイエンスアゴラ2022
提供：科学技術振興機構

3．日本学術会議や学協会における取組

日本学術会議は、学術の成果を国民に還元するための活動の一環として学術フォーラムを開催しており、令和4年度は、「国難級災害を乗り越えるためのレジリエンス確保のあり方」、「国際基礎科学年～持続可能な世界のために」や「ヒトゲノム編集と着床前遺伝学的検査について考える－新しい医療技術の利用のあり方」等の広範囲なテーマについて計13回開催した。

大学などの研究者を中心に自主的に組織された学協会は、研究組織を超えた人的交流や研究評価の場として重要な役割を果たしており、最新の研究成果を発信する研究集会などの開催や学会誌の刊行等を通じて、学術研究の発展に大きく寄与している。

日本学術振興会は、学協会による国際会議やシンポジウムの開催及び国際情報発信力を強化する取組などに対して、科学研究費助成事業「研究成果公開促進費」による助成を行っている。

附属資料

1. 科学技術・イノベーション基本法（平成７年11月15日法律第130号）
   https://elaws.e-gov.go.jp/document?lawid=407AC1000000130_20210401_502AC0000000063

2. 第６期科学技術・イノベーション基本計画（令和３年３月26日閣議決定）
   https://www8.cao.go.jp/cstp/kihonkeikaku/6honbun.pdf

3. 統合イノベーション戦略
   https://www8.cao.go.jp/cstp/tougosenryaku/index.html

4. 科学技術要覧
   https://www.mext.go.jp/b_menu/toukei/006/006b/koumoku.htm

索　引

索引

「科学技術・イノベーション白書」についてのお問い合わせは、
下記へお願い致します。

文部科学省　科学技術・学術政策局　研究開発戦略課
〒100-8959 東京都千代田区霞が関 3-2-2
TEL 03（5253）4111　（内線 4012）

科学技術・イノベーション白書（令和5年版）

令和5年（2023年）6月20日　発行　　　　　定価は表紙に表示してあります。

編　集　　文　部　科　学　省

発　行　　日 経 印 刷 株 式 会 社
〒102-0072
東京都千代田区飯田橋 2 - 15 - 5
TEL 03（6758）1011
https://www.nik-prt.co.jp/

発　売　　全 国 官 報 販 売 協 同 組 合
〒100-0013
東京都千代田区霞が関 1 - 4 - 1
TEL 03（5512）7400

落丁・乱丁本はお取り替えします。

ISBN978-4-86579-368-0